O homem que morreu duas vezes

O homem que morreu duas vezes

Um romance do Clube do Crime das Quintas-Feiras

Richard Osman

Tradução de Jaime Biaggio

TÍTULO ORIGINAL
The Man Who Died Twice (The Thursday Murder Club 2)

PREPARAÇÃO
Ilana Goldfeld
Stella Carneiro

REVISÃO
Eduardo Carneiro
Juliana Souza
Thayná Pessanha

DIAGRAMAÇÃO
DTPhoenix Editorial

CIP-BRASIL. CATALOGAÇÃO NA PUBLICAÇÃO
SINDICATO NACIONAL DOS EDITORES DE LIVROS, RJ

O91h Osman, Richard, 1967-
O homem que morreu duas vezes / Richard Osman; tradução Jaime Biaggio. - 1. ed. - Rio de Janeiro: Intrínseca, 2021.
400 p.; 23 cm. (O Clube do Crime das Quintas-Feiras; 2)

Tradução de: The man who died twice
Sequência de: O Clube do Crime das Quintas-Feiras
ISBN: 978-65-5560-286-9
ISBN: 978-65-5560-316-3 [ci]

1. Ficção inglesa. I. Biaggio, Jaime. II. Título. III. Série.

CDD: 823
CDU: 82-3(410.1)

21-71309

Leandra Felix da Cruz Candido - Bibliotecária - CRB-7/6135

[2021]
Todos os direitos desta edição reservados à
EDITORA INTRÍNSECA LTDA.
Rua Marquês de São Vicente, 99, 3º andar
22451-041 — Gávea
Rio de Janeiro — RJ
Tel./Fax: (21) 3206-7400
www.intrinseca.com.br

Para Ruby e Sonny — tenho muita sorte
e muito orgulho de ser pai de vocês.

Sylvia Finch pondera por quanto tempo ainda aguentará aquilo.

Um pé de cada vez, as poças do outono escurecendo seus sapatos de camurça.

A morte paira sobre ela como uma leve neblina. Está no seu cabelo, nas suas roupas. As pessoas com quem cruza devem reparar nisso.

Será que algum dia conseguirá se livrar daquilo? Sylvia espera que sim e também que não.

Quando foi a última vez que aconteceu algo bom de verdade? Algo que tenha lhe dado esperança?

Enquanto Sylvia digita o código de segurança para abrir a porta, o sol aparece entre as nuvens.

Ela entra.

PARTE UM

Seus amigos com certeza virão visitar

1

Na quinta-feira seguinte...

— Eu estava conversando com uma mulher em Ruskin Court e ela disse que está fazendo dieta — comenta Joyce, terminando a taça de vinho. — Ela tem oitenta e dois anos!

— Andadores dão a impressão de que a pessoa é mais gorda — argumenta Ron. — São aquelas pernas fininhas deles.

— Para que dieta aos oitenta e dois? — pergunta Joyce. — Que mal um cachorro-quente de forno vai fazer? E isso lá vai matar alguém? Dá para morrer de tanta coisa antes.

Acaba de terminar a mais recente reunião do Clube do Crime das Quintas-Feiras. O tema da semana foi o caso arquivado do jornaleiro de Hastings que matou um intruso com uma besta. Ele tinha sido preso, mas a imprensa se meteu na história, o consenso foi de que um homem deve ter o direito de proteger a própria loja com uma besta, claro, onde já se viu?, e ele foi posto em liberdade e saiu de cabeça erguida.

Cerca de um mês depois, a polícia descobriu que o intruso estava namorando a filha adolescente do jornaleiro, e este último tinha um vasto histórico de agressões com lesão corporal, mas àquela altura o assunto já havia sido esquecido. Afinal, aquilo foi em 1975. Não existia circuito interno de TV e ninguém queria começar um alvoroço.

— Vocês acham que um cachorro seria uma boa companhia? — indaga Joyce. — Pensei em adotar um ou entrar no Instagram.

— Eu não recomendaria — diz Ibrahim.

— Você também não recomenda nada — retruca Ron.

— De fato. De maneira geral — concorda Ibrahim.

— Não seria um cachorro grande, claro — explica Joyce. — Não tenho aspirador de pó que dê conta de um cachorro grande.

Joyce, Ron, Ibrahim e Elizabeth almoçam no restaurante que fica no coração do Retiro de Aposentados de Coopers Chase. Na mesa, há uma garrafa de vinho tinto e outra de branco. São quinze para o meio-dia, mais ou menos.

— Mas também não adote um pequeno, Joyce — defende Ron. — Cachorro pequeno é igual a homem baixinho: sempre precisa provar alguma coisa. Ficam latindo, rosnando para os carros.

Joyce concorda com um gesto de cabeça e fala:

— Então talvez um cachorro de porte médio? Elizabeth?

— Humm, boa ideia — responde ela, apesar de não estar prestando muita atenção. E como poderia? Como, depois de ler a carta que acaba de receber?

Ela capta o básico da conversa, é claro. Elizabeth sempre está alerta, pois nunca se sabe o que pode cair no seu colo. Já ouviu de tudo ao longo dos anos. Um trechinho de uma conversa num bar em Berlim, um marinheiro russo de língua solta de folga em Trípoli. Desta vez, é um almoço de quinta-feira em um monótono retiro de aposentados em Kent. Parece que Joyce quer um cachorro, há uma discussão a respeito de tamanhos e Ibrahim tem suas dúvidas. Mas a mente dela está distante dali.

A carta fora passada de fininho por baixo da porta de Elizabeth.

Cara Elizabeth,

Será que você se lembra de mim? Talvez não, mas, sem querer me gabar, imagino que lembre.

O mundo deu voltas e, ao me mudar esta semana, descobri que agora somos vizinhos. Lugar mal frequentado, hein? Você deve estar achando que hoje em dia deixam qualquer um entrar aqui.

Sei que já faz algum tempo desde que nos vimos pela última vez, mas acho que seria maravilhoso botar a conversa em dia depois de tantos anos.

Gostaria de me encontrar para um drinque no nº 14 de Ruskin Court? Um pequeno open house*? E, caso queira, amanhã às três da tarde seria um bom horário? Não precisa responder, esperarei por você com uma garrafa de vinho de qualquer forma.*

Seria mesmo muito agradável ver você. Há muito a pôr em dia. Tantas águas já se passaram desde então...

Espero de verdade que se lembre de mim. E espero de verdade vê-la amanhã.

Seu velho amigo,

Marcus Carmichael

Elizabeth tem refletido sobre isso desde então.

A última vez que vira Marcus Carmichael fora no fim de novembro de 1981, numa noite muito escura e muito fria na Lambeth Bridge, o Tâmisa na maré baixa, sua respiração se condensando no ar congelante. Era um trabalho em equipe, todos especialistas, com Elizabeth no comando. Chegaram ao local numa van Transit branca de aparência xexelenta, com os dizeres "G. Procter — Janelas, calhas, fazemos qualquer serviço", mas toda reluzente por dentro, cheia de botões e telas. Um jovem policial isolara a faixa litorânea com fitas e a calçada do Albert Embankment fora interditada.

Elizabeth e sua equipe desceram com cuidado um traiçoeiro lance de degraus de pedra escorregadios por conta do musgo. A maré baixa revelara um cadáver apoiado no pilar da ponte mais perto da margem, quase que sentado. Tudo fora feito da maneira correta, Elizabeth havia se certificado. Alguém de sua equipe examinara as roupas e vasculhara os bolsos do pesado sobretudo, uma moça de Highgate tirara fotos e o médico registrara a morte. Ficara evidente que o homem havia pulado no Tâmisa, ou sido jogado. Isso cabia ao legista descobrir. Tudo seria datilografado por alguém, e Elizabeth somente acrescentaria sua rubrica no rodapé da página. Tudo bonitinho, tudo certinho.

A subida dos escorregadios degraus com o cadáver depositado numa maca militar levara algum tempo. Para piorar, um jovem policial, todo entusiasmado por ter sido chamado para ajudar, caíra e quebrara um tornozelo. Eles lhe explicaram que não seria possível chamar uma ambulância de imediato e ele aceitou aquilo de bom grado. Vários meses depois, recebeu uma injustificada promoção, de forma que não houve maiores prejuízos.

A pequena equipe conseguiu chegar ao Embankment e o corpo foi descarregado na van Transit branca. "Fazemos qualquer serviço."

A equipe se dispersou, exceto por Elizabeth e pelo médico, que permaneceu na van com o cadáver durante o transporte até o necrotério em Hampshire. Ela nunca havia trabalhado com aquele médico em particular — corpulento, com rosto avermelhado, bigode escuro começando a ficar grisalho —, mas ele era uma pessoa interessante. Um homem de quem seria fácil se lembrar. Conversaram sobre eutanásia e críquete até ele pegar no sono.

Ibrahim, taça de vinho na mão, expõe seu ponto de vista:

— Sinto muito, Joyce, mas sou contra você adotar qualquer cachorro que seja, pequeno, médio ou grande. Não neste momento da sua vida.

— Ai, ai, ai, lá vem ele — intervém Ron.

— Um cachorro de porte médio, um terrier, digamos, ou um Jack Russell, tem uma expectativa de vida de cerca de catorze anos — defendeu Ibrahim.

— De onde você tirou isso? — pergunta Ron.

— Do Kennel Club, Ron, caso queira tirar satisfações com eles. Você gostaria de ir lá fazer isso?

— Não, deixa pra lá.

— Pois então, Joyce — continua Ibrahim —, você tem setenta e sete anos, não é?

Joyce confirma com a cabeça.

— Faço setenta e oito no ano que vem — acrescenta.

— Bem, claro, isso nem precisa dizer — concorda Ibrahim. — Portanto, aos setenta e sete, nós temos que considerar a sua expectativa de vida.

— Ahh, é mesmo? — replica Joyce. — Adoro esse tipo de coisa. Uma vez jogaram tarô para mim no píer. A moça disse que eu iria ganhar um bom dinheiro.

— Para ser mais específico, temos que considerar qual a probabilidade de a sua expectativa de vida superar a de um cachorro de médio porte.

— Para mim, é um mistério você nunca ter se casado, meu velho — diz Ron para Ibrahim enquanto tira a garrafa de vinho branco do cooler na mesa. — Com toda essa eloquência... Alguém quer mais vinho?

— Obrigada, Ron — aceita Joyce. — Pode pôr logo até a boca para não precisar encher de novo.

Ibrahim continua:

— Uma mulher de setenta e sete anos tem cinquenta e um por cento de chance de viver por mais quinze anos.

— Que papo divertido — comenta Joyce. — A propósito, não ganhei dinheiro nenhum.

— Portanto, Joyce, se você adotar um cachorro agora, viveria mais do que ele? É essa a questão.

— Eu viveria, só de pirraça — defende Ron. — Ficaríamos os dois sentados, cada um num canto do quarto, nos encarando para ver quem bate as botas primeiro. Não seria eu. Que nem quando estávamos negociando com a British Leyland em 1978. Quando um deles saiu da sala para ir ao banheiro, percebi que estava no papo. — Ron entorna mais vinho. — Nunca seja o primeiro a ir ao banheiro. Dê um nó ali embaixo se for preciso.

— A verdade, Joyce, é que talvez você viva, mas talvez você não viva — continua Ibrahim. — Cinquenta e um por cento é como cara ou coroa, e creio que não valha a pena correr esse risco. Não se deve nunca morrer antes do próprio cão.

— E isso seria uma velha máxima egípcia ou uma velha máxima de psiquiatra? — pergunta Joyce. — Ou foi algo que você acabou de inventar?

Ibrahim sinaliza mais uma vez com a taça na direção de Joyce, uma indicação de que lá vem mais sabedoria.

— Deve-se morrer antes dos filhos, é claro, porque eles foram ensinados a viver sem você. Mas não antes do cachorro. O cachorro só aprende a viver *com* você.

— Bem, Ibrahim, tudo isso certamente faz a gente pensar, obrigada — comenta Joyce. — Um pouco cruel, talvez. Não acha, Elizabeth?

Elizabeth a escuta, mas sua mente ainda não saiu da traseira daquela van Transit em disparada, junto ao cadáver e ao médico de bigode.

Não foi a única ocasião do gênero em sua carreira, mas foi rara o bastante para ser memorável. Qualquer um que tenha conhecido Marcus Carmichael saberia disso.

— É só driblar o sistema do Ibrahim — opina Elizabeth. — Adote um cachorro que já esteja velho.

E eis que Carmichael surgia de novo, anos mais tarde. Em busca de quê? Um bom papo? Uma troca calorosa de reminiscências ao pé da lareira? Vai saber.

A conta é trazida à mesa pela funcionária nova. Seu nome é Poppy e seu pulso é adornado por uma tatuagem de margarida. Está no restaurante já faz quase duas semanas e, por ora, o feedback não tem sido positivo.

— Essa conta é da mesa 12, Poppy — comenta Ron.

Poppy faz que sim com a cabeça.

— Ah, sim, é... que bobagem a minha... que mesa é essa?

— É a 15 — informa Ron. — Dá para perceber isso pelo número 15 bem grande escrito no invólucro da vela.

— Desculpem. É que é tanta coisa, lembrar da comida, trazer, ainda tem isso dos números. Já, já eu pego o jeito. — Ela retorna para a cozinha.

— Ela é muito bem-intencionada — começa Ibrahim. — Só que não foi feita para esse tipo de trabalho.

— Mas tem umas unhas lindas — diz Joyce. — Imaculadas. Imaculadas, não acha, Elizabeth?

Elizabeth assente e repete:

— Imaculadas.

Aquela não é a única coisa que ela reparou em Poppy, que parece ter surgido do nada com suas unhas e sua incompetência. No entanto, a mente de Elizabeth está ocupada com outras coisas agora, então o mistério da garçonete pode ficar para outro dia.

Ela repassa mais uma vez o texto da carta na mente. *Será que você se lembra de mim? Tantas águas já se passaram...*

Se Elizabeth se lembra de Marcus Carmichael? Mas que pergunta ridícula. Ela encontrara seu cadáver tombado contra uma ponte no Tâmisa na maré baixa. Ajudara a carregá-lo pelos escorregadios degraus de pedra na calada da noite. Sentara-se a poucos metros de seu corpo dentro de uma van Transit branca que anunciava serviços de limpeza de janelas. Dera em primeira mão a notícia da morte à sua jovem esposa e estivera ao lado de seu túmulo no enterro como um sinal apropriado de respeito.

Portanto, sim, Elizabeth se lembra muito bem de Marcus Carmichael. Mas já é hora de voltar ao presente. Uma coisa de cada vez.

Ela alcança a garrafa de vinho branco e defende:

— Ibrahim, nem tudo são números. Ron, você morreria muito antes do cachorro. A expectativa de vida masculina é bem mais baixa do que a feminina e você sabe o que seu médico falou sobre sua glicemia. E, Joyce, nós duas sabemos que você já se decidiu. Vai adotar um cachorro. Ele está sentado neste exato momento em algum lugar, sozinho e com grandes olhos pidões, à sua espera. Você não vai conseguir resistir e, além disso, vai ser divertido para todos nós. Portanto, hora de parar com esta discussão.

Missão cumprida.

— E o Instagram? — pergunta Joyce.

— Não sei nem o que é isso, fique à vontade — diz Elizabeth, terminando o vinho.

Um convite de um morto? Depois de refletir sobre o assunto, ela decide aceitar.

2

— Estávamos assistindo a *Antiques Roadshow* uma noite dessas — diz o inspetor-chefe Chris Hudson, tamborilando no volante. — Aí aparece uma mulher com uns peitões e a sua mãe vira para mim e diz...

A policial Donna de Freitas bate a cabeça no painel.

— Chefe, eu imploro. Literalmente, imploro. Por favor, dá para ficar uns dez minutos sem falar da minha mãe?

Supostamente, Chris Hudson é seu mentor, suavizando o eventual caminho de Donna rumo ao Departamento de Investigações Criminais, mas isso ninguém diria. Não com o desrespeito quase completo com que tratam um ao outro ou, decerto, com a amizade que floresceu de imediato.

Donna apresentara recentemente seu chefe, Chris, à sua mãe, Patrice. Achou que poderiam se dar bem. E parece que estavam se dando um pouco bem demais para o seu gosto.

Ficar de tocaia com Chris Hudson já fora mais divertido. Batatas fritas, quizzes de diversos temas, fofocas sobre o detetive recém-chegado a Fairhaven que acidentalmente mandara uma foto do próprio pênis para a dona de uma loja da região que queria dicas de grades de segurança.

Riam, comiam e botavam ordem no mundo novamente.

Mas agora? Enquanto os dois estão sentados no Ford Focus de Chris num fim de noite de outono, de olho no depósito de Connie Johnson? Agora o chefe está com um tupperware cheio de azeitonas, palitos de cenoura e homus. O tupperware comprado pela mãe dela, o homus preparado pela mãe dela, os palitos de cenoura cortados pela mãe dela. Quando Donna sugeriu que comprasse um KitKat, ele a encarou e disse que eram "calorias vazias".

Connie Johnson era a amistosa traficante das redondezas. Melhor dizendo, Connie àquela altura estava mais para *atacadista*. Os dois irmãos Antonio, de St. Leonards, haviam controlado o comércio de drogas local por alguns anos, mas desapareceram havia cerca de um ano e Connie Johnson aproveitara a brecha. Se era somente revendedora ou também uma assassina tratava-se de uma questão a ser discutida. Em todo caso, era essa a razão de os dois estarem passando a semana sentados num Ford Focus com binóculos apontados para um depósito em Fairhaven.

Chris perdeu um pouco de peso, adotou um corte de cabelo decente e agora usa um par de tênis que combina com a sua idade — tudo o que Donna lhe disse para fazer. Ela usara todas as artimanhas que conhecia para encorajá-lo, convencê-lo a cuidar de si. Mas, no fim das contas, toda a real motivação de que ele precisava para mudar era começar a trepar com a mãe dela. Há que se ter muito cuidado com o que se deseja.

Donna afunda de novo no assento e bufa. Daria tudo por um KitKat.

— Tudo bem, então, tudo bem — cede Chris. — Ok. "Eu vejo, será que você vê? É uma coisa que começa com bê."

Donna olha pela janela. A distância, vê a fileira de portas de garagem que guardam os depósitos, um dos quais de propriedade de Connie Johnson, a poderosa chefona das drogas em Fairhaven. Para além das garagens está o mar. O Canal da Mancha envolto em puro breu com ondas suaves refletidas aqui e ali pelo luar. Bem longe, em alto-mar, há uma luz no horizonte.

— Barco? — pergunta Donna.

Chris faz que não com a cabeça.

— Não.

Ela se estica e volta a observar a fileira de garagens. Uma figura de capuz montada numa bicicleta BMX pedala até a garagem de

Connie e bate na porta. Mesmo no alto do morro é possível ouvir o distante trovejar metálico.

— Bicicleta? — tenta Donna.

— Não.

Donna observa a porta se abrir e o rapaz entrar. É assim todos os dias, o dia todo. Aviõezinhos entrando e saindo. Saindo com cocaína, ecstasy e haxixe e voltando com dinheiro. Não parava um instante. Donna sabia que poderiam invadir o local a qualquer momento, apreender uma boa quantidade de drogas e capturar um intermediário entediado e um aviãozinho de bicicleta. Mas a equipe preferia ir com calma, tirando fotos de quem entrava e quem saía e seguindo essas pessoas para onde quer que fossem, a fim de tentar montar um panorama do esquema de Connie Johnson. Reunir um número suficiente de provas para desbaratá-lo todo de uma vez. Com sorte, haveria uma série de batidas policiais de manhã bem cedo. Com um pouquinho mais de sorte, haveria um grupo de apoio tático armado com aríetes pneumáticos para arrombar algumas portas. E quem sabe um desses agentes não seria solteiro?

— Blazer amarelo? — pergunta Donna, vendo uma mulher caminhar em direção ao estacionamento.

— Não.

O bilhete premiado seria a própria Connie Johnson. Por isso ela e Chris estavam ali. Teria Connie assassinado dois rivais e escapado impune?

De vez em quando, apareciam rostos mais familiares em meio aos aviõezinhos e suas bicicletas. Figuras conhecidas no universo das drogas em Fairhaven. Cada nome entrava na lista. Se Connie assassinara os irmãos Antonio, sozinha não havia sido. Não era nada boba. Aliás, mais cedo ou mais tarde, perceberia que estava sendo vigiada. E todos os movimentos se tornariam menos escancarados, mais difíceis de rastrear. Por isso, estavam reunindo todas as provas que conseguissem enquanto dava.

A batida com o nó dos dedos na janela do carona dá um susto em Donna. Ao virar a cabeça, vê o blazer amarelo da mulher que estava vindo pelo caminho. Há um rosto sorridente em sua janela segurando dois copos de café. Donna repara na cabeleira loura e no batom vermelho borrado e abaixa o vidro.

A mulher se agacha e sorri.

— Ainda não fomos apresentados, mas creio que vocês sejam Donna e Chris. Trouxe café da garagem para vocês.

Ela estende os copos. Donna e Chris se entreolham e os aceitam.

— Sou Connie Johnson, mas acho que vocês já sabem — continua a mulher. Ela apalpa os bolsos do blazer. — Comprei também cachorros-quentes de forno, vocês querem?

— Não, obrigado — responde Chris.

— Ah, eu quero, sim, obrigada — diz Donna.

Connie entrega a Donna um cachorro-quente num saco de papel e comenta:

— Sinto muito, mas não tenho nada para a agente que está escondida atrás das latas tirando fotos.

— Tudo bem, ela é vegana — afirma Donna. — De Brighton.

— Mas, enfim, só queria mesmo me apresentar. Estejam à vontade para me prender quando quiserem.

— A gente vai — avisa Chris.

— Que sombra é essa que está usando? — pergunta Connie a Donna.

— Gold Standard, da marca Pat McGrath — responde a policial.

— Bem bonita — comenta Connie. — Mas, enfim, por hoje a gente já acabou aqui, caso vocês queiram ir para casa. E não há nada que tenham visto nessas duas últimas semanas que eu não quisesse que vissem.

Chris sorve seu café e pergunta:

— Isso é feito lá na garagem mesmo? Está muito bom.

— O pessoal está com uma máquina nova. — Connie procura algo num bolso interno, retira dele um envelope e o entrega a

Donna. — Podem ficar com isso. Tem fotos de vocês e dos outros policiais que andaram se esgueirando por aqui também. Pago na mesma moeda. Aposto que vocês nem repararam quando foram tiradas, não é? Alguns a gente seguiu até em casa também. Tem uma ótima do seu encontro outro dia, Donna. Minha opinião? Você consegue alguém melhor.

— Pois é — concorda Donna.

— Estou de saída, mas foi bom enfim cumprimentar vocês pessoalmente. Estava a fim de conhecê-los fazia tempo. — Connie sopra um beijo na direção deles. — Não sumam.

Connie se ergue e se afasta do Ford Focus. Um Range Rover surge por trás do carro. A porta do carona se abre, ela entra e o carro arranca.

— Bem — diz Chris.

— Bem — concorda Donna. — E agora?

Chris dá de ombros.

— Ótimo plano, chefe. E aquela brincadeira do "Eu vejo"? Uma coisa que começava com bê.

Chris liga o carro e põe o cinto de segurança.

— Era "o belo rosto da sua mãe". Eu a vejo sempre que fecho os olhos.

— Pelo amor de Deus! — exclama Donna. — Vou pedir transferência.

— Boa ideia — diz Chris. — Mas só depois de pegarmos a Connie Johnson, está bem?

3

Joyce

Eu queria muito que algo emocionante acontecesse de novo. Não importa o quê.

Talvez um incêndio, mas um daqueles em que ninguém se machuca, sabe? Só com as chamas e os carros de bombeiros. Todos ficaríamos parados ali perto com nossos cantis de bolso, observando, e o Ron poderia gritar instruções para os bombeiros. Ou alguém poderia ter um caso. Seria divertido. Eu, de preferência, mas nem precisa ser. Contanto que haja alguma dose de escândalo, como uma grande diferença de idade ou alguém de repente tendo que fazer uma cirurgia de quadril. Um caso gay, talvez? Ainda não tivemos nenhum desse tipo em Coopers Chase. Acho que todo mundo iria gostar. Ou quem sabe o neto de alguém ser preso? Ou uma inundação que não nos afete? Acho que já deu para entender o que estou querendo.

Quando se pensa na quantidade de gente que morreu por aqui nos últimos tempos, fica difícil voltar a se contentar em ficar à toa no Centro de Jardinagem e assistir a antigos episódios de *Taggart*. E olha que eu gosto de *Taggart*.

Quando era enfermeira, vi muitos pacientes morrendo. Era gente caindo dura por todos os lados. Não me entendam mal, nunca matei ninguém, apesar de que teria sido bem fácil. Quem quiser matar alguém, que vire enfermeiro. Mais fácil do que virando médico. Médicos são muito monitorados. Se bem que hoje devem monitorar a equipe de enfermagem também. Mas aposto que ainda seria possível se a pessoa estivesse mesmo com vontade.

Ibrahim não quer que eu adote um cachorro. Garanto que o faço mudar de ideia. Quando se der conta, ele estará dizendo cachorro isso, cachorro aquilo. Vai ser o primeiro da fila para passear com o bicho, podem apostar. Queria tê-lo agarrado há uns trinta anos.

Há um abrigo de animais logo depois da divisa de Sussex e eles têm de tudo por lá. Cães e gatos, como de costume, mas também jumentos, coelhos e porquinhos-da-índia. Nunca me passara pela cabeça que um porquinho-da-índia precisasse de abrigo, mas esse é o caso, pelo visto. Todos precisamos, de vez em quando, e não vejo por que seria diferente com porquinhos-da-índia. Sabia que no Peru as pessoas os comem? Vi outro dia no *MasterChef*. Só mencionaram, ninguém apareceu comendo um.

Muitos dos cães vêm da Romênia. São salvos por lá e trazidos para cá. Como os trazem eu não sei, vou ter que perguntar. Imagino que não encham um avião de cachorros. Seria numa van grande? Algum jeito eles dão. Ron diz que eles latem com sotaque estrangeiro. Coisas do Ron.

Demos uma olhada no site do abrigo. É sério, vocês têm que ver os cachorros. Estou de olho num chamado Alan. O perfil diz ser um "terrier indeterminado". *Somos dois*, pensei ao ler. Alan tem seis anos. Avisam que não se deve mudar o nome por ele já estar acostumado. Mas não pretendo chamar um cachorro de Alan, não importa quanto me pressionem.

Quem sabe consigo convencer o Ibrahim a me levar de carro até lá na semana que vem... Ele anda doido por carros ultimamente. Vai dirigindo até Fairhaven amanhã. Saiu mesmo da concha desde que começaram os assassinatos por aqui. Dirige para cima e para baixo como se fosse o Nigel Mansell.

Continuo tentando entender por que Elizabeth estava meio esquisita no almoço. Ouvindo a gente sem de fato ouvir. Será que há algo de errado com Stephen? O marido dela, lembram? Ou talvez ainda não tenha se recuperado da situação com a Penny. De uma forma ou de outra, algo a está incomodando e ela foi embora do almoço como quem tem um propósito. O que sempre significa que alguém está encrencado. E a única esperança é que não seja a gente.

Também estou tricotando. Pois é, quem diria.

Comecei a conversar com a Deirdre do grupo de Tricô e Tagarelice. O marido dela era francês, mas morreu já faz algum tempo — acho que caiu da escada, mas talvez tenha sido câncer, não me lembro bem. A Deirdre tricota umas pulseirinhas da amizade para a caridade e me ensinou o padrão. Dá para fazer em cores diferentes, dependendo de quem vá ganhá-las. As pessoas pagam o que acharem justo e o dinheiro vai todo para a caridade. Nas minhas, eu também coloco lantejoulas. O padrão não diz que é para incluir lantejoulas, mas eu tinha algumas guardadas havia séculos numa gaveta.

Fiz uma pulseira vermelha, azul e branca para Elizabeth. Foi a minha primeira e ficou meio malfeita, mas ela levou na esportiva. Perguntei para qual organização queria que o dinheiro fosse enviado. A resposta foi Vivendo com Demência. É o mais próximo que chegamos de falar sobre o Stephen. Mas não creio que ela possa escondê-lo por muito mais tempo. A demência avança com tudo, e é um caminho sem volta. Coitada da Elizabeth. Claro, coitado do Stephen também.

Também fiz uma pulseira da amizade para o Bogdan. Amarela e azul. Por engano, achei que fossem as cores da bandeira da Polônia. Diz o Bogdan que a bandeira da Polônia na verdade é vermelha e branca, e, sejamos justos, isso é algo que ele saberia. Achou possível que eu tenha confundido com a da Suécia, o que talvez tenha sido o que aconteceu. Gerry teria corrigido meu erro. Como todo bom marido, reconhecia todas as bandeiras.

Vi o Bogdan usar a dele outro dia. Ele estava a caminho do trabalho no canteiro de obras no topo da colina e acenou para mim. Lá estava ela no seu pulso, envolvendo todas aquelas tatuagens de só Deus sabe o quê. Sei que é bobagem, mas não conseguia parar de sorrir. A luz do sol fazia as lantejoulas brilharem, e eu brilhava também.

Elizabeth ainda não usou a dela. Não posso culpá-la. Mas estou melhorando. Além disso, nós duas não precisamos de uma pulseira como prova de amizade.

Ontem à noite sonhei com a casa onde Gerry e eu moramos logo depois do nosso casamento. Abríamos uma porta e encontrávamos um quarto que nunca havíamos visto antes e estávamos cheios de ideias para lhe dar alguma serventia.

Não sei qual era a idade do Gerry no sonho. Era só o Gerry. Mas eu era eu agora. Duas pessoas que nunca se conheceram, se tocando, rindo e fazendo planos. Um vaso de planta aqui, uma mesa para o café ali. Essas coisas do amor.

Ao acordar sozinha e me dar conta de que ele não está entre nós, fiquei desolada de novo e comecei a chorar. Imagino que, se desse para ouvir todos os prantos matinais neste lugar, o resultado seria parecido com o canto de um pássaro.

4

Mais um glorioso dia de outono, mas o frio evidencia que para este ano não restam muitos como este. O inverno está logo ali, aguardando com impaciência.

São três da tarde e Elizabeth está levando flores para Marcus Carmichael. O morto. Aquele afogado que de repente ficou vivinho da silva e mora no nº 14 de Ruskin Court. O homem que ela viu colocarem em uma cova no cemitério de uma igreja em Hampshire agora está descarregando caixas e às voltas com o novo wi-fi.

Ela passa por Willows, a casa de repouso no coração de Coopers Chase. O lugar que Elizabeth visitava todos os dias quando Penny estava lá só para se sentar e conversar com a velha amiga, tramar e fofocar sem sequer saber se a outra a ouvia ou não.

E agora, é claro, nada mais de Penny.

As noites vêm chegando mais cedo e o sol desaparece atrás das árvores no topo da colina quando Elizabeth chega a Ruskin Court e toca a campainha do nº 14. Vamos lá ver o que estão aprontando para cima dela. Há uma breve espera e o portão se abre.

Todos os prédios têm elevadores, mas ela pretende usar as escadas enquanto conseguir. Escadas são boas para a flexibilidade dos quadris e dos joelhos. Fora que é muito fácil matar alguém num elevador quando a porta se abre. Não há para onde correr nem onde se esconder, e ainda tem um *ping* que anuncia que você está para chegar. Não que ela esteja preocupada com a possibilidade de ser assassinada, não lhe parece que isso está para acontecer, mas é sempre importante se lembrar do recomendado. Elizabeth nunca matou ninguém num elevador; certa vez viu alguém ser empurrado no poço de um em Essen, mas isso é outra história.

Chegando ao andar, ela vira à esquerda, troca as flores de mão e bate na porta do nº 14. Quem vai abri-la? O que exatamente está acontecendo aqui? Deveria se preocupar?

A porta se abre e ela reconhece um rosto muito familiar.

Não é Marcus Carmichael, nem poderia ser. Mas, com certeza, é alguém que conhece o nome "Marcus Carmichael". E que sabia que atrairia a atenção dela.

E então percebeu que, sim, ela deveria se preocupar.

O homem é bonito e bronzeado, com os fios de cabelo ruivo grisalho ainda aguentando firme. Ela sabia que ele jamais ficaria careca.

Veja só. Como lidar com essa reviravolta?

— Marcus Carmichael, presumo? — diz Elizabeth.

— Bem, eu presumo também — responde o homem. — Bom ver você, Elizabeth. E essas flores são para mim?

— Não, eu dei para sair por aí carregando flores por pura excentricidade mesmo — retruca ela, entregando-as enquanto é conduzida para dentro do apartamento.

— Claro, claro. Em todo caso, vou botá-las na água. Entre, sente-se, fique à vontade. — Ele some no interior da cozinha.

Elizabeth analisa o apartamento, vazio, sem um quadro sequer, nenhum enfeite, um fru-fru que seja. Nenhum sinal de alguém "chegando de mudança". Duas poltronas, ambas um bagaço, uma pilha de livros no chão e uma luminária para leitura.

— Gostei da decoração — comenta Elizabeth, falando na direção da cozinha.

— Não foi escolha própria, minha querida — diz o homem, retornando à sala com as flores arranjadas numa chaleira. — Ouso dizer que vou me acostumar, embora espere não ter que ficar aqui muito tempo. Quer vinho? — Ele apoia a chaleira no peitoril da janela.

— Quero, obrigada — responde Elizabeth, acomodando-se numa das poltronas.

O que está havendo? Por que ele está aqui? E o que quer dela depois de tanto tempo? O que quer que seja, tem cheiro de encrenca. Uma sala quase sem mobília, as cortinas fechadas, um quarto fechado com cadeado. O nº 14 da Ruskin Court mais parecia um esconderijo.

Mas se esconder do quê?

O homem volta com duas taças de vinho tinto.

— Você bebe Malbec, se não me falha a memória.

Elizabeth aceita a taça enquanto ele se senta na poltrona em frente à dela.

— Pelo jeito, você considera uma façanha incrível de memória se lembrar do vinho que eu bebia nos vinte e poucos anos em que convivemos.

— Estou com quase setenta, meu bem, hoje em dia tudo é uma façanha incrível de memória. Saúde! — Ele ergue a taça.

— Saúde — repete Elizabeth, acompanhando o gesto dele. — Quanto tempo.

— Muito tempo mesmo. Mas você se lembrava do Marcus Carmichael?

— Essa foi muito boa.

Marcus Carmichael havia sido um fantasma, inventado por Elizabeth. Era mestra nesse tipo de coisa. Um homem que nunca existira, criado apenas com o propósito de transmitir segredos para os russos. Um homem com um passado forjado a partir de documentos falsos e fotografias montadas. Um agente que jamais existira, passando para o inimigo segredos que também não existiam. E bastou os russos fecharem um pouco mais o cerco, querendo obter um pouco mais de informações da nova fonte, para chegar a hora de matar Marcus Carmichael, pegando "emprestado" um cadáver não identificado em um dos hospitais universitários de Londres e o enterrando no cemitério de uma igreja em Hampshire, com uma jovem datilógrafa da equipe a se desfazer em lágrimas no papel de viúva desconsolada. E, com ele, enterrar a mentira. Marcus Carmichael, portanto, era um morto que jamais vivera.

— Obrigado, achei que poderia diverti-la. Você me parece muito bem. Muito bem. Como está o... me refresque a memória... é Stephen? Seu atual marido?

— Vamos pular esta parte? — Elizabeth suspira. — Vamos direto para quando você me conta por que está aqui?

O homem assente.

— Claro, Liz. Teremos muito tempo para colocar a conversa em dia quando tudo estiver às claras. Em todo caso, é Stephen, não é?

Elizabeth pensa em Stephen, em casa. Ela o deixou com a televisão ligada. Tomara que esteja cochilando. Deseja voltar para ele, sentar com ele, ter seus braços ao redor dela. E não estar aqui neste apartamento vazio com este homem perigoso. Um homem que ela já viu matar. Não é a aventura que queria ter hoje. Preferia mil vezes Stephen e seus beijos, Joyce e os cachorros dela.

Elizabeth toma mais um gole de vinho.

— Presumo que você queira algo de mim, como sempre.

O homem se recosta de novo na poltrona.

— Bem, sim, creio que sim. Mas nada muito complexo. Na verdade, algo que você pode até achar divertido. Lembra o que era se divertir, Elizabeth?

— Obrigada, mas tenho me divertido bastante por aqui.

— Pois é, foi o que andei ouvindo. Cadáveres e tal. Li a ficha toda.

— Ficha? — pergunta Elizabeth. Uma sensação de apreensão.

— Ah, sim, você causou a maior comoção em Londres, pedindo todo tipo de favores ao longo dos últimos meses. Relatórios financeiros, análises de perícia, acho que chegou até a trazer um patologista aposentado para escavar uns ossos, não foi? Achou que isso passaria despercebido?

Elizabeth se dá conta de como não tinha se tocado disso. Cobrara mesmo favores quando ela e o Clube do Crime das Quintas-

-Feiras investigavam as mortes de Tony Curran e Ian Ventham. E quando tentaram identificar o cadáver enterrado no alto da colina, no cemitério. Devia ter desconfiado de que alguém em algum lugar estava prestando atenção em tudo. Não dá para esperar pedir favores e não ser chamada a retribuí-los. Então o que viria a seguir?

— Você precisa de mim para quê? — pergunta ela.

— Serviços de babá.

— Babá de quem?

— Minha.

— E por que você precisaria de uma?

Ele faz que sim com a cabeça, toma um gole de vinho e se inclina para a frente.

— O negócio, Elizabeth, é que infelizmente eu estou metido numa enrascada.

— Algumas coisas não mudam nunca, não é? Por que você não me conta tudo?

Com o som de uma chave na fechadura, a porta se abre.

— Pontual, pela primeira vez na vida — comenta o homem. — Eis a mulher que pode me ajudar a contar a história. Apresento a você minha supervisora.

Quem entra na sala é Poppy, a nova garçonete do restaurante. Ela cumprimenta os dois com um aceno de cabeça.

— Senhor, senhora.

— Ah, isso explica muita coisa — diz Elizabeth. — Poppy, espero que você seja uma agente melhor do que é garçonete.

Poppy fica corada.

— Para ser sincera, não tenho muita certeza disso, infelizmente. Mas creio que, juntos, conseguimos nos safar e ficar em segurança.

Esconderijos, na experiência de Elizabeth, não escondiam nada por muito tempo. Poppy afasta a chaleira com as flores para um canto.

— Flores lindas. — Ela se empoleira no parapeito.

— Em segurança contra o quê, exatamente? — pergunta Elizabeth.

— Bem, deixe-me começar do começo — diz o homem.

— Assim espero, Douglas — replica Elizabeth, tomando o restante do vinho. — Como marido você foi péssimo, mas sempre soube contar uma boa história.

5

Ibrahim acabou de almoçar com Ron. Tentara convencê-lo a experimentar o homus, mas Ron estava intratável. Se deixassem, comeria presunto, ovos e batata frita todos os dias. Para ser justo, estava com setenta e cinco anos e cheio de vitalidade. Quem poderia dizer que estava errado? Ibrahim fecha a porta do carro e põe o cinto de segurança.

Ron estava animado porque seu neto, Kendrick, vem visitá-lo semana que vem. E Ibrahim está animado também.

Ibrahim teria sido um pai maravilhoso. Um avô maravilhoso também. Mas, assim como tantas outras coisas na sua vida, não era para ser. *Seu velho tolo*, pensa ele ao girar a chave na ignição, *você cometeu o maior erro de todos. Esqueceu de viver, passou o tempo todo escondido, são e salvo.*

Mas que bem isso lhe fez? As decisões que não tomou por excesso de cautela? Os amores que não perseguiu por excesso de timidez? Ibrahim pensa nas tantas vidas que perdeu, largadas pelo caminho.

Ibrahim sempre foi bom em ponderar, mas agora escolheu dar a cara a tapa. Viver um pouco mais no momento. Escolheu aprender uma lição com a caótica liberdade de Ron, o otimismo jovial de Joyce e a força implacável de Elizabeth quando o assunto é investigação.

Não compre um cachorro, Joyce. Foi o que ele havia dito. Claro que deve comprar. Quando voltar, dirá isso a ela. Será que ela o deixará passear com o bicho? Com certeza. Excelente exercício cardiovascular. Todos deveriam comprar cães. Homens deveriam se casar com as mulheres que amam e não fugir para a Inglaterra por medo. Ibrahim teve a vida inteira para pensar nessa decisão. Ele nunca conversou sobre esse assunto com os amigos. Talvez devesse fazer isso algum dia.

Ao cruzar o portão de Coopers Chase, ele vira à esquerda. É óbvio que só depois de checar e rechecar se vinha alguém.

Há um mundo enorme do lado de fora e, por mais que isso o assuste, ele concluiu que precisa sair de Coopers Chase de vez em quando. E aqui está ele em meio ao ruído, ao tráfego e às pessoas.

Decidiu que, uma vez por semana, daria uma volta com o Daihatsu de Ron e visitaria Fairhaven. Passa pela placa que marca a entrada da cidade. Sente uma empolgação. Ele, só ele, sozinho. Vai fazer algumas compras, sentar-se para tomar um café no Starbucks e ler o jornal. E, enquanto está ali, quer ver e ouvir. O que as pessoas dizem hoje em dia? Parecem infelizes?

Ibrahim está apreensivo de não encontrar lugar para estacionar, mas acha com facilidade. Preocupa-se em não conseguir se entender com o sistema de pagamento, mas é outra moleza.

Que espécie de psiquiatra tem medo da vida? Todos, imagina ele. Por isso teriam se tornado psiquiatras. Ainda assim, mal não faria deixar o mundo se aproximar. Em Coopers Chase, se você deixar, sua mente pode se calcificar. As mesmas pessoas, as mesmas conversas, os mesmos resmungos e reclamações. Investigar os assassinatos fez um bem inimaginável a Ibrahim.

Ele logo descobre as máquinas de autoatendimento e o pagamento sem contato. O mínimo possível de interação humana. Sem a necessidade de dar oi com um aceno de cabeça para quem nunca viu antes. E pensar que ele poderia ter perdido essa oportunidade!

Encontra uma encantadora livraria independente onde ninguém está nem aí caso você se sente numa poltrona e passe uma hora lendo. Claro, ele compra o livro em questão. Chama-se *Você* e é sobre um psicopata chamado Joe por quem Ibrahim sente uma grande empatia. Compra ainda outros três livros, pois quer que a livraria ainda esteja ali quando voltar, na semana seguinte. Um cartaz atrás da caixa registradora dizia "Sua livraria da esquina: é usar ou perder".

É usar ou perder. Perfeito. Por isso ele está ali. Em meio ao ruído, com carros passando a toda a velocidade, adolescentes gritalhões, operários desbocados. Sente-se bem. Menos assustado. Seu cérebro se sente vivo. É usar ou perder.

Ele olha para o relógio. Três horas passaram voando e já é o momento de voltar para casa com o espírito repleto de aventura. Vai dizer a Joyce para adotar um cachorro, sim, e contar para ela sobre pagamentos sem contato. Não há dúvidas de que ela já terá ouvido falar disso, porém talvez não tenha pesquisado sobre a tecnologia que há por trás, algo que ele acabou de fazer. O tempo voa quando se está vivendo.

Ele estacionou o Daihatsu de Ron perto da delegacia de Fairhaven, uma vez que não pode haver lugar mais seguro. Talvez algum dia entre para ver Chris e Donna. Seria permitido visitar policiais em horário de serviço? Com certeza ficariam muito felizes em vê-lo, mas ele não gostaria de, por exemplo, atrapalhar uma investigação de incêndio criminoso enquanto os dois se sentem obrigados a jogar conversa fora. Mas tais preocupações eram coisa do velho Ibrahim. O novo Ibrahim se arriscaria. Quer ver alguém? Pois vá lá. É como Ron agiria. Apesar de que o outro também iria ao banheiro e esqueceria a porta aberta. Ibrahim precisa se lembrar de que tudo tem limite.

Ele passa por três adolescentes numa esquina nas proximidades da delegacia. Os três de bicicleta, os três encapuzados. Sente cheiro de maconha. Muita gente em Coopers Chase fuma. Supostamente para aliviar os efeitos do glaucoma, mas estatisticamente não é possível que tanta gente assim tenha glaucoma, não é? Na juventude, Ibrahim havia sido persuadido por alguns amigos mais ricos a fumar ópio. Fora covarde demais para tentar de novo, mas quem sabe não seria algo a incluir na sua lista? Pondera onde conseguiria comprar ópio. Chris e Donna saberiam. Era bem útil conhecer policiais.

É de pessoas como esses três rapazes que Ibrahim deveria ter medo, ele sabe. Mas não o assustam nem um pouco. Sempre houve rapazes de bicicleta parados em esquinas e sempre haveria. Em Fairhaven, em Londres, no Cairo.

Ibrahim avista o Daihatsu. Na volta, vai dar uma passada no lava-rápido. Em primeiro lugar, como agradecimento a Ron, mas também por gostar desses lugares. Tira o celular do bolso. Foi a primeira coisa que aprendeu hoje. Dá para pagar estacionamento via celular, por meio de um app. É abreviação de aplicativo. Tudo bem, talvez, o fato de todos viverem olhando para seus celulares. Talvez, quando se tem toda a história do conhecimento e das realizações humanas no bolso, seja ok passar o tempo todo olhando a...

Ibrahim não escuta a bicicleta se aproximar, porém a sente passar chispando ao lado e vê a mão que apanha seu celular, arrancando-o de seus dedos com um puxão que o faz perder o equilíbrio.

Ibrahim cai de lado e rola até bater no meio-fio. A dor é imediata, no braço e nas costelas. A manga do casaco está rasgada. Será que vai dar para remendar? Tomara que sim. É seu favorito, porém o rasgo é feio e o forro branco aparece como se fosse um osso rompendo a pele. Ele escuta os passos apressados e os risos dos adolescentes. Quando eles o alcançam, sente dois chutes. Um nas costas, outro na nuca. Sua cabeça bate de novo no meio-fio.

— Chega, Ryan!

Foi muito feio, percebe Ibrahim. Algo sério aconteceu. Quer se mover, mas não consegue. A umidade da sarjeta penetra a lã da sua calça e ele sente gosto de sangue.

Mais passos em disparada, e Ibrahim não tem como se proteger. Ele sente o frio do meio-fio contra o rosto. Os passos param, mas desta vez, no lugar de um chute, ele sente as mãos nos ombros.

— Amigo? Amigo? Meu Deus! Christine, chame uma ambulância.

Sim, a aventura sempre acaba com uma ambulância, não importa quem você seja. Quais foram os danos aqui? Só ossos quebrados? Na idade dele, isso por si só não é bom. Ou teria sido pior? Não recebera um chute na nuca? O que quer que tenha ocorrido depois, uma coisa era certa. Ele havia cometido um erro. Deveria ter ficado em segurança. De agora em diante, nada de passeios a Fairhaven, nada de se sentar na poltrona da livraria. Onde estão seus livros novos? Na rua, se molhando? Alguém o sacode.

— Amigo, abra os olhos, tente se manter acordado!

Mas meus olhos estão abertos, pensa Ibrahim, e então percebe que não estão.

6

Elizabeth sorve a segunda taça de Malbec e escuta o ex-marido, Douglas Middlemiss, discorrer sobre lavagem internacional de dinheiro. Explicar a história de por que um homem da idade dele precisa de babá.

— Já fazia um tempo que estávamos de olho no cara, um tal de Martin Lomax, que mora num casarão, cheio da grana, mas tudo documentado, com a devida procedência. Ele estava fora do alcance do pessoal do financeiro. Mas quando a gente sabe, sabe, não é?

— Com certeza — concorda Elizabeth.

— Aparecia todo tipo de gente na mansão dele, a qualquer hora do dia. Russos, sérvios, a máfia turca. Todos iam até aquela casa afastada nos arredores de um povoado sem muito movimento. Hambledon, sabe onde é? Foi onde inventaram o críquete.

— Sinto muito por isso — diz Elizabeth.

— Range Rovers e Bentleys indo e vindo pelas estradas secundárias. Árabes em helicópteros, tudo o que você pode imaginar. Uma vez um comandante republicano irlandês saltou de paraquedas de um aviãozinho e pousou no jardim.

— Qual é a área de atuação dele? — pergunta Elizabeth. — A extraoficial.

— Seguros — responde Poppy.

— Seguros?

— Ele atua como se fosse um banco para as principais gangues criminosas — diz Douglas, inclinando-se para a frente. — Digamos que os turcos pretendem comprar dos afegãos cem milhões de libras em heroína. Eles não pagam o valor total.

— Assim como você não paga o valor total de uma geladeira até ela ser entregue — diz Poppy.

— Obrigada, Poppy — comenta Elizabeth. — Sem você eu estaria perdida.

— Eles então fazem um depósito de segurança, digamos que de dez milhões, com um intermediário de confiança — explica Douglas. — Como um gesto de boa-fé.

— E Martin Lomax é o intermediário?

— É, porque todos confiam nele. Você também confiaria se o conhecesse. Sujeito peculiar, bem perverso, mas sério. Difícil achar gente má que também seja confiável. Você sabe muito bem disso.

Elizabeth assente.

— A casa dele está cheia de dinheiro, então? — conclui.

— Às vezes é dinheiro, às vezes são coisas bem mais exóticas. Quadros de valor incalculável, ouro, diamantes — diz Douglas.

— Um traficante do Uzbequistão trouxe certa vez uma edição original de *Os contos de Canterbury* — acrescenta Poppy.

— Qualquer coisa de valor — diz Douglas. — E fica tudo numa caixa-forte na casa desse nosso amigo. Se tudo corre bem numa negociação, ele estorna a entrada, grande parte das vezes para ser usada de novo. E, se der tudo errado, a entrada é paga como uma compensação.

— Essa caixa-forte então é um lugar muito impressionante, não é mesmo? — comenta Elizabeth.

— Creio que em qualquer momento se encontre ali meio bilhão em dinheiro, e o mesmo valor em ouro e pedras preciosas, Rembrandts roubados, peças de jade chinesas avaliadas em milhões. Tudo acumulado lá, a poucos quilômetros de Winchester, veja só.

— E como você sabe de tudo isso?

— Estivemos algumas vezes na casa — informa Poppy. — Temos microfones embutidos em paredes, câmeras nos interruptores.

— Todos os truques que você já conhece — acrescenta Douglas.

— Até na caixa-forte?

Poppy balança a cabeça.

— Nunca conseguimos entrar lá.

— Mas temos o suficiente nos outros cantos da casa — diz Douglas. — Quando eu invadi, havia um Van Eyck numa mesa de sinuca.

— Quando você invadiu?

— Tive ajuda, é óbvio. Poppy e um dos rapazes do Serviço de Bote Especial.

— Então você também é arrombadora, Poppy? — indaga Elizabeth para a jovem sentada no peitoril da janela com as pernas balançando.

— Só me vesti de preto e segui ordens — diz Poppy, se mexendo para encontrar uma posição mais confortável.

— É, é um belo resumo de uma carreira no MI5 — comenta Elizabeth. — Então vocês dois e alguns amigos curiosos invadiram essa casa abarrotada de tesouros.

— Exato — confirma Douglas. — Só para dar uma olhada, entende? Vasculhar um pouco o lugar, tirar algumas fotos, cair fora sem ninguém reparar. Nada que você e eu não tenhamos feito antes uma centena de vezes.

— Certo. E qual é a ligação disso tudo com você estar agora num apartamento com duas poltronas e um cadeado na porta do quarto na esperança de que sua ex-mulher, que graças a Deus não tem mais nada a ver com você, lhe sirva de babá?

— Pois é, seria justo dizer que é aí que o meu problema começa. Pronta?

— Manda ver, Douglas — diz Elizabeth, o encarando.

Aquele brilho no olhar dele ainda não havia esmaecido. O brilho que lhe conferia uma aura nem um pouco merecida de sabedoria e charme. O brilho que poderia levar alguém a subir ao altar com um homem quase dez anos mais novo e se arrepender em questão de meses. O brilho que você logo percebe ser o facho de luz de um farol alertando-a sobre as rochas.

— Posso fazer uma pergunta primeiro? — diz Poppy, na janela. — Antes de a gente contar tudo?

— Claro, meu bem — concede Elizabeth.

— Quanto as pessoas daqui sabem a seu respeito? A julgar pela ficha, é muito, imagino.

— Eles sabem uma coisinha ou outra sobre mim, é verdade. Meus amigos mais próximos.

— E seus amigos mais próximos seriam Joyce Meadowcroft, Ron Ritchie e Ibrahim Arif.

— Seriam. Bela ficha você possui, Poppy. Joyce vai ficar toda animada quando eu contar que ela consta em uma ficha.

— Se me permite a pergunta... me pediram para perguntar isso antes de a gente prosseguir nesse assunto... Em algum momento dos últimos quatro meses você teria infringido a lei de Segredos de Estado?

Elizabeth ri.

— Nossa Senhora, claro que sim. Um monte de vezes.

— Ok, isso vai ficar registrado. É muito importante que nenhum dos seus amigos saiba a respeito do Douglas ou de mim. Você pode nos garantir ao menos isso?

— De jeito nenhum. Assim que eu puser o pé fora daqui, vou contar para eles.

— Sinto informar que isso eu não poderei permitir.

— Não me parece que você tenha escolha, Poppy.

— A senhora, melhor que qualquer outra pessoa, entende que eu tenho ordens a cumprir.

— Poppy, antes de mais nada, me chame de Elizabeth. Em duas semanas, você não acertou um mero pedido dos clientes no restaurante, agora vai me dizer que segue todas as regras à perfeição? Me deixem ouvir essa história e responderei se aceito o trabalho. E aí vou contar para os meus amigos, mas vocês não precisam se preocupar com isso.

Douglas ri.

— Seus amigos sabem tudo a seu respeito, então?

— Tudo que precisam saber, sim — responde ela.

— Sabem que você é Dame Elizabeth?

— Claro que não.

— Nem tudo, então.

— Nem tudo.

— Quando foi a última vez que você fez uso desse título, Elizabeth?

— Quando precisei arrumar uma motocicleta para dar o fora do Kosovo o mais rápido possível. Quando foi a última vez que usou o seu, Sir Douglas?

— Foi quando tentei descolar uns ingressos para *Hamilton*.

O celular de Elizabeth toca, um acontecimento raro. Ela olha para o aparelho. É Joyce. Mais raro ainda.

— Desculpem, preciso atender a esta ligação.

7

De certa forma, a audácia de Connie Johnson era admirável. Ela agia com certa dose de estilo. Mas a tocaia havia sido uma colossal perda de tempo e, se era para a capturarem, teriam que pensar em algo bem mais engenhoso. O quê, para ser exato, o inspetor-chefe Chris Hudson não consegue conceber no momento. E, só para piorar a situação, ele está numa bicicleta ergométrica.

De todos os aparelhos da academia, é à bicicleta que se adapta melhor. Para começo de conversa, dá para usá-la sentado e olhar o celular enquanto isso. Pode-se definir o próprio ritmo (sossegado, no caso de Chris), mas também aumentá-lo um pouco para impressionar algum homem musculoso de regata ou uma mulher musculosa de roupa de lycra que passe por perto. Vários colegas de Chris na delegacia de Fairhaven frequentam essa academia. Ele os vê de vez em quando e sua patente não parece valer de nada ali. Outro dia, um subordinado lhe deu um tapinha nas costas e disse "continua firme, parceiro, que você chega lá". Parceiro? Espere a próxima vez que Chris precisar de alguém para examinar três dias de circuito interno de TV de uma garagem vinte e quatro horas para o rapaz ver quem é parceiro dele.

No ângulo de visão de Chris neste momento, Terry Hallet, um inspetor de sua equipe, faz abdominais sem camisa. Pelo amor de Deus.

Apesar de tudo, Chris continua a pedalar com sua camiseta larga e seu short folgado. Short? A que ponto ele chegou. E, claro, pedala por causa de Patrice. Porque, pela primeira vez em quase dois anos, uma mulher o vê sem roupa regularmente. Com o mínimo de luz possível no quarto, reconhece, mas ainda assim. E por ora tudo vai bem, Chris está feliz, Patrice *parece* feliz, mas o que ela diria caso não estivesse? Bem, Chris imagina que não continuaria a transar com ele. De qualquer forma, não há mal algum em tentar se alimentar melhor, tentar perder algum peso, tentar localizar alguns músculos por baixo de sua superfície esponjosa.

Chris e Patrice ainda estavam no início, a fase do tesão e das galerias de arte. Talvez em seis meses estivessem apaixonados e ele se sentisse seguro para engordar tudo de novo. Mas por enquanto aqui estava.

A bicicleta ergométrica é uma obra de arte, cheia de mostradores e botões para aumentar a carga, simular terreno montanhoso, medir a frequência cardíaca, calcular a distância percorrida, o tempo gasto e as calorias queimadas. Chris desliga quase todas essas coisas. O monitor de frequência cardíaca é assustador; Chris viu números que não podem indicar nada de bom. E o pior é a contagem de calorias. Quase dez quilômetros pedalando para queimar algumas centenas de calorias? Dez quilômetros? Em troca de meio Twix? Não valia a pena ficar pensando naquilo.

Melhor assistir ao programa sobre antiguidades que está passando na TV e olhar de esguelha para o relógio na parede da academia a cada quarenta e cinco segundos, mais ou menos, rezando para a hora de treino chegar ao fim.

No momento em que um senhor na tela da TV tenta esconder a cara de decepção ao descobrir que seu navio dentro de uma garrafa só vale sessenta libras, o celular de Chris toca. Em geral, ele procura não atender ao telefone na academia, mas vê que é Donna. Talvez algo a respeito de Connie Johnson? Dedos cruzados.

Chris diminui seu ritmo já lento e atende à chamada.

— Donna, estou na bicicleta. Estou tipo o Lance Armstrong sem...

— Chefe, dá para ir até o hospital?

Donna o chamou de “chefe”. Então se trata de um caso.

— Claro, o que houve?
— Assalto. Foi feio.
— Entendi... Mas por que eu?
— Chris — diz Donna. — É o Ibrahim.
Ele sai correndo antes mesmo de desligar.

8

Joyce segura a mão esquerda de Ibrahim. Aperta-a enquanto ele fala. Elizabeth segura a outra mão. Ron se encosta na parede do outro lado do quarto, estabelecendo o máximo de distância possível entre si e o amigo na cama. Mas há lágrimas em seus olhos, algo que Joyce jamais havia visto, portanto ele que fique onde preferir.

Há tubos no nariz de Ibrahim, um curativo grosso envolvendo o torso, um colar cervical e um cateter no braço. Está totalmente pálido. Parece fraco. Parece assustado. Como constata Joyce, parece velho.

Mas está consciente; sentado com as costas retas e falando. Devagar, com calma, perceptivelmente com dor, mas falando.

Joyce se inclina para entender suas palavras.

— Dá para pagar estacionamento pelo celular, sabia? É bem conveniente.

— O que mais vão inventar? — pergunta Joyce, apertando-lhe a mão de novo.

— Ibrahim? — chama Elizabeth no tom de voz mais gentil que Joyce já a ouviu proferir. — Com todo o respeito, a gente não quer saber do estacionamento. A gente quer é saber quem fez isso com você.

Ibrahim faz um gesto afirmativo com a cabeça da melhor maneira que consegue, sua respiração mais curta em função da dor. Tenta erguer um dedo, porém desiste.

— Tudo bem, mas o aplicativo é mesmo muito bem pensado. É só...

A porta se escancara, Chris e Donna entram esbaforidos e vão direto para a beira da cama.

— Ibrahim! — exclama Donna.

Joyce deixa Donna pegar a mão dele. Todos tiveram sua vez. Chris vai até o outro lado da cama e dá uma leve batida na cabeceira. Olha para Ibrahim e tenta sorrir.

— Ficamos preocupados com você.

Ibrahim ergue debilmente o polegar para Chris.

— A gente precisa ver como o outro cara ficou, não é? — brinca Donna.

— Vocês precisam pegar o outro cara, sem dúvida — declara Elizabeth.

— Sim, Elizabeth, nos perdoe — diz Chris. — Não conseguimos solucionar o caso ainda, apesar de já estarmos no quarto há nove segundos.

— Não briguem — pede Joyce. — Não num hospital.

— Você consegue falar, Ibrahim? — pergunta Donna.

Ibrahim faz que sim.

— Quem quer que tenha feito isso, vamos encontrar e levar para uma sala sem câmeras, e a pessoa vai se arrepender — continua ela.

— Assim é que se fala — concorda Elizabeth. — Essa é uma policial de verdade.

— A menos de cem metros da porta da delegacia de vocês — diz Ron, apontando o dedo para Chris. — Olhem a que ponto chegamos. Enquanto vocês saem por aí prendendo gente por jogar lixo reciclável na lixeira errada.

— Está bem, Ron — diz Joyce.

— Eu estava na academia — comenta Chris.

— Bem, isso diz tudo — responde Ron.

— Isso não diz nada, Ron — rebate Elizabeth. — Fica quieto, deixa o Chris e a Donna fazerem o trabalho deles.

Chris agradece em silêncio a Elizabeth, então se debruça sobre a cama e olha para Ibrahim.

— Parceiro, se você se lembrar de alguma coisa, por menor que seja, já será de grande ajuda. Sei que tudo deve ter acontecido muito rápido, mas qualquer coisa ajuda.

— Só se conseguir lembrar — reforça Joyce.

Ibrahim faz que sim mais uma vez e começa a falar devagar, com pausas ocasionais sempre que a dor fica difícil de suportar.

— Não me lembro de muita coisa, Chris. Você sabe que, em geral, sou bom com detalhes.

— Claro, parceiro, tudo bem. Qualquer coisa mesmo.

— Eram três rapazes. Dois brancos, um asiático, eu diria que de Bangladesh.

— Ótimo, Ibrahim — elogia Chris. — Mais alguma coisa?

— Todos de bicicleta. Uma delas era uma Carrera Vulcan, a outra uma Norco Storm 4 e a terceira eu não tenho bem certeza, mas devia ser uma Voodoo Bantu.

— Certo... — diz Chris.

— Os três usavam vestimentas com capuz. A de um deles era bordô, da Nike, com cordão branco. Os outros dois usavam Adidas, cor preta. Os tênis eram brancos, um Reebok, o outro, Adidas, o terceiro eu não lembro. — Ibrahim lança a Chris um olhar de quem pede desculpas.

— Certo, entendi — diz Chris.

— Ah, sim, lembro que um dos rapazes brancos tinha um relógio com a correia bege e o mostrador azul. O outro tinha uma tatuagem com três estrelas na mão esquerda. O de Bangladesh tinha marcas de acne por todo o lado direito do rosto. Um dos outros rapazes estava com a pele irritada de fazer a barba, mas não sei se isso importa, já que é o tipo de coisa que some de um dia para o outro. Um tinha um rasgo na calça jeans e dava para ver na coxa a parte de baixo de uma tatuagem. Parecia um escudo de time de futebol, o do Brighton, acho. Deu para ver também um "e-r-n-o" que entendi como sendo o fim da palavra "eterno", mas, claro, não dá para garantir. É só o que eu lembro, sinto muito. Foi tudo muito rápido.

Joyce sorri. Esse é o seu Ibrahim.

— Olha, sendo bem sincero, isso foi mais do que eu esperava — admite Chris. — A gente vai encontrá-los em algum circuito interno de TV e achar as bicicletas. A gente pega esses caras para vocês.

— Obrigado — diz Ibrahim. — Ah, e eu sei o primeiro nome do que me atacou. Isso ajuda?

— Você sabe o nome dele?

— Quando eu estava caído, eles gritaram "Chega, Ryan".

— Chega, Ryan? — repete Donna.

— Olha aí — diz Ron. — Pronto. Agora vocês parem de ficar de sacanagem e vão lá prender esse Ryan.

— Se eu for prender todos os Ryans com ficha criminal em Fairhaven, vai faltar cela — retruca Chris.

Uma enfermeira entra no quarto e Joyce reconhece a expressão em seu rosto. Ela se levanta.

— Gente, hora de ir embora, vamos deixar as enfermeiras fazerem o trabalho delas.

Ibrahim ganha abraços e beijos delicados de todos, e um por um o grupo vai saindo do quarto. Só Ron permanece.

— Venha, Ron — diz Joyce. — A gente leva você para casa.

Ron permanece onde está, inquieto.

— É... eu vou ficar.

— Vai ficar aqui?

— É, eu vou. Elas vão montar uma cama para mim e disseram que eu posso ficar. — Ron dá de ombros, parece um pouco desconfortável. — Fazer companhia para ele. Trouxe meu iPad, quem sabe vejo um filme.

— Tem um filme coreano que eu ando querendo ver — acrescenta Ibrahim.

— Esse não — rebate Ron.

Joyce se aproxima de Ron e o abraça, sentindo o constrangimento dele enquanto isso.

— Cuida do nosso garoto. — Joyce também sai e deixa a porta se fechar atrás de si, vendo então Chris e Donna conversando com Elizabeth.

— O celular só foi puxado da mão dele. Não vai haver perícia — informa Chris. — Pelo que ouvi, não há testemunhas. Também não há câmeras e é provável que eles soubessem disso. Com a descrição que o Ibrahim forneceu, dá para encontrá-los, com certeza, mas se chamarmos para depor eles vão rir na nossa cara.

— E sair livres para fazer a mesma coisa com outra pessoa — completa Donna.

— Vocês vão deixar eles se safarem? — pergunta Elizabeth. — Depois de fazerem o que fizeram com o Ibrahim?

Chris dá uma olhada ao redor para se certificar de que está somente entre amigos.

— Claro que a gente não vai deixar eles se safarem — garante.

— Ah, bom — diz Joyce.

— Nós vamos levá-los para a delegacia, isso eu posso prometer. Fazer com que percam algum tempo por lá. Fora isso, não há nada que dê para mim e a Donna fazermos.

Elizabeth o encara.

— A Donna e *eu*, Chris. Quantas vezes vou ter que corrigir?

Chris a ignora.

— Mas eu conheço você bem o bastante para saber que deve haver algo que dê para fazer, não é, Elizabeth? Você, a Joyce e o Ron?

— Continue — diz Elizabeth. — Estou ouvindo.

Chris se vira para Donna.

— A descrição que o Ibrahim fez remete a quem, Donna? Do nome às roupas, incluindo a tatuagem.

— Para mim, parecia o Ryan Baird, chefe.

Chris concorda, volta a encarar Elizabeth e diz:

— Para mim, parecia o Ryan Baird também.

— Ryan Baird — repete Elizabeth. Uma colocação, não uma pergunta. Guardada num cofre para nunca mais fugir.

— Então nós vamos embora agora para prendê-lo, interrogá-lo, ouvir uma série de "nada a declarar" e acabar sendo forçados a liberá-lo. Ele e aquele sorrisinho no rosto, ciente de que se safou mais uma vez.

— Ah, mas não se safou desta vez, não — declara Elizabeth. — Ninguém se safa depois de machucar o Ibrahim.

— Minha esperança era ouvir isso — afirma Chris. — Você sabe quanto vocês quatro significam para nós, não sabe?

— Sei — responde Elizabeth. — E espero que vocês dois saibam que a recíproca é verdadeira.

— Sabemos — diz Donna. — Agora vamos prender o Ryan Baird e que Deus tenha piedade da alma dele.

— Acho que esse nem Deus ajuda — opina Joyce, observando um maqueiro empurrar uma cama dobrável para dentro do quarto de Ibrahim.

9

Elizabeth está com dificuldade em se concentrar depois de ver Ibrahim na cama na noite anterior, cheio de tubos, como Penny havia estado. Ela não quer perder mais ninguém.

No entanto, precisa manter a calma. Caminha pelo bosque bem acima de Coopers Chase com Douglas Middlemiss. Seu ex-marido e sua nova responsabilidade. Uma incumbência que jamais havia pleiteado. Gente morreu por causa de Douglas. Muita gente.

Por que se casara com ele? Bem, a proposta dele viera exatamente na época em que ela se sentia obrigada a casar. E, por mais perigoso que fosse, ele também conseguia ser gentil. Ou ao menos fingir. E não era como se ela nunca tivesse matado ninguém. Se Ryan Baird passasse na sua frente agora, seria bem capaz de Elizabeth acrescentar mais um nome à lista.

Atrás dos dois está Poppy, com fones de ouvido, um tanto animada. Havia sido este o acordo. Poppy não podia perder Douglas de vista, mas ele poderia ter uma conversa particular com Elizabeth.

— Foi uma ação de rotina para esse tipo de coisa — comenta Douglas. — Tiramos fotos, arrombamos o que deu para arrombar e saímos de fininho. Não passamos mais de meia hora na casa do Lomax. É raro ele sair, tivemos de agir com rapidez.

Elizabeth pausa para contemplar a vista. Abaixo dela, Coopers Chase. Os prédios, os lagos, os campos ondulantes. Acima, o cemitério onde estavam enterradas as freiras que ali tinham vivido havia séculos. Atrás, Poppy para e contempla a mesma vista.

— E vocês conseguiram pisar na bola?

— Não sei se pisamos na bola, mas dois dias depois recebemos uma mensagem através de certos canais. Martin Lomax havia feito contato.

— É mesmo? — diz Elizabeth enquanto retomam a caminhada. — Continue.

— Xingando tudo e a todos. Invadiram minha propriedade, porque os direitos humanos, isso é um desrespeito flagrante, a ladainha completa. Querendo o nosso pescoço, sabe como é.

— E como ele soube que foi o MI5?

— Bom, suponho que ele possa ter percebido de um monte de maneiras. A gente nunca deixa as coisas exatamente no mesmo lugar onde as encontrou, não é? Se a pessoa souber onde olhar... E quem arromba uma casa e não leva nada? Hoje em dia, só a gente, meu bem.

Há um barulho de obras vindo de algum ponto mais acima no morro, onde a etapa final do empreendimento Coopers Chase está sendo construída. Douglas para ao lado de um velho carvalho com o tronco oco e dá um tapinha na árvore.

— Ponto de entrega perfeito, hein? — comenta Douglas.

Elizabeth olha para o carvalho e concorda. Já fez trocas como essas a que ele se refere mundo afora. Atrás de tijolos soltos em muros baixos, em ganchos sob bancos de parque, dentro de volumes obscuros em livrarias, qualquer lugar onde um agente possa esconder algo muito bem e outro coletar o item sem gerar suspeitas. Fosse em Varsóvia, fosse em Beirute, esta árvore seria mesmo perfeita.

— Lembra da árvore que a gente usou em Berlim Oriental? A do parque? — pergunta Douglas.

— Era Berlim Ocidental, mas, sim, lembro — corrige Elizabeth. Quase dez anos a mais, porém com a memória bem mais afiada. Esta vitória até que desce bem.

Eles param de admirar a árvore e Douglas continua a falar.

— Então, o Lomax está lá fazendo um escândalo, nos amaldiçoando até a décima quinta geração porque a gente não devia ter entrado na casa dele e ele sabe disso e a gente sabe disso, e de repente ele solta a bomba.

— A bomba?

— A bomba.

— E é por causa dessa bomba que você está aqui?

Com um aceno de cabeça, Douglas confirma.

— Lá está ele, Martin Lomax, atirando sem parar, e aí fala: "Cadê meus diamantes?"

— Diamantes?

— Pare de ficar repetindo o que acabei de falar, Elizabeth, esse é um péssimo hábito seu. Esse e o adultério.

— Mas e os diamantes, Douglas? — insiste Elizabeth, sem perder o ritmo.

— Diz ele que havia diamantes no valor de vinte e cinco milhões na casa. Brutos. Seriam o adiantamento de um empresário de Nova York para um cartel colombiano.

— E desapareceram depois da visita de vocês?

— Sem deixar vestígios, diz nosso homem. Acusando a gente sabe-se lá do quê, de estar atrás de compensações, fazendo o maior escarcéu. Vieram me interrogar, e tudo bem, sem problema nenhum, é o protocolo, entendo, dou todos os detalhes da operação: eu e outro cara, o Lance, do Serviço de Bote Especial, de confiança, o MI5 gosta dele. E a Poppy do lado de fora, de vigia, esperando os capangas aparecerem. Ninguém viu diamante algum, ninguém pegou diamante algum, o sujeito deve estar blefando.

— E acreditaram em você?

— Não havia razão para não acreditarem. Tínhamos percebido qual era a jogada dele. Queria ter uma carta na mão contra nós. Aí eles entraram em contato com o Martin Lomax, pediram desculpas pela invasão, sabe como é, estamos fazendo nosso trabalho, mas sem essa de diamantes, meu amigo. Vamos ficar numa boa.

— E ele, irredutível?

— A própria definição da palavra. Jura que não é blefe algum, diz que já arranjou uns colombianos prontos para sair por aí quebrando pernas se os diamantes não reaparecerem, e então, como é que vai ser...

— E vocês fizeram o quê?

— Não tem o que fazer. Ficaram alguns dias em cima de mim e do resto da equipe só para ter certeza de que estávamos falando a verdade, então voltaram e disseram ao Martin Lomax, olha só, amigo, se é que esses diamantes existiram, e francamente não acreditamos muito nisso, estão com outra pessoa. Houve um vai e volta, vai e volta e ele então solta outra bomba.

— Deus do céu, Douglas! — exclama Elizabeth. — Duas bombas de uma vez.

— Martin Lomax diz: "Estou mandando uma foto." Quando a recebemos, vimos que foi tirada do circuito de câmeras da casa, do lado de fora. Lá estou eu, cara limpa, sem máscara, sem disfarce algum.

— Você tirou a máscara?

— Eu estava com calor, aquilo estava coçando, e você me conhece, Elizabeth. E as balaclavas agora são sintéticas. Queria entender o que aconteceu com as de lã. Enfim, lá está o meu rosto, ele fez o dever de casa, descobriu quem eu sou e escreveu embaixo da fotografia: "Digam ao Douglas Middlemiss que ele tem duas semanas para devolver meus diamantes. Se eles não voltarem para mim, dentro de duas semanas eu aviso aos americanos e aos colombianos que as pedras estão com ele." Atenciosamente, e blá-blá-blá.

— E isso faz quanto tempo?

Douglas para, olha ao redor, faz um meneio para si mesmo. Encara Elizabeth.

— Duas semanas.

Elizabeth contrai os lábios. A sombra das árvores ficou para trás e eles se encontram na trilha que leva ao cemitério das freiras. Ela aponta para um banco no caminho.

— Vamos sentar ali.

Elizabeth e Douglas se dirigem ao banco e se acomodam.

— Então você está na mira da máfia de Nova York e de um cartel de traficantes de drogas colombiano?

— Uma desgraça nunca vem sozinha, não é, meu bem?

— E o serviço mandou você para cá para ficar em segurança?

— Bem, sendo muito sincero, a ideia brilhante foi minha mesmo. Eu vinha lendo a seu respeito, sobre suas peripécias recentes, sobre este lugar, Coopers Chase, e pareceu ser o esconderijo perfeito.

— Bem, depende do que você esteja escondendo — diz Elizabeth, contemplando o cemitério. — Mas, sim.

— Então, você vai me ajudar? Mobilizar parte das suas tropas por aqui? Pode pedir ao pessoal que fique alerta quanto a presenças estranhas, mas sem dizer o motivo? Só devo ficar aqui até essa história se resolver.

— Douglas, você não tem qualquer razão para me responder com sinceridade, mas vou perguntar assim mesmo: você roubou os diamantes?

— Claro que roubei, meu amor. Estavam ali dando sopa. Impossível resistir.

Elizabeth assente.

— E preciso que você me mantenha seguro por tempo suficiente para que eu possa pegá-los, levá-los até a Antuérpia e vendê-los. Pensei que eu tivesse me deparado com o crime perfeito? Pensei. Se não tivesse tirado aquela porcaria daquela máscara, com certeza já estaria nas Bermudas.

— Entendi. E onde estão esses diamantes agora, Douglas?

— Me mantenha vivo, meu amor, e eu conto para você. Ah, eis a nossa amiga Hermione Granger.

Poppy os alcançou no banco. Aponta para os fones de ouvido, querendo saber se pode retirá-los. Elizabeth indica que sim.

— Espero que tenha gostado da caminhada, meu bem — comenta Elizabeth.

— Muito — diz Poppy. — A gente costumava fazer trilha na faculdade.

— Que tipo de música você estava escutando? Grime?

— Era um podcast sobre abelhas. Se elas forem extintas, será o nosso fim.

— Nesse caso, serei mais cuidadosa no futuro — diz Elizabeth. — Poppy, é o seguinte. Douglas me convenceu a aceitar a posição que vocês estão me oferecendo. Creio que posso ajudá-los.

— Ah, que ótimo! — exclama Poppy. — É um alívio.

— Mas tenho duas condições. Em primeiro lugar, essa tarefa, ficar de olho etc., vai ser muito mais fácil se meus três amigos puderem me ajudar.

— Sinto muito, mas é impossível — rebate Poppy.

— Meu bem, olha só. Quando você crescer, vai perceber que muito poucas coisas são de fato impossíveis. E essa, com certeza, não é uma delas.

— E qual é a segunda condição? — pergunta Douglas.

— Bem, a segunda é muito importante. Mais importante do que os diamantes, mais importante do que o Douglas. Para aceitar essa função, preciso de um favor do MI5. É simples, mas significa muito para mim.

— Continue — diz Poppy.

— Preciso de todas as informações que vocês tiverem sobre um adolescente de Fairhaven chamado Ryan Baird.

— Ryan Baird? — pergunta Douglas.

— Ai, Douglas, pare de repetir o que acabei de falar. Que péssimo hábito esse seu. Esse e o adultério.

Elizabeth se levanta e oferece o cotovelo a Poppy.

— Você poderia fazer isso por mim, meu bem?

— Bem, acho que *poderia*... — começa Poppy. — Posso saber por quê?

— Não, não pode.

— Mas você pode me prometer que nada de mal vai acontecer a esse Ryan Baird?

— Ah, "prometer" é uma palavra muito forte. Vamos aproveitar e caminhar de volta para casa. Não quero que você se atrase para o seu turno do almoço.

10

Joyce

Entrei no Instagram, sabem o que é?

Joanna me convenceu. Disse que dá para ver todo tipo de foto de todo tipo de gente. Nigella, Fiona Bruce, todo mundo.

Entrei hoje cedo. O sistema me pediu um "nome de usuário". Coloquei meu nome e veio a mensagem: "@JoyceMeadowcroft não está disponível." Pensei: "Quem dera." Aí tentei @JoyceMeadowcroft2, mas alguém já havia registrado esse também.

Comecei a pensar em apelidos, mas a maioria das pessoas só me chama mesmo de Joyce. Foi quando me lembrei de um apelido da minha época de enfermagem. Tinha um médico que sempre me chamava de "Grande Joy". Sempre que nos esbarrávamos, ele dizia "olha só quem chegou, Grande Joy com esse sorrisão espalhando felicidade". O que é encantador, mas não quando se está trocando um cateter.

Hoje, quando penso, percebo que o que ele queria mesmo era me fazer um belo exame de toque. Se tivesse me dado conta disso, teria deixado. As oportunidades que a gente perde nessa vida.

Tentei então "@GreatJoy", mas nada. Acrescentei meu ano de nascimento, ficou "@GreatJoy44", e ainda nada. Aí acrescentei o ano em que Joanna nasceu. Pronto! Tudo certo, registrada como "@GreatJoy69" e ansiosa para me divertir bastante. Já estou seguindo os perfis dos Hairy Bikers e do National Trust.

Foi bom ter tomado essa iniciativa, para ser sincera, pois é domingo e às vezes fico triste aos domingos. O tempo parece passar mais devagar. Creio que por muitas pessoas estarem passando esse dia com suas famílias. O restaurante vive cheio de sobrinhas inquietas e genros decepcionantes. Domingo também não é um grande dia na programação da TV na parte da tarde. O *Bargain Hunt* que passa é sempre reprise, não tem *Homes Under the Hammer*, nada. Joanna diz que eu posso ver alguma coisa via *streaming*, e com certeza ela tem razão, mas de alguma forma isso só acentua a solidão. Honestamente, preferiria que ela viesse almoçar com a mãe dela. Para ser justa, ela até vem de vez em quando. Na época dos assassinatos, aparecia bem mais, e quem pode culpá-la por isso? Eu, não.

Mas, na falta de quaisquer outros assassinatos, imagino que um cachorro pudesse agir como um ímã. Se bem que Joanna deve ser alérgica. Não era na infância, mas as pessoas parecem desenvolver alergia a tudo quando se mudam para Londres.

Hoje vou pegar um táxi para Fairhaven com Ron e Elizabeth para visitar Ibrahim. Isso ao menos deve me animar. Adoro hospitais, são como aeroportos.

Comprei um exemplar do *Sunday Times* para o Ibrahim, pois certa vez vi um na casa dele. Deus do céu, como pesa! Para ficar mais leve, resolvi descartar seções que creio que não interessem a ele, mas como estas seriam só a de moda e um encarte especial sobre a Estônia, não fez lá muita diferença. Também comprei flores, uma barra de chocolate ao leite das grandes e uma lata de Red Bull, por causa do anúncio.

Sei que os outros ficaram abalados ao vê-lo todo machucado e com curativos, mas fiquei grata por saber que foi só isso. Sem dúvida, fiquei aliviada quando o ouvi falar. Aliviada e depois entediada, porque sabem como é o Ibrahim. Mas a sensação de tédio foi adorável.

Só digo o seguinte: já vi coisa pior. Bem pior. Não vou entrar em detalhes.

A caminho de lá, na sexta-feira, fiquei tranquilizando Ron e Elizabeth. Nada com que se preocupar, ele está em boas mãos, foi encontrado bem rápido. Contudo, eu havia temido o pior. De certas lesões, a pessoa não se recupera. Ron e Elizabeth, é claro, nada têm de bobos, sabiam que eu só estava tentando tranquilizá-los, mas isso não diminui a importância do meu gesto. A cada momento cabe a alguém manter a calma. Aquela era a minha vez.

Quando cheguei em casa, desabei e chorei. Tenho certeza de que eles também. Mas, durante a visita, estávamos maravilhosos.

Por sinal, sei que me refiro apenas às lesões imediatas. Estou ciente de que o Ibrahim tem um longo e tortuoso caminho pela frente quando a ficha cair. Ele é muito sábio, mas também muito vulnerável. Talvez seja sábio justamente por ser vulnerável? Por deixar que tudo o afete? Agora sou eu que estou soando como uma psiquiatra! Acho que eu falo demais para ser psiquiatra. A hora da pessoa não compensaria.

A propósito, é psiquiatra ou psicoterapeuta? Não me lembro de como Ibrahim se define. Vou perguntar hoje. Estou tão ansiosa para vê-lo de novo! Sei como será importante ter bons amigos por perto quando ele chegar em casa, e isso eu posso garantir que vai acontecer.

Outra coisa que eu garanto? O garoto que decidiu roubar o celular do meu amigo e lhe desferir um chute na cabeça, fugindo depois e deixando-o à própria sorte? Ele vai desejar nunca ter nascido.

Acredito que psiquiatras não incentivem atos de vingança. Não sei, mas imagino que preguem o perdão, como os budistas. Tinha uma frase sobre isso no Facebook. De uma forma ou de outra, nisso eu e os psiquiatras discordamos.

Quem sabe Ryan Baird teve uma infância difícil. Talvez tenha sido abandonado pelo pai, pela mãe ou por ambos, ou seja viciado em drogas, ou sofreu bullying, ou nunca se encaixou em lugar algum. Talvez tudo isso seja verdade e talvez haja lugares onde Ryan Baird poderia encontrar um ouvido amigo. Mas não comigo nem com Ron nem com Elizabeth. Se um dia Ryan teve alguma sorte, agora ela acabou.

Vocês não imaginam minha vontade de dar uma mordida nesta barra de chocolate. Sei que Ibrahim me deixará comer um pouco logo que entregá-la a ele, mas sabe como é quando está bem ali debaixo do seu nariz? Devia ter comprado um cacho de uvas, assim não me sentiria tentada.

Será que eu como um pouco do chocolate agora? Aí dou um pulo até a loja e compro um novo para ele antes de o táxi chegar. E ficam todos felizes. Certo?

Ih, @GreatJoy69 já recebeu algumas mensagens privadas no Instagram. Como foi rápido! Vou checá-las quando voltar. Estou animada!

11

A mulher do *Sunday Telegraph* é muito simpática, mas Martin Lomax supõe que seja tudo parte do seu trabalho. Enquanto passeiam, ela se derrama pelas anêmonas-do-japão e corre os dedos pelas sebes ornamentais.

— Para ser sincera, Sr. Lomax, já vi muitos jardins particulares lindos, mas esse supera todos os outros. Mesmo. Supera todos os outros. Como é que eu ainda não conhecia?

Martin Lomax assente e os dois continuam a caminhar. Pelo visto ela adorar falar. O jardim é lindo, ele sabe disso. Com o dinheiro que custou era para ser mesmo. Mas o melhor? O melhor de todos? Menos, por favor. Mas, é claro, é o trabalho dela.

— O uso da simetria é fascinante. Ele se desfralda, não é mesmo? Ele se revela. O senhor conhece o famoso poema de William Blake, Sr. Lomax?

Martin Lomax faz que não com a cabeça. Matou um poeta certa vez, e isso é o mais próximo que já chegou da poesia.

— Tigre, tigre na noite, brilho tão inclemente. Que imortal simetria tens.

Martin Lomax faz que sim desta vez, pensando ser melhor dizer algo como "lindo" antes que ela comece a achá-lo um sociopata. Ele leu *O teste do psicopata*.

— Lindo.

Há muito tempo ele queria aparecer no suplemento "Os mais belos jardins da Grã-Bretanha", do *Sunday Telegraph*. A certa distância, enxerga a fotógrafa sob uma sebe, câmera apontada para cima, na direção do céu sem nuvens. A foto vai sair linda. Há uma caixa com meio milhão de dólares para emergências enterrada sob aquela sebe. Afinal, nunca se deve guardar todo o seu dinheiro em um único lugar.

— E o senhor vai promover seu primeiro evento de exibição do jardim esta semana? — pergunta a jornalista.

Martin Lomax faz que sim. Estava ansioso para isto. Exibir o que havia criado. De uma janela do andar de cima, ele poderia observar as pessoas aproveitando o local. Caso alguém se excedesse, mandaria matar a pessoa. Todos os outros, porém, seriam muito bem-vindos.

— Neste artigo, nós pretendíamos descrevê-lo como "empresário". Acha adequado? Li tudo a seu respeito, o senhor trabalha com serviços de seguro privados, não é? Imagino que isso talvez confunda um pouco as pessoas. "Empresário" costuma resolver a questão ou, quando é uma mulher, "mãe e empreendedora". Às vezes colocamos "herdeiro da fortuna tal". Mas "empresário" lhe parece bom?

Martin Lomax assente. Um ucraniano o visitara naquela tarde e acabara de concordar com a compra de alguns mísseis antiaéreos sauditas desativados por doze milhões de dólares e planejava sequestrar um cavalo de corrida para dar como entrada.

— Os crisântemos são lindos — elogia a mulher. — Extraordinários.

Um cavalo de corrida sequestrado não era o ideal para Martin Lomax, mas, se ambos os lados se dessem por satisfeitos com o acordo, espaço para estábulos não lhe faltava. Já havia negociado antes com os ucranianos e os achara violentos, porém confiáveis. Martin Lomax vai falar com a tropa de escoteiros local para que montem uma barraquinha de refrescos num dos dias da exibição do jardim. Com água, coisas assim. As pessoas precisam de água, reparou ele. Ficam doidas para beber.

— Dawn — diz a jornalista para a fotógrafa —, dá para tirar umas fotos desse adubo? É importado de Creta.

Mas sem garrafas de plástico. As pessoas reclamariam, e ele não quer que nada estrague a experiência delas. Pensando melhor, percebe que precisará mantê-las longe dos estábulos, só para garantir. E, claro, longe da casa, isso é evidente. E dos cadáveres na fossa, mas quem iria para lá, em todo caso? Claro, ninguém poderia cavar. Tem granadas por ali, embora não se lembre de jeito nenhum onde foram enterradas. Mas sabe que é um local seguro. Está anotado em algum lugar. Seria debaixo do coreto veneziano? Se for refletir, perceberá que não se lembra nem de quem eram as granadas nem por que aceitara escondê-las. Coisas da idade.

— Não que a gente precise de detalhes biográficos, Sr. Lomax, mas as pessoas às vezes gostam. Há uma esposa que eu possa mencionar? Filhos?

Martin Lomax faz que não com a cabeça.

— Exército de um homem só.

— Sem problemas. O foco é mesmo nos jardins.

Martin Lomax assente. Depois do ucraniano, teria que tratar daquele outro assunto. A invasão. Até ali, dera conta do recado muito bem. Não se deve provocar o MI5, ele sabe disso e prefere mil vezes ter uma boa relação do que uma ruim. Mas, no fim das contas, vinte milhões são vinte milhões. Com certeza alguém vai acabar morrendo, e é preciso garantir que não seja ele.

— Estava pensando, eu poderia usar o seu banheiro? — pergunta a jornalista. — Foi uma longa viagem até aqui e vai ser outra de volta.

— Claro. Tem um logo ali no galpão de utensílios de trabalho, está vendo? Atrás da fonte. Só acho que não tem papel, mas pode usar o que estiver à mão.

— Sim, sim, claro. Seria muita folga da minha parte ir num banheiro da casa?

Martin Lomax balança a cabeça mais uma vez.

— O galpão é mais perto.

Ninguém entra na casa dele, a não ser para fazer negócios. Ninguém. Começa querendo ir ao banheiro, depois sabe-se lá o que vem em seguida. O MI5 acha que pode sair invadindo e pronto?

Veremos. Martin Lomax tem muitos amigos. Príncipes sauditas, um cazaque caolho com um rottweiler também caolho. Tanto o cazaque quanto o rottweiler estraçalham qualquer um sem hesitar. Ninguém entra na casa dele sem ser convidado.

Martin Lomax contempla os jardins mais uma vez. Que sorte a dele viver em meio a tanta beleza. Que mundo maravilhoso, se pararmos para pensar. Mas chega de ficar refletindo sobre a vida, ele tinha mísseis antiaéreos com que se preocupar. Outra coisa, pensando melhor: será que deveria assar alguns biscoitos para o evento no jardim? Quem sabe uns brownies?

Ouve a descarga do velho banheiro e, a distância, as primeiras vibrações de um helicóptero que se aproxima.

Chocolate branco e framboesa? As pessoas gostariam, não lhe resta dúvida.

12

— É isso, para resumir. Sem drama e sem me olhar de queixo caído.

Elizabeth termina de contar sua história e volta a se recostar na cadeira baixa. Por um instante, o único som é o do monitor de frequência cardíaca de Ibrahim.

— Mas diamantes? — pergunta ele, sentando-se em ângulo reto na cama hospitalar.

— Sim — diz Elizabeth.

— Diamantes no valor de vinte milhões? — indaga Ron, que ouviu a história toda de pé e quieto, mas agora anda de um lado para outro. Joyce lhe trouxera de casa uma cueca limpa e ele se trocara sem questionar no banheiro para deficientes, ainda que a que estava usando pudesse facilmente aguentar mais um dia.

— Sim — confirma Elizabeth, revirando os olhos. — Mais alguma pergunta óbvia?

Ibrahim, Joyce e Ron se entreolham.

— É o seu ex-marido? — pergunta Ibrahim.

— Sim, ele mesmo. Com todo o respeito a vocês três, isso já está ficando cansativo. Alguma pergunta sobre algo que eu não tenha mencionado?

— E nós vamos conhecê-lo? — pergunta Ron. — Ao vivo e em cores?

— Infelizmente, sim — concede Elizabeth.

Ron e Ibrahim balançam a cabeça em sinal de assombro. Elizabeth se volta para Joyce.

— Joyce, você está muito calada. Nenhuma pergunta a fazer sobre os diamantes ou o ex-marido? Ou a máfia? Ou os colombianos?

Na sua cadeira, Joyce se inclina para a frente.

— Bem, tenho muita coisa a dizer sobre tudo e estou animada para conhecer o Douglas. Aposto que é bonitão. É?

— De uma forma meio óbvia demais — comenta Elizabeth. — Se entende o que quero dizer.

— Ah, claro que entendo — retruca Joyce. — Nunca se é óbvio demais para mim.

— Mas não tão bonito quanto o Stephen — declara Elizabeth.

— Ah, isso ninguém é — concorda Joyce. — Mas, para ser sincera, o que fiquei pensando durante essa história toda foi que isso explica as unhas da Poppy.

— É, eu percebi sua ficha cair — responde Elizabeth.

Uma enfermeira entra no quarto para encher a jarra de água de Ibrahim. Os amigos se calam e agradecem em silêncio. Ela sai.

— Eu sou classicamente bonito — afirma Ibrahim.

— No momento, não — diz Ron.

— Você precisa então que a gente o vigie? — oferece Joyce. — Tipo guarda-costas?

— Não é para tanto, Joyce — diz Elizabeth.

— Mas estaríamos protegendo a retaguarda dele — argumenta Ron.

— Está bem, então. Guarda-costas, Ron, como vocês preferirem.

Ron assente.

— É, eu prefiro assim — confirma.

— Bem, convite feito — retoma Elizabeth. — Se estiverem ocupados demais, tudo bem.

— Eu consigo dar um jeito — diz Ron. — A gente vai ser pago?

— Sim, mais ou menos — informa Elizabeth. — Douglas e Poppy aceitaram nos repassar informações sobre Ryan Baird.

— Ryan Baird? — pergunta Ron.

— É o nome do garoto que roubou o celular do Ibrahim — responde Joyce.

— Ahh — solta Ibrahim.

— Ryan Baird — diz Ron. — Ryan Baird.

— Eu não... acho que não gosto de ele ter um sobrenome — comenta Ibrahim. — Acho mais difícil fingir que nunca aconteceu quando ele tem sobrenome. Não sei, desculpem, não tenho lá muita certeza do que penso sobre isso.

— Eu sei — comenta Elizabeth. — Entendo. A gente cuida disso.

— Vingança é do que você precisa — afirma Ron. — Que ele apanhe, seja preso, o que a Elizabeth estiver providenciando.

— Eu não acredito em vingança, na verdade — opina Ibrahim.

— Eu sabia — diz Joyce baixinho.

— Bem, eu acredito — retruca Ron.

— Eu também — diz Elizabeth. — Enfim, creio que a questão já esteja decidida. De resto, vamos combinar de não mencionar mais o nome dele.

O silêncio domina o quarto. Ibrahim inclina a cabeça para trás e dá um sorriso fraco.

— O que você acha que o Douglas fez com os diamantes? — pergunta.

— Não sei — diz Elizabeth. — Mas tenho a sensação de que pode ser divertido descobrir.

— Vamos encontrar e vender os diamantes — sugere Ron.

— Siiiim! — entusiasma-se Joyce. — Vinte milhões para dividir entre os quatro!

— O que nós sabemos sobre o Martin Lomax? — indaga Ibrahim.

— Muito pouco — responde Elizabeth. — Mas, se é para protegermos o Douglas, creio que precisamos descobrir um pouco mais.

— Ron e eu podemos usar o iPad esta noite — oferece Ibrahim. — Pesquisar um pouco.

— Você vai dormir aqui de novo hoje, Ron? — pergunta Joyce.

— Ah, só mais uma noite, sabe como é. Posso flertar com as enfermeiras, e o chá que elas fazem é bem gostoso.

— Eu trago uma nova muda de roupas — promete Joyce.

— Na verdade, não precisa — responde Ron.

13

A policial Donna de Freitas e o inspetor-chefe Chris Hudson sentam-se na Sala de Interrogatório B. Do outro lado da mesa, Ryan Baird, com um ar de quem não está preocupado, e seu advogado, cujo terno devia estar na lavanderia, não na delegacia de Fairhaven. No que ele estava pensando quando o vestiu? Tem até uma aliança no dedo. Como conseguiu? Ser homem é moleza. O tanto que Donna se cuida e continua solteira. E olha esse sujeito. Enfim.

— Onde você estava na sexta, Ryan? — pergunta Chris. — Entre as cinco e as cinco e quinze?

— Não me lembro — diz Ryan.

O advogado faz uma anotação. Ou finge fazer. Difícil saber que anotação seria essa.

— Como está o chá? — pergunta Donna.

— Como está o *seu* chá? — retruca Ryan.

— Nada mau, na verdade — diz Donna.

— Muito bem — rebate Ryan.

Vejam só. Pura acne e fanfarronice. Não passa de um menino. Um garoto perdido.

— Você tem uma bicicleta, Ryan — declara Chris. — Uma Norco Storm 4, não é?

Ryan Baird dá de ombros.

— Está dando de ombros porque eu errei a marca ou porque não sabe se tem?

— Não tenho. Nada a declarar.

— Você tem que escolher, Ryan — explica Donna. — Ou responde à pergunta ou não tem nada a declarar. Os dois não dá.

— Nada a declarar — diz Ryan Baird.

— Melhor assim — diz Donna. — Não é tão difícil, é?

— Um homem foi assaltado, Ryan, na rua Appleby — diz Chris. — Teve o celular roubado e chutaram a cabeça dele quando estava caído.

— Nada a declarar — diz Ryan.

— Eu não perguntei nada — diz Chris.

— Nada a declarar.

— Mesma coisa, não perguntei nada.

— Ele tem oitenta anos — informa Donna. — Podia ter morrido. Mas não vai, caso você esteja interessado.

Ryan Baird fica calado.

— Agora, isto a gente quer saber — diz Chris. — Você está interessado?

— Não — responde Ryan.

— Até que enfim um pouco de honestidade. Só que as câmeras filmaram você e seus dois parceiros na rua Theodore, a poucos minutos do local do assalto. As imagens são de cinco e dezessete da tarde e você aparece numa bicicleta Norco Storm que pode ou não ser sua.

Chris entrega uma fotografia a Ryan e diz em voz alta:

— Estou mostrando a Ryan Baird a fotografia P19.

— É você, Ryan? — pergunta Donna.

— Nada a declarar.

— De qualquer forma — intervém o advogado —, não é ilegal estar nas proximidades de onde ocorreu um crime.

A frase fica no ar por alguns instantes. Chris bate com a ponta da caneta algumas vezes no bloco, pensando.

— Ok, encerramos por aqui — diz ele, levantando-se de súbito.

Donna percebe a surpresa nos olhos do advogado.

— Depoimento encerrado às quatro e cinquenta e sete da tarde — continua Chris.

Caminha até a porta, abre-a e faz sinal para Ryan e o advogado saírem. Ryan não perde tempo, mas o advogado se contém.

— Espere um pouco no corredor, Ryan — pede o advogado. — Não demoro.

Ryan sai do aposento e, assim que se afasta o suficiente para não ouvir mais nada, o advogado se dirige a Chris em voz baixa:

— É só isso que vocês têm? Imagino que tenham mais do que só as câmeras.

— Temos — responde Chris.

O advogado pende a cabeça para um lado, desconfiado.

— Qual é a de vocês? Isso é uma armadilha? Vocês sabem que, caso pretendam intimá-lo de novo e mostrar mais imagens ou apresentar uma testemunha, eu preciso saber agora.

— Eu sei — concede Chris. — Não vou mostrar mais nenhuma imagem para ele.

— Nem fazer uma busca na casa dele?

— Não — garante Chris.

— Não estão procurando os outros dois?

Agora que está posicionada bem atrás do ombro do advogado, Donna nota uma marca de sujeira no colarinho da camisa. Está satisfeita em reparar como Chris passou a cuidar um pouco mais da aparência desde que começou a namorar a mãe dela. Em certos homens, dá para confiar e deixar que se vistam por conta própria. Em outros, não. Chris estava bem no limiar. Logo seria possível lhe dar mais liberdade.

— Para quê? — pergunta Chris.

— Como assim, para quê? — devolve o advogado.

— Para quê, ué? Você sabe que não temos o bastante para condená-lo, nós sabemos também e só Deus sabe o que passa pela cabeça desse escrotinho do Ryan, mas suspeito que até ele saiba.

— Do que você chamou ele? — diz o advogado.

— Nós não vamos mais intimar o Ryan — interrompe Donna. — Basta que você saiba disso.

— Não vamos aturar outro depoimento desses — declara Chris. — Não desta vez. Pode dar a boa notícia a ele.

— Estou deixando alguma coisa passar? — pergunta o advogado, seus olhos indo de Chris para Donna e vice-versa. — Porque é o que está me parecendo. Vocês vão deixar ele escapar dessa? Posso saber por quê?

Donna olha direto nos olhos dele.

— Nada a declarar — diz.

E sai porta afora. Chris encara o advogado e dá de ombros.

Donna volta e põe só a cabeça em frente à porta.

— Olha, sem querer julgar, mas terno é para lavar a seco tipo uma vez por mês. Sério, vai fazer uma tremenda diferença!

14

— Foi totalmente por acaso — diz Poppy, limpando os farelos de um biscoito de amêndoas e coco do canto da boca.

— Muito comum que seja assim — comenta Elizabeth.

— Eu estudava inglês e mídia em Warwick. Uma mulher do Ministério das Relações Exteriores apareceu para uma palestra, haveria um coquetel depois, e fomos todos. Então ela nos contou que o salário inicial por lá era de 24 mil e eu me inscrevi.

— Nada muito emocionante — comenta Joyce, chegando com mais chá.

— Pois é — concorda Poppy. — Tive uma entrevista no ministério, em Londres, então usei meu passe ferroviário estudantil. Tinha me preparado bastante, estudado sobre a Rússia, a China, o que quer que eles talvez quisessem abordar, mas foi só uma conversa mesmo.

— É sempre assim — concorda Elizabeth.

— Perguntaram quem era meu autor favorito e falei Boris Pasternak, embora na verdade seja Marian Keyes. Mas eles gostaram de mim, me chamaram para uma segunda entrevista, eu avisei que não tinha dinheiro para ir a Londres uma segunda vez e eles me disseram "não se preocupe, é por nossa conta, a gente hospeda você em algum lugar" e respondi "olha, sinceramente, me sinto melhor voltando para casa no mesmo dia, nem preciso dormir na cidade", mas eles insistiram, e foi nessa entrevista seguinte que contaram quem eram, me levaram para sair, me embebedaram, me acomodaram em uns quartos em um clube em Mayfair e na manhã seguinte estava consumado. Me mandaram para casa com um laptop só meu e disseram que a gente se veria quando eu me formasse.

Joyce serve o chá.

— Eu me lembro da Joanna, minha filha, saindo da faculdade. Ela estudava na LSE em Londres, não sei se você conhece, e fiquei muitíssimo preocupada quando ela se formou, porque eu não sabia o que ela iria fazer. Ela disse que viraria DJ, falei que, nesse caso, eu conhecia o Derek Whiting, um dos responsáveis pela rádio do hospital onde eu trabalhava, e poderia dar um jeitinho, arranjar alguma experiência profissional para ela, mas Joanna disse que "não é esse tipo de DJ". Pelo visto, existe algum outro. E me informou que o plano dela era viajar pelo mundo. Aí, dois dias depois, me ligou para dizer que teria uma entrevista no Goldman Sachs e pediu dinheiro emprestado para comprar roupas adequadas. E foi isso.

— Ela parece ser uma figura — diz Poppy.

— Tem os seus momentos — concorda Joyce. — Derek Whiting acabou morrendo ao cair de um navio de cruzeiro. Nunca se sabe o que o destino nos reserva, não é?

— E você gosta do trabalho, Poppy? — pergunta Elizabeth.

Poppy toma um gole de chá e pondera.

— Não muito. Se importa se eu disser isso?

— De jeito nenhum — diz Elizabeth. — Não é para qualquer um mesmo.

— Eu caí de paraquedas. Precisava de um emprego, parecia instigante, e eu nunca havia tido dinheiro antes. Mas não tenho temperamento para isso. Você gosta de guardar segredos, Elizabeth?

— Muito — responde ela.

— Pois é, eu não gosto — diz Poppy. — Não gosto de dizer uma coisa para a pessoa A e outra para a pessoa B.

— Eu também sou assim — concorda Joyce. — Nem quando o corte de cabelo da pessoa não favorece eu consigo ficar quieta.

— Mas o trabalho exige — argumenta Elizabeth.

— Eu sei disso — concede Poppy. — Sabia desde o início, com certeza. O problema sou eu. É o trabalho errado para mim. Detesto toda a carga dramática. Reuniões a que se é convidada, reuniões a que não se é convidada.

— Com o que você preferiria trabalhar? — pergunta Joyce.

— Bem... — Poppy inicia a frase, mas sem dar continuidade.

— Vamos — encoraja Joyce. — A gente não conta para ninguém.

— Eu escrevo poesia.

— Poesia não é comigo — diz Elizabeth. — Nunca foi, nunca será. Você se importa se a gente falar do Ryan Baird?

— Ah, tudo bem — responde Poppy, pegando a bolsa ao lado da cadeira. Tira dela uma pasta e a entrega a Elizabeth. — Nome, endereço, e-mail, número do celular e a listagem das chamadas mais recentes, seguro social, ficha no Serviço Nacional de Saúde, histórico de navegação, números dos celulares das pessoas próximas. A curto prazo, foi o que deu para conseguir.

— Obrigada, Poppy, já está bom para começar — garante Elizabeth.

— Não me agradeça — diz Poppy. — Agradeça ao Douglas. Se dependesse de mim, você não teria acesso a isso. Lamento, mas não me parece algo de fato legal.

— Ah, hoje em dia nada é legal, mal dá para ir até a esquina. Às vezes é preciso burlar as regras — argumenta Elizabeth.

— Viu? É disso que eu estava falando — ressalta Poppy. — Não quero burlar as regras. Não tem a menor graça para mim. Você gosta, não é?

— Sim, gosto — admite Elizabeth.

— Bem, eu não. Fico angustiada. E meu trabalho todo consiste em burlar regras.

— Eu ficaria igual — garante Joyce.

— Ah, Joyce, tome jeito — reclama Elizabeth. — Você teria sido uma espiã perfeita.

— Continuo a achar que a Poppy deveria se dedicar à poesia.

— Obrigada — diz Poppy. — Minha mãe também acha. E ela costuma estar certa.

— Não me entenda mal, eu também acho — diz Elizabeth. — Não quero ter que ouvir você declamar, mas, por favor, dedique-se a isso. Só que a gente precisa antes fazer este trabalho. Proteger o Douglas.

— Mal posso esperar para conhecê-lo — comenta Joyce. — Você tem medo de que eu me apaixone por ele?

— Joyce, você vai achá-lo muito bonito, mas logo vai perceber qual é a dele.

— Veremos. Poppy, posso saber por que você tem a tatuagem de uma margarida no pulso? Com o seu nome, imaginaria que seria uma papoula!

Poppy sorri e passa os dedos na pequena tatuagem.

— É porque o nome da minha avó é Daisy. Uma vez eu contei para ela que queria fazer uma tatuagem. Ela respondeu que, para fazer essas coisas de âncoras e sereias, coisa e tal, eu teria que passar por cima do cadáver dela. Eu não disse nada, fiz esta e na visita seguinte falei: "Daisy, se reconhece?" O que ela iria dizer, não é?

— Moça esperta — diz Joyce.

— Aí, duas semanas depois, voltei lá. Ela enrolou a manga e falou: "Poppy, se reconhece?" Havia uma tatuagem enorme exatamente de uma papoula subindo pelo antebraço. E disse que, se era para eu ser uma idiota, ela seria também.

Elizabeth ri e Joyce bate palmas.

— Bem, ela parece ser bem do nosso tipo — opina Elizabeth. — Poppy, caso este venha a ser seu último trabalho com o Serviço, então que seja, prometo que vamos fazer de tudo para ser divertido para você.

— Vamos mesmo — corrobora Joyce. — Poppy, quer mais um biscoito de amêndoas e coco? Você gostou do último.

Poppy recusa com um aceno.

— Não vamos deixar entrar ninguém que não deveria estar aqui, Douglas vai estar absolutamente seguro e, é claro, isso se estende a você — garante Elizabeth.

— A não ser que apareçam hoje, enquanto estamos comendo biscoitos — diz Poppy.

— E, enquanto estamos aqui, sem nada para fazer, podemos muito bem solucionar o mistério do que o Douglas fez com os diamantes.

— Bem, ele nega tê-los roubado, como você bem sabe. Além do mais, isso não é da nossa alçada — acrescenta Poppy. — Nosso trabalho é proteger o Douglas.

— Poppy, convenhamos, por mim tudo bem você estar na dúvida, ter seus conflitos internos, nem suas pretensões artísticas me incomodam, mas de forma alguma seja careta. Isso eu não tolero, até porque já notei que você não é esse tipo de pessoa. Estamos entendidas?

— Não ser careta?

— Se não for pedir demais.

— Vocês acham mesmo que eu devia escrever poesias?

— Com certeza — afirma Joyce. — Como é mesmo aquele poema que eu gosto?

Poppy e Elizabeth se entreolham. Não sabem.

— Se é para não ser careta — diz Poppy, olhando para Elizabeth —, posso lhe fazer uma pergunta?

— Dependendo da pergunta...

— Como você foi parar no Serviço? Era um sonho seu? E, por favor, não me dê a resposta careta. Não estou aqui a passeio.

Elizabeth assente.

— Eu tinha um professor em Edimburgo, onde estudava francês e italiano. Enfim, ele tinha amigos, que por sua vez tinham amigos que viviam à procura de alguém. Ele mencionou isso, mas não me interessei. Só que ele não parava de insistir.

— E por que você enfim se alistou?

— Bem, esse professor estava louco para me levar para a cama. Na época, muita gente estava. E eu sabia disso e sabia também que ele queria que eu fizesse a entrevista de seleção para o Serviço. E, para ser sincera, me pareceu que eu teria de ceder num dos dois pontos — sabe como é homem rejeitado. Ou dormia com ele, ou fazia a seleção para o Serviço. Dos males, o menor. E o Serviço, uma vez que finca as garras, não solta fácil, como você vai ver.

— Então você fez carreira para não ter que dormir com alguém? — pergunta Poppy.

Elizabeth faz que sim com a cabeça.

— E o que você acha que teria feito se as coisas tivessem sido diferentes? — indaga Poppy.

— Eu sei que você não é de guardar segredos, Poppy, mas nos ajudou muito com o Ryan Baird. Portanto, eis algo que acho que nunca contei para ninguém. Nem para minha família, nem para meus maridos, nem mesmo para Joyce. Sempre quis ser bióloga marinha.

Poppy assente.

— Bióloga marinha? — repete Joyce. — O que é isso? Golfinhos, essas coisas?

Elizabeth assente mais uma vez.

Joyce põe a mão no braço da amiga.

— Acho que você teria sido uma bióloga marinha fantástica.

— Obrigada, Joyce. Talvez tivesse sido mesmo, não é?

15

Douglas Middlemiss está na cama lendo um livro sobre nazistas, na maior parte contra, quando ouve o ruído. A porta do apartamento se abre tão lenta quanto silenciosamente. Não é Poppy; já faz mais ou menos uma hora que ela voltou. Onde estivera? Elizabeth a encurralara, talvez. Seria bem o seu estilo, ir com tudo para cima da garota nova.

Por falar em ir com tudo, uma porta se abrindo de forma tão discreta é um mau sinal para Douglas. Só ele e Poppy têm chaves e a única outra maneira de abrir uma porta com tamanha discrição é ser profissional. Então quem foi? Um arrombador ou um assassino?

Ele logo descobrirá.

Douglas gostaria de ter uma arma agora. Nos velhos tempos teria. Certa vez, em Jacarta, atirou sem querer no braço de uma adida cultural da embaixada do Japão em meio a uma trepada vigorosa. Ela levou tudo numa boa. A Galeria Nacional foi persuadida a emprestar um Rembrandt para um museu em Tóquio e não se tocou mais no assunto. Mas, daquele dia em diante, ele passou a prender a arma com fita adesiva debaixo da cama, não mais deixá-la sob o travesseiro.

Pensou em tudo isso enquanto retirava os óculos de leitura, abotoava a braguilha da calça do pijama e deslizava para fora da cama. Poppy tinha uma arma. A moça não parecia do tipo que a usasse, mas deve ter recebido treinamento, não é? Será que ela ouvira a porta da frente se abrir? Talvez não. Ao longo dos anos, Douglas desenvolvera um sentido de alerta ao perigo, mas Poppy ainda não estava nesse nível. Talvez nunca chegasse a estar. Ele já conhecera várias do tipo dela. Num piscar de olhos, ela daria baixa do Serviço e teria filhos. Não que se possa falar esse tipo de coisa hoje em dia. Esse mundo está louco etc.

Ao começar a ajeitar a roupa de cama, Douglas ouve o ruído do cadeado de seu quarto. Então seria um assassino em vez de um arrombador? É o que ele suspeitara. Enviado por Martin Lomax, talvez? Pelos americanos? Pelos colombianos? Parecia ridículo, de verdade, mas ele preferiria tomar um tiro de um britânico. Inglês, de preferência, mas não havia como escolher na sua situação.

Um alicate para cortar parafuso daria conta do cadeado em um minuto. Mas faria barulho. Do tipo que, com certeza, acordaria Poppy, ou assim ele esperava. Tudo o que ele precisa é que Poppy alcance o intruso antes que o intruso alcance Douglas.

A cama arrumada agora parece intocada, como se ninguém tivesse dormido ali, como se seu ocupante ainda não tivesse chegado, ainda estivesse na rua aproveitando o ar noturno. Douglas caminha em silêncio na direção do guarda-roupa, abre a porta e entra. Quanto tempo teria ganhado com isso? Dez ou quinze segundos, talvez. Mas pode ser o suficiente. Ele fecha a porta do armário e se posiciona de pé, no escuro.

Nesse tipo de trabalho, você sempre se pergunta como será o fim da sua linha. Douglas poderia ter morrido numa geleira na Noruega, no porta-malas de um carro na fronteira Irã-Iraque ou num ataque de mísseis a uma base americana em Kinshasa. Mas será que seu fim vai ser de pijama num velho guarda-roupa de um lar para idosos? Ele estava interessado em descobrir. Com medo também, sem dúvida. Mas ainda assim interessado. De todas as coisas que ocorrem na vida de alguém, a morte é uma das maiores. Douglas ouve o cadeado ceder. Não é possível que Poppy não tenha ouvido também.

Pela estreita fenda entre as portas do guarda-roupa, Douglas consegue distinguir a silhueta de um homem entrando no quarto, arma erguida e apontada para a cama. A luz fraca de um poste do lado de fora trespassa as cortinas e lança um único e estreito feixe no cômodo.

Ele observa o homem se virar e olhar ao redor, tendo percebido que a cama está vazia. Douglas não respira. Talvez jamais o faça de novo, percebe ao ver o homem se virar na direção do guarda-roupa. Se alguém está escondido, aquele é o único lugar concebível. E qualquer um capaz de abrir uma porta de maneira tão silenciosa mesmo sem chave e romper um cadeado do MI5 em um minuto saberá disso.

O homem dá dois passos na direção do armário com a arma ainda erguida. Branco, pensa Douglas, uns quarenta anos, talvez? Difícil saber ao certo com esta iluminação. Qual será o seu nome?, pondera Douglas. Sentia-se como se tivesse o direito de ter tal informação. Será que se conheciam? Que já passaram um pelo outro numa rua, como futuros amantes?

Poppy não apareceria. Como ela poderia não ter ouvido? A não ser que... ah, é claro. Óbvio. Talvez Poppy não tenha estado com Elizabeth esta noite. Talvez tenha recebido instruções novas. Ordens expressas. Queremos nos livrar do problema. Finja não ver nada, ninguém vai saber. A gente manda um dos nossos. Douglas não tem parentes, não haverá filho algum fazendo perguntas. Poppy era júnior o bastante para não questionar. Deve estar no quarto dela, sem coragem de fazer nada. Será que Elizabeth entenderia o que houve quando achassem o corpo dele? Que pensamento ridículo. Ninguém acharia seu corpo. Um pelotão de Operações Especiais estaria a postos para limpar toda a cena. Um legista militar estaria à sua espera em algum lugar. Toda a papelada preparada de acordo. Provavelmente suicídio. Elizabeth jamais chegaria perto o bastante para desconfiar. Elizabeth estava com uma ótima aparência, Douglas tinha que admitir. Adoraria ter outra chance com ela. Será que ela encontrará a sua outra carta? Claro que sim.

Com uma das pernas estendidas, o homem engancha o pé numa das portas do guarda-roupa e assim as abre. Sorri ao ver Douglas dentro.

Parece inglês. A arma não era padrão do Serviço, mas às vezes eles recorrem a freelancers.

— Valia a pena tentar — diz Douglas, suas mãos indicando a parte de dentro do guarda-roupa.

O homem faz um sinal de concordância com a cabeça. Douglas espera por alguma epifania, algum repentino lampejo de clareza sobre sua vida. Algo para levar consigo em qualquer que seja a jornada que o espera. Mas nada. Só um homem com uma arma e a etiqueta do pijama lhe dando coceira na nuca. Que triste fim.

— Cadê os diamantes? — Sotaque inglês. Uma certa sensação de paz acomete Douglas.

— Ah, sinto muito, meu caro — responde Douglas. — Você vai me matar de um jeito ou de outro e prefiro que esses diamantes parem nas mãos de outra pessoa.

— Talvez eu não mate você — diz o homem.

Douglas sorri e arqueia uma sobrancelha num gesto de quem duvida disso. O homem com a arma faz um aceno de concordância.

— Isso vai soar ridículo — diz Douglas. — Mas me deixe resolver um último mistério: adoraria saber quem enviou você.

O homem balança a cabeça e Douglas observa enquanto ele puxa o gatilho.

16

Ibrahim não consegue dormir.

O ar à sua volta está pesado. Quantas pessoas já não teriam morrido neste quarto de hospital? Nesta cama? Nestes lençóis?

Quantos últimos suspiros continuavam a pairar por ali?

Quando se fecham, seus olhos o levam de volta à sarjeta. Ele sente a água, ouve os passos, sente o gosto do sangue.

O chute na cabeça agora tem nome. Ryan Baird. Ele se pergunta por onde andaria o rapaz. Onde estaria o celular de Ibrahim? Quem compraria celulares roubados? No de Ibrahim, há um aplicativo do Tetris. São duzentos níveis e ele já estava no 127 depois de passar um tempo considerável jogando. Todo o progresso perdido.

Ele olha para a pulseira vermelha de plástico no punho. A logística da morte. Deve haver uma gaveta cheia delas em algum lugar por ali.

Ele finalmente convenceu Ron a ir para casa. Não que ele não estivesse grato pela companhia. Os dois passaram cada noite em claro, debatendo os últimos jogos do West Ham e os problemas do Partido Trabalhista. E, nas altas horas da madrugada, os assuntos eram sua ex-mulher e sua filha, seu filho, Jason, o abandono da escola aos catorze anos e nunca ter conhecido o pai. Qualquer tópico valia, desde que não fosse o que acabara de acontecer. Viram *Duro de Matar*, mas só o primeiro. Parece que não há motivo para assistir aos outros. Ibrahim jamais tivera um amigo como Ron antes, e Ron jamais tivera um amigo como Ibrahim antes. Ron enche sua jarra de água quando é necessário, pega saquinhos de biscoito na máquina para ele, mas nunca estabelece contato físico, nem sequer uma das mãos em seu braço. E, para Ibrahim, tudo bem. Hoje em dia deve ser mais difícil ser homem, pensa ele, com toda a expectativa de dar abraços.

Ibrahim quer ir para casa, o que ele sabe que é algo positivo. Era positivo ter uma casa na qual se sentia em segurança. Cercado por gente que o fazia se sentir ainda mais seguro.

Mas ele sabe que assim nunca mais vai querer sair de casa.

As coisas voltariam ao normal. O cérebro é de uma inteligência tremenda, uma das razões pelas quais Ibrahim o aprecia tanto. Seu pé é seu pé, continuará a ser o mesmo até o fim. Mas o cérebro muda de formato e de função. Ibrahim tem respeito por podólogos, mas... sério? Passar o dia todo olhando para pés?

O cérebro. Aquela fera tão estúpida quanto magnífica. Ele sabe que há compostos químicos estranhos percorrendo o seu neste momento, protegendo-o numa hora de crise. Com o tempo, irão se esvanecer, deixando tão somente o mais leve dos rastros. Quando se fala que o tempo cura tudo, é isso que se quer dizer. Assim como a maioria das coisas, quando se examina a fundo descobre-se que é mais neurociência do que poesia.

Sim, o tempo cura tudo. O tempo cura tudo. Mas e se tempo for justamente a única coisa que falta a Ibrahim?

"Eu não acredito em vingança, na verdade." Foi o que declarara aos outros quando conversavam sobre Ryan Baird. E, na teoria, isso era verdade. Vingança não é uma linha reta, mas um círculo. É uma granada que explode quando você ainda está no ambiente e não há como não ser atingido pela onda de choque.

Ibrahim tivera certa vez um paciente, Eric Mason, que comprara uma BMW usada na concessionária de um velho amigo de escola em Gillingham. Logo descobriu que a embreagem do carro estava com defeito. Seu amigo se recusara a assumir a responsabilidade, e Eric Mason, que, é importante que se diga, tinha problemas de controle emocional e domínio da raiva, pagou do próprio bolso a troca da embreagem para depois, na calada da noite, entrar com BMW e tudo pela vitrine da concessionária.

Como seria de esperar, o motor do carro morreu depois de atravessar o vidro e Eric Mason foi forçado a abandoná-lo e sair correndo a toda enquanto os alarmes disparavam ao seu redor. Infelizmente, ele caiu bem em cima de um grande caco de vidro da vitrine da concessionária e a única coisa que evitou que ele sangrasse até a morte foi a chegada da polícia.

Em convalescença no hospital, Eric Mason recebeu um enorme buquê de flores da concessionária, mas, ao abrir o cartão, descobriu, anexadas, uma intimação judicial e uma conta no valor de catorze mil libras. Em seguida, cumpriu uma pena de serviços comunitários e decretou insolvência. Sua fúria apenas cresceu.

A filha de Eric e o filho do sujeito da concessionária também eram amigos de colégio. Eric proibiu a filha de falar com o rapaz. Nada como um dia depois do outro: dois anos depois, eles se casaram e Eric se recusou a comparecer à cerimônia. Mais um ano se passou. Eric virou avô. Nenhum dos lados fazia concessões, e assim Eric não visitou seu primeiro neto. Tudo por causa de uma embreagem defeituosa.

Foi nesse ponto que Eric achou que talvez estivesse na hora de assumir a responsabilidade por seus atos e decidiu fazer psicoterapia.

Doze meses depois, na última visita a Ibrahim, Eric Mason havia trazido a filha e o genro para que pudessem agradecer a ele em pessoa. O netinho também viera junto e todos posaram para uma foto, eram só sorrisos.

Ibrahim sentia o sono chegar e decidiu parar de tentar combatê-lo. O que quer que o esperasse no mundo dos sonhos, o melhor a fazer era enfrentar sem medo. Aceitar os danos infligidos por Ryan Baird sem pensar. Não falava das costelas ou do rosto — tudo isso logo melhoraria —, mas de sua liberdade e sua paz de espírito, tolhidas em nome de um celular.

Dizem que um homem em busca de vingança deveria cavar duas covas, e isso com certeza é verdade. Ao mesmo tempo, porém,

Ibrahim tem a impressão de que sua cova já foi cavada. Qual seria o mal de cavar uma extra para Ryan Baird? Reflete sobre o que seus amigos estariam preparando para Baird. Nada físico, disso Ibrahim tem certeza. Mas, no que tange à paz de espírito e à liberdade, talvez Ryan viesse a ter alguma surpresinha.

A fotografia com Eric Mason e seu neto ficava guardada numa pasta especial que Ibrahim tinha em casa. Uma pasta na qual constavam alguns objetos de recordação, nem tantos, mas todos a lembrá-lo do motivo pelo qual ele amava sua profissão. De todas as pastas nas prateleiras de Ibrahim, é a única que escapa à mera ordem alfabética. Pois às vezes era preciso lembrar que a vida nem sempre era organizada dessa forma, por mais que se quisesse.

Anos depois, Eric Mason descobriria que nunca houvera nada de errado com a embreagem. Ele simplesmente não entendeu os controles eletrônicos e não percebeu que apertar o botão de *reset* por cinco segundos teria resolvido tudo. Portanto, há que se tomar cuidado mesmo com esse negócio de vingança. Por outro lado, e sem dúvida, Ibrahim passou a maior parte da vida pautado pela cautela, e às vezes é preciso agir de forma diferente quando se quer crescer como ser humano.

Ele tem certeza de que poderia apenas apertar por cinco segundos o próprio botão de *reset* e seguir em frente com o perdão no coração. Continuar a sempre fazer o certo, o correto, o careta. O piloto automático.

Mas ele ainda se lembra de Eric Mason, repleto de arrependimentos, mas ainda assim falando da adrenalina de entrar com carro e tudo pela vitrine da concessionária.

E é esta imagem, não o chute na cabeça, não os passos de Ryan Baird, não o gosto de sangue, que Ibrahim tem em mente ao se deixar levar pelo primeiro sono tranquilo desde o ataque.

17

Joyce

São duas da manhã, mas quero escrever tudo isto enquanto ainda está fresco na minha cabeça.

Meu telefone tocou à meia-noite, e é claro que achei que Ibrahim tinha morrido. O que mais vocês teriam achado nessas circunstâncias? Ninguém liga à meia-noite. Ele parecia bem quando saímos de lá, mas já vi acontecer de tudo. Acho que atendi depois de dois toques.

Era Elizabeth e a primeira coisa que ela falou foi "não é o Ibrahim", e já foi um alívio. Ela sabe ser sensível quando quer. Falou que sabia que era meia-noite, mas pediu que eu me vestisse e fosse encontrá-la assim que pudesse no nº 14 de Ruskin Court. Cogitei levar uma garrafa térmica, mas fui informada de que já havia uma chaleira e então só deveria levar a mim mesma. Encher uma garrafa térmica duraria apenas um instante, mas vá dizer isso a Elizabeth à meia-noite.

Caminhei até Ruskin, e, de fato, aqui é muito bonito no escuro. Alguns postes iluminam os caminhos e ouvem-se os animais nas moitas. Dava até para imaginar as raposas pensando *o que essa velha está aprontando?*, a mesma coisa que eu pensava. Fazia frio, mas acabei de comprar um cardigã da Marks & Spencer que dá conta do recado muito bem. Algumas coisinhas foram entregues ontem. Não mencionei porque não menciono tudo. Por exemplo, ontem estava descongelando uma lasanha e me esqueci por completo. E só estou mencionando o acontecido agora.

Cheguei e abriram a porta para eu subir, meu coração disparado, admito, já que não tinha ideia do que iria encontrar. Abri a porta de supetão e dei de cara com a coitada da Poppy sentada numa poltrona, trêmula. Diante dela, Elizabeth, em outra poltrona, sem tremer. Nenhuma outra mobília no local. Era o apartamento onde Douglas se escondia, isso deu para perceber. "Ponha a chaleira para ferver, Joyce", disse Elizabeth, "Poppy está em choque". Soou autoritária, mas sei que não foi a intenção. Só estava sendo profissional.

Aliás, vocês não acreditariam na cozinha. Duas canecas, dois pratos, dois copos, duas tigelas, um pouco de cereal, uns pães de forma e, na geladeira, um pouco de tofu e leite de amêndoas. Num dos armários, havia chá e café, então pus a cabeça para fora da porta e as duas interromperam a conversa, perguntei a Poppy se queria com açúcar e leite e ela perguntou se, em vez disso, poderia ser uma infusão de cardamomo e lichia, fiz que sim como se fosse o mais normal dos pedidos, e hoje em dia parece mesmo ser, e voltei para a cozinha. Gente, que frase longa. Se isso fosse um livro, me diriam para botar um ponto e abrir uma nova frase lá pelo meio. Talvez depois de "lichia".

Enchi a chaleira e pus a água para ferver, ansiosa para voltar à sala e entender o que havia acontecido. Onde estava Douglas, se este era o apartamento dele? Despejei água sobre o saquinho de chá, que era de pano cinza, mas gosto não se discute, e estava pensando um pouco se, em se tratando de chá de ervas, é para deixá-lo em imersão ou tirá-lo. Se o deixasse na caneca, poderia voltar mais rápido para a sala, mas e se não fosse a maneira correta de prepará-lo? Joanna, como toda filha, saberia. Foi quando ouvi o som da descarga do banheiro, e aí dane-se o protocolo, deixei o saquinho dentro mesmo e fui para a sala.

Percebi na hora que era Douglas, dava para notar. Muito bonito, para ser franca. Vi de cara por que Elizabeth havia se casado com ele, e também por que se divorciara. Mas aposto que foi divertido enquanto durou.

Veio direto na minha direção, "Ah você deve ser a Joyce, ouvi falar muito de você", e devo admitir que quase fiz uma reverência, mas vi Elizabeth revirar os olhos, então disse que "sim, e você deve ser o Douglas", e ele disse que imaginava que eu também tivesse ouvido falar muito dele, ao que respondi que até que não, e percebi que Elizabeth gostou disso.

Pedi licença para ir ao quarto pegar mais uma cadeira e Elizabeth me instruiu a ir ao da Poppy, pois no do Douglas havia um cadáver.

Ah, bem, agora tudo faz sentido.

Peguei uma cadeira de encosto duro no quarto da Poppy e Elizabeth deixou que Douglas me contasse a história.

Estava ele escondido num guarda-roupa, não por covardia, mas devido ao determinado pelo treinamento que ele recebera, e um sujeito apontou uma arma para a cabeça dele. Neste pedaço da história ele se estendeu, discursando sobre a morte e a perspectiva e o dever moral do homem e uma vida bem vivida. Pena que o Ron não estava, pois teria lhe dito para calar a boca, mas, como era eu, escutei educadamente. Em suma, ele estava pronto para encontrar Deus, porém, quando o homem misterioso ia apertar o gatilho, a cabeça dele estourou e lá estava Poppy, de prontidão, arma em punho, toda poderosa.

Toda poderosa segundo o Douglas. Dava para ver que, para ela, não havia poder de qualquer espécie. Continuava a tremer, em silêncio, segurando o chá com as duas mãos. Nada dissera sobre o saquinho dentro, vai ver era assim mesmo. Apesar de que não me parecia estar em condições de reclamar, então não era o melhor momento para checar isso.

Fui na direção dela, me sentei no braço da poltrona e pus o meu em torno dela, que encostou a cabeça no meu ombro e começou a soluçar baixinho. Duvido que o Douglas ou a Elizabeth a tenham abraçado, e foi quando me dei conta de ter sido por isso, claro, que fui convocada por Elizabeth. Ron teria feito o mesmo que eu, mas acho que Elizabeth ainda não está pronta para que ele e Douglas se conheçam. Douglas é tão óbvio que Ron não conseguiria segurar a zombaria.

Falei para Poppy que ela havia sido muito corajosa e Elizabeth acrescentou que a mira dela também tinha sido ótima. Douglas concordou com tudo. Mas Poppy não absorveu nada e continuou a chorar em silêncio.

Elizabeth fez tudo o que pôde para confortá-la, disse ser difícil matar alguém, mas às vezes o trabalho exigia, e foi quando Poppy afinal abriu a boca para falar "esse trabalho, eu não quero", o que para mim é compreensível. Imagino que o treinamento todo seja muito divertido, bem como ficar de tocaia sem ninguém perceber, mas explodir a cabeça de um homem a pouco mais de um metro de distância provavelmente não é para qualquer um. Não seria para mim e não é para Poppy. Ou seria para mim? Só se sabe depois de tentar, não é? Nunca imaginei que gostaria de chocolate amargo, por exemplo.

Perguntei qual seria o próximo passo e se a polícia fora chamada, e Elizabeth me informou que mais ou menos. Eu estava torcendo por uma aparição de Chris e Donna, mas nesses casos, pelo visto, quando envolve segurança nacional e coisas assim, os trâmites são outros. Elizabeth, Douglas e Poppy estavam aguardando uns espiões chegarem de Londres. O caso seria deles. Uma pena, pois Donna, em particular, teria gostado de toda a cena.

Elizabeth perguntou se eu queria ver o corpo e, apesar de querer muito, achei que deveria continuar abraçando Poppy, por isso disse que não, obrigada, não há necessidade.

Não esperamos mais do que vinte minutos até soar a campainha e chegarem uma mulher e um homem. Sue e Lance. MI5, segundo Elizabeth. Sue estava no comando.

Ambos não perdiam tempo com besteira. Sue lembrava demais Elizabeth. O jeito. Devia ter quase sessenta anos e seria bonita se não estivesse tão zangada. Sei que não faz diferença ser bonita ou não, só estou dando a vocês uma ideia de como ela era. O cabelo era de um tom lindo de castanho. Pintado, mas com muita habilidade. Fiquei tentando puxar papo, mas não deu em nada.

Percebi que até mesmo Elizabeth estava sendo respeitosa e segui o exemplo. Eles, porém, recusaram minha oferta de chá. Estava parada à porta da cozinha e os dois passaram direto por mim. Não acho que tenha sido por grosseria, eles tinham um trabalho a fazer. Sue sabia exatamente o que havia ocorrido e mandou Douglas e Poppy juntarem tudo de que pudessem precisar. Foi bem grossa com os dois, Douglas em especial. Acabei sentindo muita pena dele.

Lance estava encarregado do cadáver. Era quem tirava fotos e tal. Lembrava o tipo de pessoa que a gente vê em programas de TV do estilo "faça você mesmo". Um tipo abrutalhado de mãos hábeis e que jamais seria o astro do programa. Estaria em segundo plano, serrando alguma peça de madeira. Perguntei se poderia dar uma olhada na câmera dele, pois estou pensando em comprar uma de Natal para Joanna. Ele respondeu que me mostraria quando terminasse, mas não mostrou.

Sue informou a Elizabeth que eles precisariam conversar com ela no devido momento. Ela respondeu que tudo bem, permanecendo em silêncio, menos por estar assustada do que por saber que não queria causar problemas. Em dado momento, Sue olhou para mim e perguntou "Essa é a Joyce?". Então instruiu Elizabeth a garantir que eu não falaria para ninguém sobre o tiro, o corpo e tudo o mais. Eu respondi "Sue, comigo vocês estão em segurança", mas ela nem sequer olhou na minha direção, apenas na de Elizabeth, que lhe garantiu que eu não falaria nada para ninguém. Sue fez que sim com a cabeça, sem o menor jeito de estar convencida. Mas, para ser sincera, creio que ela tinha preocupações maiores no momento.

Mas veja só: o MI5 agora sabe quem eu sou. Vale mencionar na newsletter de Natal.

Depois a campainha tocou de novo e apareceram dois homens de macacão com uma maca. Paramédicos sempre usam verde, mas esses dois estavam de preto dos pés à cabeça. Foram até o quarto e puseram o corpo na maca. Ainda bem que consegui dar uma rápida espiada antes de fecharem o zíper do saco, e constatei que, sim, Poppy havia de fato explodido a cabeça dele. A maior parte, ao menos. Uma imagem que me levou de volta aos meus tempos na emergência.

Enquanto Elizabeth e eu conduzíamos a maca pelo corredor, vimos algumas portas se abrirem. Vizinhos querendo entender que comoção era aquela. Elizabeth chegou a dizer para ninguém se preocupar. Se ficassem apreensivos com cada maca que vissem em Coopers Chase, logo eles mesmos precisariam de uma.

Do lado de fora, ao ar livre, dava para ver algumas luzes acesas no entorno e algumas cortinas se abrirem, porém, mais uma vez, estavam todos habituados a ver ambulâncias na calada da noite. Comentei com Elizabeth sobre minha surpresa com o fato de ser uma ambulância normal, mas ela disse que não era, só parecia.

Quando retornamos, Sue e Lance estavam levando Poppy e Douglas. Elizabeth explicou que eles teriam de ser interrogados. Mesmo no MI5, não se atira em alguém sem mais nem menos, não sem ter que responder a algumas perguntas. Elizabeth deu um abraço em Poppy, o que foi gentil, e lhe disse para não se preocupar pois havia feito tudo certo. Eu também a abracei e falei para não se preocupar. Quase perguntei sobre o saquinho de chá, mas fica para a próxima.

Dei pulseiras da amizade a Sue e Lance. Sue olhou para mim como se eu tivesse lhe aplicado uma multa, porém Lance disse "obrigado, amizade sempre cai bem". Não cobrei pelas pulseiras.

Douglas veio a seguir, com um livro chamado *Megaestruturas do Terceiro Reich* e uma escova de dentes.

Sue disse a Elizabeth para vigiar o apartamento e garantir que ninguém tivesse acesso a ele. Elizabeth limitou-se a assentir e lhe disse para cuidar de Poppy.

Elizabeth me instruiu então a vir para casa dormir. Eu vim, mas não dormi. Olhem só o que aconteceu.

Logo que a porta bateu, tirei o cardigã e fui pendurá-lo nas costas da cadeira. Ao tirá-lo, senti algo no bolso e pesquei um pedaço de papel dobrado. Não estava ali quando o vesti para sair.

Nele, uma mensagem dizia somente LIGA PARA A MINHA MÃE, acrescida de um número de telefone.

Poppy deve tê-la colocado no meu bolso enquanto eu a abraçava.

Então Poppy quer a mãe dela, pobrezinha. Vou telefonar de manhã.

Liguei a TV. A BBC2 está exibindo reprises da programação normal diurna, mas com alguém no canto da tela fazendo linguagem de sinais. Não é uma ótima ideia? Estava pensando que era uma maldade fazer os surdos ficarem acordados até tão tarde, porém me lembrei de que eles poderiam muito bem gravar os programas. Que coisa boa. Estou vendo um programa sobre a costa do Reino Unido chamado *Coast*. Alguém está cavando no intuito de encontrar búzios. Ah, não, obrigada. Mas a moça da linguagem de sinais usa uma blusa divina.

Ainda não entendi bem como funciona o Instagram, e isso é muito frustrante, pois agora @GreatJoy69 já tem mais de duzentas mensagens privadas.

Será que tem mais alguém acordado?

18

Ryan Baird está acordado. No momento, jogando *Call of Duty* on-line. Descarrega sua metralhadora com o volume no máximo enquanto os vizinhos reclamam batendo nas paredes. Hoje faturou 150 libras vendendo dois laptops, um cartão de débito e um relógio para Connie Johnson, que manda em Fairhaven inteira, das garagens-depósito à beira-mar. Ela confia nele, de vez em quando até lhe encarrega de entregar mercadoria em alguma propriedade. Drogas? É esse o negócio em que vale a pena entrar. Roubar celulares é coisa de criança.

Ryan foi chamado de estúpido a vida inteira. Mas e agora, quem é estúpido? Está cheio da grana; é evidente que Connie Johnson gosta dele. Ganha mais dinheiro que qualquer outro cara de dezoito anos que conheça, provavelmente mais do que seus antigos professores. Ontem a polícia lhe deu uma prensa por afanar um celular e dar um empurrão em alguém, mas eles não têm como pegá-lo, porque Ryan é esperto. Esperto demais para os professores, esperto demais para a polícia, esperto demais para os vizinhos que agora estão tocando a sua campainha. Ryan Baird sabe de tudo.

Ryan acende o último baseado do dia e solta um palavrão porque o lapso de concentração o levou a ser atingido por um atirador à espreita. Ainda bem que é só um videogame e não a vida real. Ryan recarrega e reinicia o jogo. Ele é invencível.

Martin Lomax também está acordado. Um advogado saudita está todo agitado por causa de uma lancha. Martin Lomax tenta acalmá-lo pelo telefone. Para resumir a história, ele havia aceitado a lancha como compensação da parte do Cartel de Cartagena após uma batida da FDA em um laboratório de refino de drogas na Bolívia causar um prejuízo considerável a todos. Mas o problema é que a lancha chegara cheia de buracos de bala e o advogado saudita era da opinião de que isso não fica bonito esteticamente e prejudica a navegabilidade.

Toca o outro telefone de Martin Lomax e ele promete que, assim que der, falará com o Cartel de Cartagena.

É o MI5 na outra linha. Por acaso ele conhece um Andrew Hastings? Conhece. E Andrew Hastings trabalha para ele? Trabalha. Mentir é bobagem, é o MI5, eles já sabem disso mesmo. E o Sr. Hastings estava trabalhando para ele naquela noite? Não, não estava. Lamentamos informá-lo que o Sr. Hastings foi morto a tiros ao tentar assassinar um membro do Serviço de Segurança do Reino Unido, sentimos muito por sua perda e só queríamos saber se você tem algo a comentar. Não, nada, absolutamente nada a comentar. Conhece algum parente do Sr. Hastings? Não. Era casado? Acho que era. Com quem? Não faço a menor ideia, nunca perguntei. Desculpe perturbá-lo tão tarde da noite. Sem problemas, é o seu trabalho.

Martin Lomax larga o telefone. Hastings morto. Bem, isso era uma inconveniência. Mas, primeiro, havia a questão da lancha. E ainda precisava encomendar mesas dobráveis para o evento de apresentação do jardim.

Poppy e Douglas também estão acordados. Estão sendo interrogados em salas separadas numa grande casa de campo próxima a Godalming só para pôr os pingos nos is. À frente de Poppy, café. A seu lado, um representante do sindicato. Lance James pede a ela que explique em detalhes o que ocorreu.

Já Douglas não conta com café nem representante do sindicato. Está sozinho com Sue Reardon. E é como tem que ser. Teria reconhecido o homem que tentou matá-lo? Não, nunca o vira antes. Ficaria surpreso de saber que ele trabalhava para Martin Lomax? Bem, sim e não. Sim e não, como assim? Bem, para alguém ele certamente trabalhava, não é? E Martin Lomax o havia ameaçado, portanto não seria algo tão absurdo. E por que Martin Lomax iria querer Douglas morto se não tivesse roubado os diamantes, dá para responder? Não faço ideia, Martin Lomax está jogando alguma espécie de jogo, não há dúvida quanto a isso, e eu acabei no meio do tabuleiro e minha cabeça quase foi pelos ares. Explique para nós em detalhes, mais uma vez, como foi a invasão na casa do Martin Lomax. Passo a passo.

Já são três da manhã quando o representante do sindicato de Poppy sugere que talvez seja hora de deixar Poppy ir dormir. Ao cruzar o longo corredor, ela ouve a voz de Sue Reardon, ainda interrogando Douglas Middlemiss.

19

Para estar ali, Ron nem tomou café da manhã e está ainda mais furioso do que o normal. Observou por um bom tempo a enorme mancha de sangue no carpete do quarto e agora inspeciona o buraco de bala na parede.

— Já vi muita falta de respeito nessa vida — diz Ron. — Deus sabe que já fui o alvo muitas vezes ao longo dos anos. Mas isso aqui, nossa! A que horas vocês acharam o corpo? Onze e meia? Eu ainda devia estar acordado. Podia ter calçado os sapatos e vindo direto para cá. Juro, não é sempre que fico sem palavras, mas é esse o caso agora. Queria não estar assim, queria saber o que dizer.

Ron já esgotou o entretenimento que o buraco de bala tinha a oferecer e começa a andar de um lado para outro.

— Ron, pare de andar por cima das manchas de sangue, por favor — pede Elizabeth.

— Mas não, você liga para quem? Para Joyce. Joyce, é claro. Todo mundo ama a Joyce.

— Não sei se isso é bem verdade! — comenta Joyce, gritando lá da sala.

— Incluindo você, Ron — diz Elizabeth.

— Eu não interrompi vocês duas, então agora não me interrompam! — exclama Ron. — Tem um cadáver. Um cadáver, atiraram na cabeça do infeliz, e o que você faz? Telefona para a Joyce. Não para o velho Ron, não, de jeito nenhum. Para quê? Ele não iria querer ver um cadáver, não é? O velho Ron? É a última coisa que iria querer. Para ele, uma mancha de sangue e um buraco na parede estão de bom tamanho. Até parece.

— Terminou? — diz Elizabeth, procurando algo na bolsa.

— Adivinha! Adivinha se eu terminei, Elizabeth. Use os seus poderes de dedução. Não, não terminei. Eu teria adorado. *Adorado!*

— Venha comigo — instrui Elizabeth.

Ela vai até a sala e se senta na poltrona em frente à de Joyce. Ron a segue. Elizabeth tira uma pasta de sua bolsa e a põe no colo. Ron tem um discurso preparado:

— Eu prometo uma coisa a você. Joyce está de prova, e nenhum amigo deveria ter que fazer esta promessa, mas, se algum dia eu encontrar alguém baleado, vou ligar para você. Vou ligar porque você é minha parceira e é isso que parceiros fazem. Pode ser às duas da manhã, não importa. Encontro um cadáver, pego o telefone: "Elizabeth, tem um corpo no alto da escada, no campo de bocha, não importa onde, calce os sapatos e venha dar uma olhada." Eu estou absolutamente *possesso.*

— Terminou agora, Ron? — pergunta Elizabeth. — Preciso conversar com você sobre um assunto.

— Ah, é? E se eu tiver algum assunto para conversar com você? Tipo amizade?

— Como preferir — responde Elizabeth. — Mas nós não temos muito tempo. E temos um trabalho a fazer.

— Fiz chá para vocês dois — informa Joyce. — Não fiquem chateados, mas é de ervas.

Mas Ron não acabou ainda.

— Nem um pedido de desculpas, nem um "sinto muito, Ron, foi no calor do momento, entrei em pânico". Você acha que eu vejo cadáveres todos os dias? É isso? Passei três noites no hospital, chego em casa e é isso o que eu ganho. Você vê um cadáver, a Joyce vê um cadáver e eu em casa assistindo a um documentário sobre viagem de trem. Isso já é tripudiar, desculpe, mas é. Achei que fôssemos amigos.

Elizabeth suspira.

— Ron, eu gosto de você — começa. — É surpreendente para mim, mas é verdade. Respeito você também, numa série de áreas. Mas me ouça, meu querido. A situação era operacional. Havia um homem que não tinha morrido por uma questão de segundos, uma moça que tinha acabado de atirar em alguém pela primeira vez, uma cena de crime e o MI5 chegando a qualquer momento. Portanto, me pareceu que eu precisava de um par extra de mãos. Eu sabia que vocês dois gostariam de ver o cadáver, isso é evidente. E me restou então uma simples escolha entre uma mulher com quarenta anos de experiência como enfermeira e um homem de camisa de futebol que começaria a matraquear sobre Michael Foot e o Partido Trabalhista assim que o MI5 chegasse. É verdade que, há trinta e poucos anos, a escolha teria sido pelo homem, mas os tempos mudaram e liguei para a Joyce. E agora, o que a gente pode fazer para acalmar você?

— Já estou calmo! — grita Ron.

— Desculpe o engano — diz Elizabeth.

— Beba o seu chá — instrui Joyce.

Ron para por um instante.

— Como assim nós temos um trabalho a fazer?

— Assim está melhor — comenta Elizabeth. — Ron, eu tirei uma pasta da minha bolsa no meio da sua ladainha.

— Não era uma ladainha, mas espere, deixe eu ligar para a rainha e conseguir uma medalha para você por ter tirado uma pasta de uma bolsa.

— Fiz bem devagar e com um propósito. Uma pasta amarelada. Não é o tipo de coisa que eu costumo carregar na bolsa. Achei que talvez você notasse isso.

— De repente a Joyce reparou — retruca Ron. — Joyce, sempre tão inteligente.

— Bem, ela de fato notou, mas isso não vem ao caso. Joyce ainda não viu esta pasta. É só para você e eu.

— Joyce não viu? — repete Ron.

— Ainda não. Ela pode ver mais tarde — diz Elizabeth. — Só que, antes, eu e você temos um trabalho a fazer.

— Não estou muito certa disso — diz Joyce.

— Ah, não comece — interveio Elizabeth. — Estou acalmando o Ron.

Ron assente.

— Ok. Desculpe por eu ter perdido as estribeiras.

— Não perdeu, não, meu querido. Você expôs suas frustrações, algo perfeitamente compreensível.

— Qual é o trabalho, então? O que tem na pasta?

— Não pense que não notamos que você permaneceu ao lado do Ibrahim quando ele precisou — menciona Elizabeth. — E creio que esta é a recompensa que você merece.

Ela lhe oferece a pasta. Ron se estica e a pega.

— Aqui tem o endereço do Ryan Baird, com número de celular e tudo o mais de que você precise.

Ron estuda o material enquanto faz que sim com a cabeça.

— Então a gente vai partir para cima dele? — pergunta. — De imediato?

— Você vai, sim.

— *Eu* vou atrás dele?

— Que maravilha — exulta Joyce.

— É, achei que você gostaria — responde Elizabeth.

— É, gostaria mesmo — concorda Ron. — Você tem algum plano?

— Tenho. Só preciso antes discutir uma questão com o Bogdan. E aí você recebe suas instruções.

Ron assente. Sente o peso da pasta contra uma de suas grandes mãos.

— Foi Poppy quem conseguiu isso, não foi?

Elizabeth confirma.

— O que vai acontecer com ela agora que explodiu a cabeça desse infeliz?

— Vai ficar tudo bem — assegura Elizabeth. — Ela fez o certo da maneira certa. Hoje vai ser interrogada, tudo ficará em pratos limpos e ela deve voltar ao trabalho.

— Acha que vão deixar a Poppy ver a mãe dela? — pergunta Joyce.

— Deus do céu, claro que não — diz Elizabeth. — Por que deixariam?

— Acho que eu iria querer ver a minha se tivesse acabado de atirar em alguém. Você não?

— Isso não é o jardim de infância, Joyce. Você é sempre tão sentimental... — observa Elizabeth.

Ron, ainda folheando a ficha, ergue os olhos e indaga:

— E seu ex-marido, o rapaz Dougie? O que vai ser dele?

— Não vai mudar muita coisa. Ele teve que sair daqui, é óbvio, o esconderijo já está comprometido.

— Então nossa responsabilidade acabou?

— Acabou. Nosso período como babás está oficialmente encerrado.

— Mas os diamantes a gente ainda pode procurar?

— Claro.

— Ah, bom. Quer saber o que eu acho, por sinal? — pergunta Ron.

— Para falar a verdade, não, Ron — responde Elizabeth.

— Acho que você poderia tranquilamente ter dado dois telefonemas ontem à noite e contado comigo e Joyce aqui. Mas acho que você não queria que eu conhecesse seu ex-marido.

Joyce concorda com um gesto da cabeça.

— Bem, eu mesma sempre desejei nunca o ter conhecido e gostaria de estender a mesma cortesia aos meus amigos — replica Elizabeth.

— Ele é bonito, segundo a Joyce.

— Muito — confirma ela.

Elizabeth dá de ombros.

— Por que homens se importam tanto com beleza? — diz ela. — Não prefeririam ser bondosos, inteligentes, divertidos e corajosos do que bonitos?

— Não — responde Ron.

— Posso perguntar uma coisa aos dois? — indaga Joyce.

Ambos fazem que sim.

— Nos chás de vocês, deixei um com o saquinho dentro, o outro sem. Vocês podem experimentar os dois e me dizer como preferem?

20

Algo aconteceu na noite passada, Bogdan Jankowski consegue perceber.

Ele está a caminho do canteiro de obras no alto da colina, mas antes deu um pulo na lojinha em Coopers Chase para comprar Lilt Zero e um maço de Rothmans.

Um homem que ele não conhece acaba de saltar de uma van que ele não reconhece e se encaminhar para Ruskin Court.

Bogdan o observa entrar em Ruskin Court, com uma chave que ele não deveria ter.

Há algo estranho aí. Bogdan se aproxima da van. Ao espiar pela janela do carona, vê um jornal. Isso tem em toda van. É o *Daily Telegraph*. Isso já não é tão comum. Olha para a porta lateral. "F. Walker Coberturas e Telhados — Fazemos qualquer serviço."

De canto de olho, repara em Elizabeth, Ron e Joyce saindo de Ruskin Court. O que foram todos fazer lá? Encrenca, sempre encrenca. E, se há alguma encrenca no meio, Bogdan também quer participar.

Elizabeth se despede de Ron e Joyce com um aceno e se apressa na direção dele, enlaçando seu braço no dele e afastando-o da van.

— Que van é essa? — pergunta Bogdan.

— Como eu vou saber? — É a resposta de Elizabeth, aquela que sempre sabe de tudo. — Mas bom dia!

— Bom dia para você. Quem você foi visitar em Ruskin Court tão cedo?

— Peguei um livro emprestado da Margery Scholes.

— Que livro? — pergunta Bogdan.

— Um do Jeffery Deaver. É fantástico.

— Qual? — insiste Bogdan. Já estão quase chegando a Larkin Court, onde Elizabeth mora.

— O mais recente. Obrigada por me acompanhar até em casa. Você vem visitar o Stephen depois?

Bogdan assente.

— Hoje de manhã chega um guindaste grande, mas nada especial depois do almoço, aí eu venho.

Bogdan está encarregado de Hillcrest, o novo empreendimento que começa a ganhar forma bem no alto do morro. Ele recebeu uma série de promoções num curto intervalo de tempo, em função dos acontecimentos recentes, mas está absolutamente seguro de si. Bogdan está sempre absolutamente seguro de si.

— Quem era o cara que entrou em Ruskin Court? O de luvas?

— Não faço ideia, meu bem. Um encanador? Encanadores usam luvas, não usam?

— Entrou trinta segundos antes de vocês saírem. E vocês saíram dez segundos depois de eu começar a olhar a van...

— Acho que você está meio paranoico, Bogdan. Tem dormido o suficiente?

— Durmo oito horas e vinte minutos toda noite. Você me promete uma coisa?

— Se puder, claro. Se não puder, não.

— Me conta depois por que está mentindo? Sobre a van e o homem? E eu vi a Margery Scholes na loja, então como você entrou em Ruskin? Me conta alguma hora?

— Ah, Bogdan, todos temos os nossos segredos. Vejo você depois, espero.

Bogdan assente. Elizabeth entra. Bogdan refaz o caminho, mas a van já foi embora.

Sobe o morro pensando em homens com luvas e com chaves que não deveriam ter.

Tudo nos conformes com o projeto Hillcrest. É claro. E ele também está ganhando muito dinheiro. Metade ele aplica no fundo de investimento imobiliário e a outra metade investe em bitcoins. Não se sente tentado a comprar uma casa, pois significaria ficar de vez, e nunca dá para saber ao certo se a gente vai ficar de vez em algum lugar, não é? Bogdan passa as manhãs supervisionando os trabalhos, a instalação do guindaste, e fumando os seus Rothmans. Depois desce o morro e joga xadrez com Stephen, marido de Elizabeth.

Passa pelo cemitério onde as freiras estão enterradas. O que pensariam elas dos martelos a vapor fincando alicerces morro acima? Bogdan acha o ruído relaxante e espera que elas também achem. Ninguém deseja o silêncio por toda a eternidade.

Passa pelo banco de Bernard. Era estranho não o ver montando guarda. As pessoas por ali chegavam e partiam, chegavam e partiam. Saber que terminariam seus dias por ali tornava tais dias vitais. Podiam andar bem devagar, mas seu tempo voava. Bogdan curtia a companhia deles. Vão morrer, mas todos vamos um dia. Num piscar de olhos, todos vamos desaparecer. Nada que possa ser feito além de viver enquanto estamos esperando. Criar confusão, jogar xadrez, o que se preferir.

Ele e Stephen tentam jogar ao menos três vezes por semana. Com isso, Elizabeth ganha algum tempo para ir às compras, visitar amigos, desvendar assassinatos. Stephen já esquece os nomes da maioria das pessoas hoje em dia, mas jamais o de Bogdan.

No apartamento de Elizabeth, a partida está na décima segunda jogada, e Bogdan meio que encurralou Stephen. Não considera o jogo ganho, é claro — nunca se deve fazer isso com Stephen —, mas está contente em sua posição. Não percebe que Stephen tem uma série de opções para a próxima jogada.

Esta próxima jogada pode levar um tempo ainda, pois Stephen caiu no sono. Isso tem ocorrido cada vez mais, à medida que ele se retrai mais profundamente. Mas, enquanto Stephen estiver aqui, Bogdan jogará xadrez com ele.

E, assim que os olhos dele se abrirem de novo, Bogdan sabe que ele ainda estará disposto a jogar de maneira implacável. Bem do jeito que ele gosta. Stephen se esqueceu de muita coisa, mas não de como ganhar uma partida de xadrez. Também não se esqueceu do grande segredo de Bogdan, o papel que cumpriu nos recentes assassinatos, e sempre menciona isso quando o jogo está particularmente disputado.

Mas Bogdan nada teme. Possui total confiança em Stephen. E, mesmo se não fosse o caso, para quem ele poderia contar? Só Elizabeth, em quem Bogdan também confia inteiramente.

Falando no diabo, Bogdan ouve a chave na porta e a vê entrar. Ela carrega uma grande bolsa de viagem esportiva. O que não é comum.

— Olá, meu bem — cumprimenta Elizabeth. — Ele dormiu?

— Talvez, mas acho que fingiu. Sabe que eu já ganhei.

— Deixe eu fazer um chá para vocês dois. Posso pedir um favor, Bogdan?

— Quem era o homem com as luvas? — pergunta ele.

— Um avaliador de risco do MI5. Satisfeito?

— Sim, obrigado — diz Bogdan. — Que favor você quer?

Elizabeth põe a bolsa esportiva em cima da mesa, junto ao tabuleiro de xadrez. Abre o zíper, revelando maços de dinheiro.

— Dinheiro — diz Bogdan.

— Nada lhe escapa, não é, meu bem?

— E para quê?

Elizabeth olha de novo para se certificar de que Stephen está mesmo dormindo.

— Você consegue comprar para mim dez mil em cocaína?

Bogdan olha para o dinheiro e assente.

— Claro.

Elizabeth sorri.

— Obrigada, sabia que poderia contar com você. Preço de atacado, hein? Não o da rua.

— Claro — concorda Bogdan. — Isso tem a ver com o homem e a van?

— Não, é outra coisa.

— Para quando você precisa?

— Dá para ser amanhã, na hora do almoço?

— Sem problema — diz Bogdan.

— Maravilhoso, você está sendo de grande ajuda, de verdade. Vou ligar a chaleira elétrica.

Elizabeth desaparece dentro da cozinha e Bogdan dá mais uma olhada na bolsa. Quem teria tanta cocaína tão em cima da hora? Havia uma mulher em St. Leonards, ex-professora assistente de uma escola primária e que agora tinha se instalado numa fileira de garagens-depósito à beira-mar. Ele tentaria primeiro com ela. Certa vez, ela o convidara para sair e ele dissera não estar interessado nela e que se preocupava por conta da carreira dela, pois na vida amorosa é muito importante ser honesto. Ninguém jamais agradece a ninguém por ser desonesto. Ele levou um copo de cerveja na cara por ter dito isso para ela, mas já fazia alguns meses, e Bogdan tem certeza de que ainda assim ela lhe faria um favor. Ele tira o celular do bolso, mas antes que consiga enviar uma mensagem Stephen acorda, olha para o tabuleiro como se tempo algum tivesse transcorrido e move o bispo. Bogdan larga o celular para entender o que Stephen acaba de fazer. Pegou-o inteiramente de surpresa. Que jogada. Bogdan sorri.

As dez mil libras de Elizabeth. O bispo de Stephen. Não admira que tenham se casado. Tinha de tirar o chapéu para esses dois.

Bogdan tem um trabalho a fazer e precisa pensar um pouco também. E é assim que ele gosta.

21

Agora Douglas Middlemiss tem vista para o mar, o que ao menos é um consolo.

A casa fica em Hove. Oficialmente disponível para aluguel por executivos, mas é de uso exclusivo do MI5. Douglas foi acomodado no quarto maior da frente, com vista diagonal para o mar. Disseram para não se aproximar da janela, mas, convenhamos, com vista para o mar, esperam o quê? Neste momento, ele ocupa uma poltrona posicionada no exato ângulo para pegar o sol que se ergue por trás das ruínas infestadas de teias de aranha do Píer Oeste de Brighton, lá longe. Se uma bala entrar pela janela e o atingir, bem... há formas piores de morrer.

Poppy está no quarto dos fundos, com vista para o estacionamento municipal e algumas latas de lixo. Para alguém chegar à porta do quarto dele, precisa passar pelo dela. E Poppy se provara surpreendentemente eficaz da última vez. Matara Andrew Hastings. Um dos agentes de segurança mais próximos a Martin Lomax, enviado para matar Douglas, morto por uma baixinha com piercing no nariz que tem livros de culinária do Ottolenghi.

Mudar-se para Coopers Chase parecera uma ideia muito boa, o esconderijo perfeito. E também uma oportunidade de rever Elizabeth. Impor-lhe a sua presença. Mas, de alguma maneira, Martin Lomax havia burlado a segurança. O que significava que alguém teria lhe informado onde ele estava escondido. Mas quem?

Douglas tem lá suas suspeitas. Fizera bobagem, com toda a certeza, deixando as câmeras de segurança captarem seu rosto. Sujara a imagem do departamento. Talvez alguém de lá achasse que havia uma dívida a ser paga? Será que sacrificariam até um integrante da própria equipe? Ele já vira isso acontecer. Era raro, mas já aconteceu. Dava para confiar em Sue e Lance? Sue, com certeza. Mas e Lance, o homem que o acompanhara na invasão à casa de Lomax? O que de fato Douglas sabia sobre ele?

Poppy bate na porta e lhe oferece um chá. Ele responde que seria ótimo e já vai descer. Douglas se pergunta que diabos alguém como Poppy pensa dele.

Douglas já não era mais um homem popular. Sabia disso e entendia o porquê. Deus do céu, como fora popular! Mas agora? Agora era o tipo que tira a máscara durante um roubo, o tipo que faz piada sobre um colega gay numa reunião. Nenhum dos atos fora cometido por maldade, porém ele reconhecia estar fora de compasso e, no fundo, estava ciente de que alguém menos egocêntrico saberia agir com mais profissionalismo e gentileza. Torcera para conseguir encerrar a carreira sem ter que mudar em nada. Pelo jeito não vai dar, meu velho.

Os diamantes eram sua porta de saída. Um golpe de sorte bem na hora certa, dando sopa na mesa de jantar de Lomax. Mas teria sua sorte se esgotado? Como escapar desta?

O que teria mudado?, pensa ele. Vinte anos atrás, a gente podia fazer piadas sobre quem bem entendesse, não era? Não por maldade, era só piada. Na escola em que estudara, havia um garoto, Peter alguma coisa, em quem encarnavam por ser ruivo. Nada de maldoso, pura brincadeira. Ele durara poucos semestres naquela escola, sensível demais, e era justamente esse o problema, tanto na época quanto agora, não? Gente que vive se ofendendo não estaria agindo igual ao Peter, que desperdiçara uma ótima educação por não ser capaz de aguentar algumas provocações?

Douglas mencionara esse caso alguns anos antes, quando lhe mandaram fazer um curso de "Conscientização sobre Gênero e Sexualidade". Acabou que lhe pediram que se retirasse do curso e ele começou a receber treinamento individual. Passou com louvor na avaliação, pois esta fora ministrada por um velho amigo que lhe contou exatamente o que precisava falar se quisesse receber o certificado.

Será então que o Serviço por fim se cansou dele? Talvez Sue já não veja mais utilidade em tê-lo na equipe. Ache que a vida seria melhor sem ele como obstáculo. Talvez tenha convencido a todos de que seria um preço baixo a pagar pela paz com Martin Lomax. Teria Sue feito um trato com Lomax e revelado seu paradeiro?

Quantos mais teriam sido informados da presença de Douglas em Coopers Chase? Cinco ou seis pessoas? Incluindo Poppy, é claro. Seria ela mais perspicaz do que aparentava, com seus podcasts, poesias e o canto gregoriano? Seria tudo isso um disfarce? Para ser honesto, ele já vira de tudo. Talvez ela tivesse seus segredos, talvez estivesse mancomunada contra ele. Mas, nesse caso, por que atirar no intruso?

Elizabeth? Bem, aí a pergunta já era mais capciosa. Teria ela revelado onde ele se encontrava? Certamente que não. Mas ele lhe contara sobre Martin Lomax, não contara? Teria ela o localizado? Elizabeth é capaz de localizar qualquer um. Douglas tivera quatro casos durante o casamento e Elizabeth descobrira cada um deles. O último, com uma analista júnior chamada Sally Montague, pusera um fim definitivo ao casamento. Ao menos ele viera a se casar com Sally Montague. Apesar de ela ser vinte anos mais nova e a união só ter durado até seu caso seguinte. Após o divórcio, ela fora demitida com a maior discrição. Por onde andaria Sally? Ele sabe que seria de bom-tom se importar, porém às vezes é coisa demais na sua cabeça.

Sabe Deus quantos casos Elizabeth teve. Uma porção. Mas Douglas não a pegou no flagra uma única vez.

Um homem só se casa com uma Elizabeth na vida. Se Douglas fosse minimamente homem, talvez a tivesse segurado. Mas não passa de um garoto e sabe disso. Charmoso, divertido, conseguia as coisas com facilidade. Tudo o que quisesse: todos se deixavam levar por sua lábia, por sua persona. Ou, ao menos, quem não se deixasse levar provavelmente havia mantido distância dele ao longo dos anos.

Perguntara certa vez a Elizabeth quando ela o sacara por completo. Ela respondera que sabia desde quando o conhecera. E ficara curiosa para saber que garotinho pequeno e assustado estaria escondido sob um disfarce tão óbvio. Que espécie de menininho assustado estaria se protegendo dessa maneira? Apaixonara-se pelo garotinho assustado sem conhecê-lo. Douglas poderia ter aproveitado aquele momento para dar uma guinada na vida, viver no mundo real, ser honesto consigo mesmo. Em vez disso, atirou um copo de uísque na parede, saiu de casa intempestivamente e foi passar a noite com Sally Montague em West Kensington. Quando voltou, no dia seguinte, Elizabeth não disse nada. Mas foi naquele dia que ela desistiu até mesmo de tentar.

Desde então ele se fia no charme. Há maneiras piores de se viver. Mas Douglas perdeu a noção do que é considerado charmoso. Vê novas gerações de homens que sabem o que dizer e como dizê-lo, e a ele restam as ferramentas de outra época. Piadas que já não são mais contadas, cantadas que já não são mais usadas. Sem elas, o que lhe resta?

Os diamantes. É o que resta a Douglas. Sua grande oportunidade de fuga.

Douglas se levanta da poltrona e penteia o cabelo. Com uma escovada cuidadosa, ainda passa por um teste superficial e, para a maioria das pessoas, é o que basta. Grande parte de sua carreira se baseara em testes superficiais. Mas a nova geração ele não enganava mais. O que era muitíssimo irritante.

O mais bobo de tudo é que Douglas sabe que eles estão certos. Sabe que ninguém está lhe pedindo nada além de respeito, sabe que tudo o que as pessoas querem é poder chegar para trabalhar e executar suas funções sem serem lembradas a cada cinco minutos de sua aparência ou com quem trepam. Douglas sabe que estão certas e ele, errado. Não sente saudade dos “bons tempos”, mas dos *seus* “bons tempos”. Imagina que, para muita gente, não tenham sido tão bons assim.

Mas admiti-lo de verdade para si mesmo seria admitir ter passado a vida com a venda nos olhos. Admitir que ainda se pergunta o que teria acontecido a Peter. Peter Whittock. Claro que Douglas se lembra do nome dele. Afugentado da escola pelo bullying vindo de crianças que também tinham pouca idade e muitos medos.

Quantos outros Peters Whittocks Douglas não teria deixado em seu rastro? Quantas outras Elizabeths? Sallys Montagues?

Vinte anos antes, ele poderia ter tirado a máscara e tudo não teria passado de uma grande piada, alguma provocação, uma mensagem mandando Martin Lomax ir se ferrar e, à noite, uma rodada de drinques paga por Douglas. Mas aquele fora seu grande erro.

De uma forma ou de outra, os tempos alcançam você.

Mas não fazia sentido ficar se lamentando — a vida que se tem é a que se merece. Douglas está bolando uma saída para não afundar nesta preocupação específica. Hora de lidar com a prioridade do momento. Hora de lidar com a ameaça de Martin Lomax e quem sabe uma outra, vinda de dentro do departamento. E então desaparecer com os diamantes. Uma nova identidade, talvez uma fazenda na Nova Zelândia ou no Canadá. Algum lugar onde se fale inglês.

Ele deve partir do pressuposto de que foi comprometido. De que está por conta própria. Não pode confiar em ninguém. Dirige-se à escada, tendo escutado o apito da chaleira na cozinha.

Não é verdade. Em Elizabeth, ele pode confiar. Disso tem certeza.

Esse pensamento lhe traz algum alento. Conseguiu ver o dia nascer mais uma vez e, ao descer as escadas, decide comer torrada com geleia enquanto ainda pode.

22

Joyce

Liguei para a mãe da Poppy, no fim das contas, e ela não poderia ter sido mais gentil. Chama-se Siobhan, e, sim, precisei pesquisar para saber como se pronuncia. Deve ter sido irlandesa em algum momento, mas não me parece ser agora.

Informei-a do acontecido. Imaginei que fosse a vontade de Poppy, uma vez que, talvez, quando se é espiã, nem sempre seja possível contar à própria mãe tudo o que está havendo. Ou talvez filhas em geral sejam assim. Se descubro que Joanna cortou o cabelo, por exemplo, já me dou por satisfeita. Certa vez, ela passou uma semana em Creta e eu soube pelo Facebook. Lembrei-a de termos passado uma semana lá quando ela era pequena, mas pelo jeito se tratava de uma parte bem diferente de Creta, o que ela adorou me contar. Ou seja, já estive na pele de Siobhan, de certa forma.

Eis como foi. Trocamos gentilezas e então disse que Poppy tinha me pedido para lhe telefonar e avisar que ela estava em segurança, mas havia ocorrido um incidente.

Cheguei até a dizer "não se preocupe, ninguém morreu" antes de me dar conta de que, na verdade, havia morrido alguém.

Ficou evidente, e creio que isso não deveria ter me surpreendido, que Siobhan não estava inteirada da profissão da filha. Até onde sabia, Poppy era do departamento de emissão de passaportes. Haviam procurado Siobhan para averiguações quando Poppy conseguiu o posto, e ela achou estranho na época, mas não questionou. Filhos sempre dão trabalho, não é? Fazer as fantasias para as apresentações da escola etc.

Eu devia ter dado a notícia aos poucos, mas, na enfermagem, a gente aprende quais são as situações em que é melhor desembuchar de uma vez. Falei algo como sua filha trabalha para o MI5 ou MI6 e está encarregada da proteção de um homem que já foi casado com minha amiga Elizabeth e foi acusado de roubar diamantes (e ela: *"MI5?"*, *"Elizabeth?"*, *"Diamantes?"*). Um invasor tentara assassinar o homem na véspera e Poppy o matara. Foi o mais sucinta que consegui ser.

Siobhan tomou um susto e me pareceu que estivesse achando ser um trote, por isso acrescentei "não é trote, aconteceu mesmo, ela o matou e eu até vi o corpo".

Disse a ela que Poppy havia me dado seu número e ela me perguntou onde estava sua filha agora e falei que não sabia, o MI5 a havia levado, mas Elizabeth dissera não haver nada com que se preocupar, e Poppy fizera o certo da maneira certa e salvara a vida de alguém.

Siobhan me perguntou onde tudo ocorrera e lhe contei tudo a respeito de Coopers Chase. Ela comentou que parecia um lugar adorável e respondi, bem, por que você não vem nos visitar? Conhecer a mim e Elizabeth?

Siobhan disse que seria ótimo e então começou a chorar, o que na minha opinião foi uma coisa boa. Põe tudo para fora. Imaginem só, sua filha acaba de matar um homem e ser levada pelo MI5. Não há como não se sentir abalada. Pedi seu endereço para poder enviar pelo correio uma pulseira da amizade. Cobro quando a encontrar de novo.

Depois tivemos uma conversa agradável. Ela se desculpou por chorar, eu lhe assegurei que não havia problema e perguntei se gostava do piercing no nariz de Poppy, ela pensou um pouco e respondeu que não, achava Poppy mais bonita sem ele. Eu disse que ainda assim Poppy continuava muito bonita, mas me identifiquei porque Joanna certa vez fez três piercings na mesma orelha, um bem no alto, e ficou horrível. Até hoje se vê uma cicatriz mínima no local. Não cicatrizou por completo. Ninguém repara, mas eu, sim. Acho que eu e Siobhan vamos nos dar bem.

A grande notícia, portanto, é que Siobhan vem nos visitar. Espero que Elizabeth não se importe. Poppy colocara de fininho o número do telefone no bolso do meu cardigã, não no de Elizabeth. Talvez soubesse, portanto, que este não é o protocolo nessas situações. Será que Elizabeth fará objeções? Bem, se fizer, problema dela, não meu.

A propósito, ela mora em Wadhurst. Siobhan. Já passei por lá de trem, mas foi só. Deve ser um lugar muito agradável, sem dúvida, a julgar por Poppy e sua mãe.

Assim que desliguei, meu interfone tocou, e era Yvonne, minha antiga vizinha, que apareceu para tomar um chá e conversar um pouco. Ela foi a primeira pessoa que conheci a ter um videocassete, nunca me esqueci disso. Lembro que a família dela convidou Joanna para assistir *ET*. A cara que a Joanna fez, de verdade... Enfim, Yvonne mora em Tunbridge Wells agora, então pedi a ela que colocasse a pulseira de Siobhan na caixa de correspondência dela quando estivesse voltando para casa. Economiza um selo, não é?

E o que mais? Ah, sim, claro, Ryan Baird. Ron está com sebo nas canelas para colocar o plano em ação, e mal posso esperar para ouvi-lo. E Ibrahim deve voltar para casa amanhã. Falou para não o visitarmos. Melhor assim, pois Elizabeth quer nos levar para uma excursão a Hove, por razões que preferiu não revelar.

Estou agora na cozinha, me preparando para a visita de Siobhan. Não faço ideia do que ela gosta e não tive oportunidade de perguntar durante a nossa conversa. Portanto, estou sendo conservadora: um bolo Victoria Sponge, alguns brownies sem castanhas e uma fatia de torta de coco e framboesa caso ela goste de experimentar coisas diferentes.

Mas continuo pensando nos diamantes. Vinte milhões de libras dariam um nó na cabeça de muita gente, não dariam? Na minha, com certeza. No *Deal or No Deal* diriam que vinte e cinco mil "mudam a vida de uma pessoa". Depois de pagar cartões de crédito, ir a Portugal e trocar algumas janelas? Não sei se mudam, não. Mas vinte milhões? Alguém vai pôr as mãos nesse dinheiro, imagino, mesmo que tenha de matar algumas pessoas para tanto.

A propósito, acabo de reparar que disse que Ron estava "com sebo nas canelas", e não é isso. Qual é a expressão? Alguma coisa assim, não é? Por ora, deixo como está, bem que se adéqua a Ron.

Então, Hove amanhã com Elizabeth. Vai ser divertido. Pegamos o ônibus das duas e meia até Brighton, saltamos na grande Marks & Spencer e caminhamos até Hove. Como Elizabeth disse "nem pensar em compras, Joyce", certamente vamos investigar algo.

Mas o quê? Diamantes? Assassinato? Um pouco dos dois? Seria ótimo.

23

Elizabeth olha para o relógio e suspira. Apressa um pouco o passo.

Estão cerca de vinte minutos atrasadas porque Joyce insistira em parar para tomar café. Joyce adora ficar sentada em cafeterias olhando pela janela, vendo as pessoas passarem. Se deixarem, fica ali o dia todo dizendo coisas como "iih, o povo está começando a abrir os guarda-chuvas" ou "Elizabeth, você acha que eu ficaria bem num casaco que nem aquele?". E ela nem é tão fã de café, mas se sente desconfortável em entrar numa cafeteria e pedir chá.

Douglas pediu para encontrar Elizabeth. É o mínimo que ela pode fazer dadas as circunstâncias. Ele quase fora assassinado sob seus cuidados. Sim, oficialmente ela não havia começado a vigiá-lo. Mas ainda assim.

Estão a caminho do novo esconderijo em Hove. Avenida St. Albans, nº 38, uma das muitas ruas paralelas que conectam os cafés da rua Church com as barraquinhas de sorvete do calçadão à beira-mar.

— A brisa do mar não é uma delícia? — pergunta Joyce.

— Um bálsamo — concorda Elizabeth enquanto um grande caminhão passa por elas.

Havia alguma coisa errada com Joyce. Elizabeth aprendera a ler seu comportamento muito bem, e ela com certeza estava eufórica demais. Era a artimanha de Joyce. Funcionava com todo mundo, menos com Elizabeth. Ela para em frente ao Nando's da rua Church e apoia a mão no braço de Joyce.

— Antes de irmos encontrar o Douglas e a Poppy, por que você não me conta o que está escondendo?

Joyce a encara com aqueles olhos faiscantes tão inocentes e aquele halo de cabelo branco como a neve.

— Não faço a menor ideia do que você está falando.

— Joyce, você já nos atrasou por vinte minutos, não quero ter que ficar mais vinte aqui tentando fazer você abrir o jogo.

— Às vezes, Elizabeth, você age como se fosse minha chefe. E não é.

Elizabeth suspira.

— Por favor, estou implorando, não canse a minha beleza. Só me diga o que está acontecendo.

Joyce olha para o Nando's.

— Sabia que eu nunca fui a um Nando's?

— É óbvio que você está escondendo alguma coisa de mim. Teria algo a ver com o Douglas, talvez?

— Talvez eu traga o Ibrahim. Ele gostaria de ir a um Nando's, não acha? E a gente tem que garantir que ele saia de casa.

— Algo a ver com a Poppy, talvez?

— Às vezes, Elizabeth, você precisa aceitar que não sabe de tudo. Sinto muito, mas é isso.

Elizabeth encara Joyce nos olhos e balança a cabeça.

— É a Poppy mesmo. Você é boa nisso, Joyce, mas não tanto assim.

Joyce sorri.

— Meu bem, isso só está fazendo a gente se atrasar mais — comenta. — Assim vamos parecer mal-educadas. Eu nem sequer trouxe nada para eles. Ainda dá tempo de comprar uns docinhos, não dá?

Elizabeth está pensando.

— Bem, já sabemos que a questão é com a Poppy, está na cara. Ela teria pedido alguma coisa a você? Mas você nunca esteve a sós com ela, ou esteve?

— Sinto muito, mas você está enganada. Tem uma livraria muito gracinha aqui perto, a City Books. Será que compro um John Grisham para o Douglas?

— A Poppy entregou algo para você, então? É isso? Na saída, deu algo para você de fininho?

— Do jeito que você está, parece que alguém deu algo de fininho para *você*, Elizabeth. Estou certa quanto ao Ibrahim, não estou? A gente precisa se certificar de que ele saia de casa. Ele não vai querer sair. Creio que a maior parte do cardápio do Nando's inclua frango, mas deve ter alguma torta salgada ou algo assim.

— O que ela poderia ter entregado a você? E por que para você e não para mim?

— Estava pensando em ir ao abrigo de cães de rua. Logo que o Ibrahim voltar, vou pedir a ele que me leve até lá.

— Uma mensagem, talvez? A Poppy lhe entregou uma mensagem? Pôs na sua mão, discretamente, quando você estava saindo? — Elizabeth encara Joyce sem dar trégua.

— Você conhece o Ibrahim, ele vai se opor. Mas a gente convence ele. E cachorros são tão terapêuticos... Não estou contando para você nada que já não saiba, mas as sequelas mentais vão durar muito mais do que as físicas.

— Algo pessoal. — Elizabeth se põe de lado para dar passagem a um grupo de jovens que entra voando no Nando's. — Por isso ela escolheu você. Um recado. Sabia que podia confiá-lo a você.

— Eu olhei no site. O Alan continua lá. É aquele cachorro. Apesar de que prefiro batizá-lo de Rusty. Você é a primeira pessoa a quem eu conto isso. Escrevi no meu diário, mas ainda não tinha mencionado em voz alta.

— Você estava usando o cardigã novo, eu me lembro. Aliás, ele lhe cai muito bem. Talvez ela tenha escondido no seu bolso, então?

— Sobre o cardigã, obrigada. Quando eu era pequena, uns vizinhos tinham um cachorro chamado Rusty, sabia?

— Fico aqui pensando, Joyce, se ela de repente queria que você entrasse em contato com alguém em nome dela. Só para avisar que ela estava bem. É o tipo de coisa que eu sei que dá para confiar totalmente em você.

— Acho que era um retriever, se bem que confundo com labrador. Mas a gente mesmo é uma mistura de tudo, não é? Se pararmos para pensar.

— Em quem a Poppy confia? — pergunta Elizabeth. — Esse é o ponto.

— Todo mundo adora John Grisham, não é? Acho que é uma opção segura.

Elizabeth põe as mãos nos ombros de Joyce e, com um meneio, a encara nos olhos.

— Estou aqui pensando, Joyce. Será que a Poppy lhe deu o telefone da mãe dela?

Joyce ergue as mãos para o alto.

— Ah, Deus do céu, Elizabeth. Não posso ter nada só para mim, pelo jeito!

— Você aguentou firme, mais do que a maioria aguentaria. Telefonou para ela?

Joyce faz que sim com a cabeça.

— Tudo bem ter feito isso?

— Tudo bem. Não fico surpresa por alguém que matou alguém pela primeira vez na vida querer falar com a mãe. Quer dizer, eu não quis, mas aí sou eu.

— Ela parece um amor. Por sinal, eu a convidei para uma visita.

— Uma ótima ideia. Vamos, então?

Joyce sorri e as duas amigas caminham rumo à avenida St. Albans.

— Você não está chateada? — pergunta Joyce.

— Nem um pouco. Apesar de que tenho uma coisa a dizer: eles não gostam que as pessoas mudem o nome dos cachorros.

— Eu sei, mas *Alan*?

— Bem, por que você não deixa o Ibrahim decidir? É o tipo de coisa em que ele é bom.

— Mal posso esperar para tê-lo de volta, sabia?

Elizabeth dá o braço a Joyce e elas continuam a caminhar.

— Aliás, para onde o Ron estava indo? — pergunta Joyce. — Vi que ele saiu de carro antes da gente. Hoje em dia ele nunca dirige.

Elizabeth olha para o relógio.

— O Ron tem um serviço de encanamento a fazer. Estava ansioso para chegar logo ao local.

— Encanamento?

— Você conhece o Ron. Ele aprende tudo com facilidade.

24

Vender cocaína é menos glamoroso do que se imagina, e Connie Johnson está pensando que é bom ter a oportunidade de se arrumar um pouco, para variar.

Não é sempre que Bogdan Jankowski aparece para comprar dez mil libras de pura cocaína colombiana. Connie passou o dia toda animada. A garagem ao lado vende perfume falso e ela aplicara um pouco horas antes, mas teve que se lavar logo depois para se livrar do cheiro que empesteava tudo. Teve até que reaplicar o rímel, por causa das lágrimas que lhe desciam pelo rosto. Mas parece que o pior já passou.

Por que Bogdan queria cocaína tão de repente? Não era nem um pouco do seu feitio. Quem sabe se viciou em drogas e agora precisa vendê-las para custear o vício. É o que Connie espera, pois aí com certeza os dois se veriam com mais frequência.

O que esse homem tem? Seria a mistura que ele parecia oferecer: risco extremo e segurança absoluta, tudo num único homem? Ou ele é só muito atraente mesmo?

Uma série de batidas ressoa na porta de metal da garagem. Connie ajeita o cabelo, cospe o chiclete dentro de um velho gaveteiro e acende um cigarro mentolado. Vamos lá.

Ela abre a porta, a luz do sol invade seu mundo sombrio e lá está ele. Bogdan. A cabeça raspada, as tatuagens subindo pelos dois braços, os penetrantes olhos azuis e uma expressão de total indiferença. Tudo de bom. Ele fecha a porta e estão sozinhos. Como se deve agir numa hora dessas? Como se estivesse tudo normal? Ela já tentara flertar com Bogdan antes e não dera em nada. Mas suspeita que ele só estivesse se fazendo de difícil. Estaria ele a despindo com os olhos? Connie acha que sim. Com certeza está fazendo algo com os olhos. Ela aponta com o queixo para sua bolsa esportiva.

— É o dinheiro?

Bogdan confirma com a cabeça.

— Sim.

Connie se demora tragando o cigarro mentolado, saboreando seu frescor.

— Dez mil?

— Sim — diz Bogdan.

— Preciso contar?

— Não — responde Bogdan, largando a bolsa na grande mesa de madeira de Connie.

Quando o antigo colégio em que Connie estudara fechou, foi feito um leilão de tudo o que havia no local. Ela fez um lance pela mesa da antiga diretora e a levou. A mesa em cuja frente se sentara tantas vezes, sendo repreendida por isso, aquilo e aquilo outro. Por algum tempo, gostou de usá-la para pesar cocaína e fazer sexo. O que a Sra. Gilbert teria a dizer sobre isso? Contudo, agora que os negócios expandiram, passou a usá-la mais como mesa de escritório. Serve bem a este propósito, precisa admitir.

— Quer sua cocaína, então? — pergunta Connie.

— Sim — diz Bogdan, acrescentando depois: — Por favor.

Connie sente que a coisa vai bem. Estaria rolando um clima? Uma química? Meu Deus, olha esse homem.

— Está lá atrás, Bogdan. Me dá um minuto. Pode ficar à vontade, tem revistas aí. Na maioria, *Ultimate Fighting*.

Connie abre uma porta com cadeado e entra num pequeno depósito. Como não há espelho, usa o reflexo de um velho CD para dar uma checada na aparência. Ainda bem que o fez, há um pouco de batom no dente. Será que Bogdan reparou nisso? Ela se ajoelha em frente a um cofre e gira a combinação com uma das mãos enquanto esfrega o dente com um dedo da outra. E se ele tiver notado o batom e agora reparar que não está mais ali? Ela retira um quilo de cocaína do cofre, embrulhado em papel pardo com uma etiqueta que diz "Frágil — Este lado para cima". Se ele reparar, deduzirá que ela se olhou no espelho. Será que parecerá desesperada demais? Tranca o cofre de novo e volta para a garagem. Agora é tarde. Se reparar, reparou. É fazer o melhor que puder.

Connie passa de novo o cadeado na porta dos fundos e coloca o pacote em cima da mesa da diretora da escola, ao lado do dinheiro. Bogdan a encara. Será que está olhando para o dente?

— Quer checar? — pergunta Connie.

— Não. — Ele retira o dinheiro da bolsa esportiva e, em seu lugar, põe o pacote.

— Isso vai se tornar frequente agora? — pergunta Connie. — Clientela frequente tem tratamento especial.

— Não, foi só essa vez.

"Tratamento especial" foi forçação de barra, pensa Connie. Deu mole demais, sua idiota. Ela decide dar de ombros.

— Bem, você é quem sabe.

Bogdan assente.

— Isso.

— Deixa eu abrir a porta para você. — Connie caminha até a porta e a abre. Aquele sol, de novo.

Bogdan cruza a porta abaixando-se discretamente.

— Obrigado, Connie.

Ela dá de ombros mais uma vez — perfeito! — e fecha a porta. Recosta-se então contra ela e solta um suspiro pesado.

Jesus Cristo, que tensão. Agora só tirando o resto do dia de folga.

A caminhada de Bogdan não será longa. Vai se encontrar com Ron no píer. Deu tudo certo com Connie, nenhum sinal de ressentimento por parte dela. Ficara com dó dela por causa do batom no dente. Chegou a pensar em mencionar isso, pois parecia que dali ela sairia direto para algum encontro. Mas é óbvio que ela também reparou, já que a mancha não estava mais lá quando voltou com a cocaína. Foi um alívio não precisar tocar no assunto, pois ela não parecia estar com muita boa vontade em relação a ele.

Ele ficou feliz por ter saído de lá também, por causa daquele cheiro horrível.

Bogdan avista Ron e vai direto ao seu encontro. Ron está vestido de encanador.

— Muito bem, Bogdan — diz Ron.

— Olá, Ron.

— É isso aí? — pergunta Ron, apontando para a bolsa.

— Isso mesmo — responde Bogdan.

— Bom garoto. Aposto que está curioso para saber por que eu estou vestido de encanador.

Bogdan balança a cabeça.

— Até que não. Nada mais com vocês me deixa surpreso. Ficaria mais surpreso se não estivesse vestido de encanador.

Ron assente, concordando que faz sentido.

— Como vai o Ibrahim? — pergunta Bogdan. — Quando ele volta?

— Vai bem, meu velho. Meio abalado, você sabe. Foi feio.

Bogdan assente.

— Precisa de ajuda com o culpado?

Ron pega a bolsa.

— Você já está ajudando.

— Imaginei — diz Bogdan. — Que bom, estou contente. Sabe que é só pedir, eu faço o que precisar.

— Você é um bom camarada. — Ron funga. — Minha nossa senhora, Bogdan, que cheiro é esse?

25

Elizabeth e Joyce estão na avenida St. Albans. É uma rua cheia de hoteizinhos e casas de repouso. Dá para caminhar por toda a sua extensão sem jamais sentir necessidade de tirar os olhos do celular, o que é perfeito. Chegam ao nº 38. Cortinas fechadas em todas as janelas que dão para a rua e um pôster com os dizeres "Vote nos Liberais Democratas" na janela da frente. Não poderia ser mais típico.

Uma van da Virgin Media está estacionada do outro lado da calçada. Elizabeth bate na janela. Está sendo aguardada.

A motorista dobra o jornal, abaixa o vidro e ergue uma sobrancelha.

Elizabeth repete as palavras exatas que foi orientada a dizer:

— O meu sinal está péssimo e não quero perder *Love Island.* — Alguém do MI5 deve ter se divertido bolando aquela frase para ela.

A motorista responde, como esperado:

— Você mora no nº 42?

Elizabeth confirma com a cabeça.

— É com a Sky, não com a Virgin — fala a motorista.

— Desculpe incomodar — diz Elizabeth, e estende a mão para apertar a da motorista. Durante o cumprimento, sente a pressão da chave contra os dedos.

A motorista sobe de novo o vidro e volta a ler seu jornal. Ô trabalho chato. Elizabeth se compadece. Ao menos ela tem um jornal. Houve momentos no Leste Europeu durante vigílias de doze horas em que Elizabeth teria dado tudo por um *Daily Telegraph.* Até o *Daily Mirror* teria servido.

Atravessam a rua em direção à casa.

— Aquilo foi conversa de espião? — pergunta Joyce. — Era um código?

— Um código bem básico, sim. Só para identificação.

— Joanna assiste a *Love Island*. Disse que eu ia adorar. Cheio de homens e tudo o mais.

Na porta da frente há um adesivo com a frase "Não deixe folhetos de propaganda". Do lado de fora parece uma porta normal, mas Elizabeth sabe que deve ter reforço de aço do lado de dentro caso alguém cogite fazer alguma coisa. A chave também parece absolutamente normal, mas é eletrônica e basta inseri-la na fechadura para se ouvir uma série de ruídos dentro da casa, discretos o bastante para que ninguém na rua escute.

A porta se abre e Elizabeth olha para o relógio. São cinco e vinte e cinco. Ron já deve ter pegado o pacote a essa altura.

Douglas marcara o encontro para as cinco em ponto, mas deixá-lo esperando de vez em quando não faria mal algum. *Por que* ela estava ali já era um mistério. Ele ter escolhido se esconder em Coopers Chase tinha sido bem estranho. Mais estranho ainda era ter pedido para ver Elizabeth de novo agora que o local deixara de ser uma opção.

Elizabeth poderia ter recusado. Mas alguma ele devia estar aprontando, e ela não se importaria nem um pouco de descobrir do que se tratava. Sem dúvida, era alguma das tramoias de Douglas, mas às vezes eram divertidas. Valia a pena descobrir se ele ainda tinha uma última carta na manga.

Ainda mais se havia vinte milhões de libras em jogo. Imagine só o que não daria para fazer com vinte milhões de libras. Mas Elizabeth não precisa pensar. Sabe muito bem o que faria com tal dinheiro.

Elas cruzam a soleira da porta.

— Gostei do carpete do hall — comenta Joyce. Sua voz ecoa na casa silenciosa. — A gente quase pôs um parecido.

Com duas pessoas morando na casa, não era para haver tamanho silêncio. Estariam dormindo? Os dois? Às cinco e vinte e cinco? Improvável.

Elizabeth sente uma brisa. Uma brisa numa casa com todas as portas e todas as janelas fechadas. Aparafusadas, seladas, trancadas.

— Douglas? — chama Elizabeth. — Poppy?

Elizabeth adentra a cozinha. Tudo arrumado. Uma mesinha e duas cadeiras de madeira. Na pia, duas tigelas e duas canecas. Um velho calendário na parede com fotos de castelos ingleses.

Há uma porta nos fundos que dá para um jardim interno. Com arame farpado em cima do muro de tijolos.

A porta está escancarada.

26

— E ele chutou você na nuca?

— Pois é, Anthony, chutou.

Ibrahim não havia contado aos demais a que horas voltaria para casa hoje. Sabia que fariam o maior alvoroço e não queria encarar um comitê de recepção estando com a barba por fazer. Em vez disso, conseguiu agendar a última hora do dia com Anthony, o cabeleireiro que agora está com tanta demanda que vem a Coopers Chase três vezes por semana. Ibrahim não estava nada feliz com seu cabelo no hospital.

— Ninguém diria só de olhar — diz Anthony, escovando o cabelo de Ibrahim. — Não ficou marca de sapato alguma.

— Bem, é um crânio — diz Ibrahim.

— Verdade. Me diz se eu estiver fazendo muita força. Logo você vai estar se sentindo melhor. Esse é o meu trabalho.

— Obrigado, Anthony.

— Você vai voltar com tudo, tenho certeza.

— Voltar com tudo é para os jovens.

— Que nada. O que não mata fortalece.

— Bem, na minha idade eu discordo.

— Vou dar um exemplo para você: uma vez tive uma viagem de ácido que durou dois dias. Foi em Kavos, conhece?

— Isso é na Grécia?

— Ahh, sei lá, era um lugar quente. Mas, enfim, na hora foi um horror, sabe? Parecia que as paredes da *villa* estavam sangrando. Subi no telhado e ficava tentando agarrar os aviões que passavam voando. Meu amigo Gav postou no Instagram, recebeu trinta mil curtidas e agora até consigo entender a graça. Só que eu achava que ia morrer. Mas não morri, e a experiência me tornou mais forte.

— De que forma?

— Ah, não sei... Quer dizer, hoje em dia não tomo ácido daquele jeito. Já é alguma coisa, não é? E ganhei quatrocentos seguidores novos no Insta. É isso que eu quero dizer. Não sei o que fizeram com seu cabelo no hospital. Acho que não usaram condicionador.

— Eu pedi ao Ron para levar, mas ele disse que não sabia bem como comprar isso.

— Bom, agora eu estou aqui.

— Mas, de qualquer forma, não acho que nada disso tenha me tornado mais forte. Fiquei muito abalado, Anthony.

— É claro. É o tal do não sei o quê pós-traumático.

— Mas alguma hora eu supero.

— Claro que supera. Olha tudo que a Oprah superou esses anos todos.

— A não ser que eu morra antes de superar. Nesse caso, não supero nunca. É como eu me sinto agora. Talvez nunca vá melhorar.

— Se continuar assim, vou contar para a Joyce que você está todo melancólico.

— Tudo bem dizer "o que não mata fortalece". É admirável. Mas quando se está com oitenta isso já não se aplica mais. Quando se está com oitenta, o que não mata só faz abrir a porta seguinte, e a seguinte, e a próxima, e todas elas se trancam quando você passa. Não tem volta. A força gravitacional da juventude desaparece e só nos resta subir aos poucos.

— Bem — diz Anthony, pondo as palmas das mãos nas têmporas de Ibrahim e erguendo a cabeça dele para o reflexo no espelho —, acabei de deixar você dez anos mais jovem. É o melhor que posso fazer para ajudar. Já identificaram o ladrão?

Ibrahim assente.

— Eles já têm um nome, sim. Mas nenhuma prova.

— Mas e aí, o que vai acontecer?

— Suspeito que Elizabeth vai acontecer.

— Assim esperamos — comenta Anthony, erguendo um espelho por trás da cabeça de Ibrahim, que assente e mais uma vez. — Ninguém encosta nos meus amigos e fica por isso mesmo. Diz para a Elizabeth que, se precisar de qualquer ajuda, é só pedir.

— Eu dou o recado.

— E só para constar, e para você saber que às vezes eu ouço, você não vai morrer antes de melhorar, prometo.

— Isso ninguém sabe.

— Ibrahim, você está falando com quem já sonhou com números da loteria. Quatro deles. Trezentas e sessenta libras. Se eu digo que você não morre ainda, é porque não morre ainda.

— É um consolo, obrigado.

Anthony começa a guardar seu material.

— Todos nós sabemos a ordem em que vocês vão morrer. O Ron vai primeiro...

Ibrahim faz que sim com a cabeça.

— Depois a Elizabeth, talvez com um tiro. Aí, entre você e a Joyce, já fica mais difícil cravar.

— Não gostaria de ficar por último. Sempre tentei não me apegar demais às pessoas, mas me apeguei a esses três.

— Está bem, digamos então que você seja o terceiro e a Joyce fique por último.

— Também não iria querer que a Joyce ficasse sozinha — diz Ibrahim.

— Ah, não acho que ela fica sozinha por muito tempo, você acha?

— É, imagino que não. — Ibrahim sorri.

— Danadinha, aquela ali.

Ibrahim enfia a mão no bolso do casaco, pendurado atrás da porta, e tira a carteira.

— Sinto muito, mas vai ter que ser cartão, Anthony. Gastei meu último dinheiro vivo com o táxi. — Ao abrir a carteira, Ibrahim faz uma careta. — Ih, que estranho, meu cartão não está aqui.

— Até parece. — Anthony ri.

— Não sei onde enfiei, mil perdões. Posso pagar depois?

Anthony anda na direção de Ibrahim e o abraça.

— Você não me deve nada. Agora vai para a rua, bonitão, que a mulherada vai ficar louca quando vir você.

Ibrahim olha para o próprio reflexo no espelho, movendo a cabeça para observar os dois lados do rosto. Assente.

— Obrigado, Anthony. Acho que elas vão mesmo.

27

Elizabeth sai da cozinha. Se alguém esteve na casa, com certeza já foi embora. É o que seu instinto está lhe dizendo, mas ainda assim ela leva um dedo aos lábios para pedir silêncio, sinalizando para Joyce ficar exatamente onde está. Abre em silêncio a porta da sala de estar com o pé. Nada. Duas poltronas, duas mesas de canto, um aparador onde há um rádio e um vaso de flores. Nem corpo nem sangue. Já é alguma coisa. Dá a Elizabeth alguma esperança. Ela sabe que terá de subir as escadas. Caso alguém ainda esteja na casa, ela sabe quão vulnerável estará. Não tem nenhuma arma. Olha de novo para o corredor. Joyce não está mais lá. Elizabeth entra em pânico por um momento até vê-la emergir em silêncio da cozinha com uma faca em cada mão. Elizabeth indica com a cabeça qual ela quer.

Joyce entrega a faca maior para Elizabeth. Ao fazê-lo, sussurra:

— Cuidado. Pega pelo cabo.

Elizabeth sente o coração aos pulos dentro do peito. Bate rápido, mas forte. Que sorte a dela.

Haveria alguém na casa? Estaria ela se encaminhando para uma armadilha? E pior: levando Joyce junto?

Faz sinal para Joyce permanecer no andar de baixo e começa a subir.

28

De Ron pode-se dizer tudo, menos que não se parece com um encanador. Ryan Baird o deixara entrar sem nem olhar duas vezes. A Associação de Habitação está me mandando dar uma passada em todas as casas da região, é a pressão da água. Segura aqui a bolsa, por favor, está vendo as minhas ferramentas? É tudo de graça, não se preocupe.

Então esse era o Ryan Baird?

Era esse o garoto que havia chutado a nuca do melhor amigo de Ron e o largado à própria sorte na calçada?

Que idade tinha esse menino? Dezessete? Dezoito? Magro, cabelo pintado de louro, calça de moletom azul, sem camisa. Estava com um controle de videogame na mão e tão logo Ron lhe perguntou onde era o banheiro já voltara a jogar. Alguns anos antes, Ron teria partido para cima dele ali mesmo. Mas às vezes o estilo de Elizabeth caía melhor, e por isso seguirá de acordo com as instruções. Quem sabe, depois que tudo estiver acabado, ainda venha a ter sua chance de dar uns sopapos naquela boca mole do Ryan Baird. Assim espera Ron. Com todo o respeito que tem por Gandhi e os seus, às vezes só se excedendo mesmo.

Ron ergue a tampa da caixa de descarga e retira o pacote marrom da bolsa esportiva. Enfia-o o mais fundo que consegue. Dez mil nem compram tanta coca assim, pensa. Da próxima vez que vir seu filho, Jason, vai comentar isso com ele.

Ron checa se a tampa voltará a se encaixar e a remove mais uma vez. Enfia a mão no bolso do macacão. Não sabe onde Elizabeth o arrumou, mas como é confortável! Será que poderia ficar com ele?

Mas usar macacão todos os dias seria adentrar um terreno perigoso. O passo seguinte seria começar a sair de casa de pijama.

Ele retira do bolso o cartão de débito de Ibrahim e o deposita com cuidado dentro da caixa de descarga.

Tampa de volta ao devido lugar, Ron fecha o zíper da bolsa. Percebe que precisa de fato usar o banheiro, mas decide esperar. Sabe lá o que pode acontecer se der descarga com um quilo de cocaína na caixa de descarga.

Ron retorna pelo corredor, fala bem alto "tudo pronto, amigo" sem que Ryan Baird se digne a responder e vai embora do apartamento.

Espera mais ou menos um minuto, pois nunca se sabe quem pode estar ouvindo, antes de pegar o celular. É de cartão, não pode ser rastreado. Jason tinha vários e nem pestanejou quando o pai lhe pediu um. Liga para o número da policial Donna de Freitas. Ela atende no terceiro toque.

— Alô.

— Alô, é Donna de Freitas?

— Oi, Ron, é você?

— Não, não, eu não conheço nenhum Ron. Só tenho informações.

— Está bom, então, vou fingir que acredito. Mas seja rápido porque estou vendo as câmeras de segurança de um incidente em que alguém entrou com um Renault numa padaria.

— É que eu sou encanador...

— Certo.

— E estava fazendo um trabalho em Hazeldene Gardens, apartamento 18.

— Hazeldene Gardens, nº 18?

— Pois é, e encontrei algo enquanto eu estava lá. Está na caixa de descarga da privada. É a primeira porta que vocês vão ver no corredor depois de entrarem.

— Entendi... senhor. E o morador do apartamento está em casa agora?

— Está. Não está nem de camisa, Donna. Meu Deus. Queria encher ele de sopapos.

— Bem, a delegacia de polícia de Fairhaven agradece a sua ligação, senhor. Mas nós não podemos invadir uma residência particular sem um bom motivo.

— Que tipo de motivo?

— Tipo alguém sendo atacado.

— Ah, sim, e tinha alguém sendo atacado! Uma gritaria só!

— Ok. Já vamos para lá.

— Isso. Leve o Chris também.

— Qual o nome do senhor?

— Prefiro manter o anonimato.

— Inventa um, só para me ajudar.

Ron pensa.

— Jonathan Ovomaltine.

— Obrigado, Sr. Ovomaltine.

— Obrigado, meu bem, pega esse cara. A gente se vê depois.

Ron encerra a chamada e sai do edifício assoviando.

Serviço feito. Elizabeth ficará satisfeita. Talvez ligue para ela também. Mas, antes de tudo, uma cerveja.

29

Elizabeth segura com firmeza o cabo da faca com o antebraço pronado, como aprendera havia mais de cinquenta anos. O antebraço supinado, preferência dos soviéticos, estivera em voga por um breve período nos anos 1970, mas o pronado voltara a ser padrão. Dava muito mais força ao golpe, em especial quando o oponente era maior do que você.

Elizabeth seguia sem ouvir ruído algum. Era um péssimo sinal. Deveria alertar a motorista do lado de fora? Será que ela estava armada? Continua a subir a escada. Nenhum sinal de perturbação à vista. Tudo parecia muito encenado, o silêncio, a porta dos fundos aberta. Poderia ser apenas Douglas tentando pregar uma peça? Pedir a Elizabeth que viesse encontrá-lo e lhe dar o maior susto da vida?

Elizabeth chega ao alto da escada. Olha para baixo e vê Joyce na base dos degraus. Segurando a faca com o antebraço pronado. Um talento natural, aquela mulher.

O alto da escada dá acesso a três portas. A do banheiro está semiaberta. Elizabeth a empurra de leve e faz com que se abra por completo. Nada. Roupa de baixo pendurada num varal. Assento da privada levantado. Dá para saber quem a usou por último.

As portas dos dois quartos estão fechadas. Ela gira devagar o trinco da primeira com a faca em posição de ataque. Vai parecer uma boba caso Douglas e Poppy estejam atrás da porta aos risos, não vai? Por que lhe parece que tudo não passa de um truque? É tão bem montado que não parece uma cena de crime, mas um exercício. Seria este o caso? Seria um teste? Para ver se a velha moça ainda está afiada?

Ela empurra a porta e salta para dentro do quarto, costas grudadas à parede mais próxima. Nada além de uma cama arrumada à perfeição, um livro de poesia de Phillip Larkin e uma vela da Jo Malone. O quarto de Poppy. Nada dela, porém. Há um marcador no meio do livro, aguardando o retorno de Poppy.

Elizabeth volta ao alto da escada. Só lhe resta um quarto. O da frente da casa. O de Douglas. A única opção que sobrou.

Aperta o cabo da faca com mais força e é então que um pensamento lhe ocorre. Ter matado Andrew Hastings abalara Poppy; fora traumático, ela chegara até mesmo a pedir a Joyce que entrasse em contato com sua mãe. E se Poppy tivesse decidido que não aguentava mais? E esperado Douglas cair no sono? Sempre dava para saber quando ele tinha adormecido. Deus do céu, como roncava. Talvez ela houvesse decidido fugir e, no caminho, deixou a porta dos fundos aberta. Talvez tudo aquilo fosse demais para ela. E Poppy saberia que a agente do lado de fora da casa poderia manter Douglas a salvo.

A mão de Elizabeth alcança o trinco. Ela começa a girá-lo.

Abre a porta. E congela. Por um segundo, mas congela. Não se tratava de um exercício e ninguém estava pregando peça alguma. É claro que Poppy jamais teria deixado a porta dos fundos aberta. E é óbvio que Douglas nunca poderia estar dormindo em silêncio.

O corpo de Poppy está caído sobre a poltrona. Uma bala fez um estrago em seu rosto, tingindo de vermelho aquele lindo cabelo louro. Um braço está em frente ao corpo, sem dúvida numa tentativa de se proteger da bala. O outro, caído inerte a seu lado. O sangue que escorreu pelo antebraço está seco. A margarida branca, aquela que acabou animando inesperadamente sua avó, agora é de um vermelho berrante.

Douglas está apoiado na cama. A bala lhe causou um estrago ainda maior do que em Poppy. Quem nunca foi casado com ele não o reconheceria. A parede atrás de sua cabeça está enegrecida pelo sangue.

O que quer que Douglas quisesse lhe mostrar, com certeza não era isso.

Elizabeth respira fundo. Tem que manter a calma. Sabe que seu acesso à cena deste crime vai durar pouco, por isso tira o celular e a fotografa de todos os ângulos.

Elizabeth ouve um ruído atrás de si. Vira-se com a faca em riste e vê Joyce no umbral da porta. O olhar dela vai e volta do corpo de Poppy para o de Douglas.

— Ah, Poppy — diz Joyce. — Ah, Elizabeth.

— Não toque em nada. Vamos descer.

Elizabeth conduz Joyce à sua frente. Que bom que a amiga não se abala com facilidade. A última coisa de que precisam naquele momento são lágrimas. Elizabeth abre a porta da frente e diz a Joyce para permanecer onde está. Corre pelo caminho da entrada rumo à van da Virgin Media. Ao perceber que a faca continua em sua mão, guarda-a de fininho na bolsa e bate no vidro do carro. A motorista entediada o baixa de novo.

— Já acabaram? Foi rápido.

Elizabeth pega o celular e lhe mostra uma fotografia.

— Os dois mortos. Enquanto você está aqui sentada, lendo.

A motorista salta da van num piscar de olhos e corre para a casa. Sem dúvida com o pensamento fixo em sua outrora promissora carreira.

Celular na mão, Elizabeth constata que vai direto para um interrogatório assim que as tropas chegarem, o que não demorará. Confiscarão seu celular, deletarão as fotos. Vasculha os muros dos jardins na frente das casas da avenida St. Albans até achar o que procura a duas casas de distância. Aproveitando que a motorista correu para a casa, Elizabeth anda com pressa, retira um tijolo solto da parte baixa do muro, joga seu celular no vão e põe o tijolo de volta. O ponto de entrega perfeito.

E agora há diamantes *e* assassinos a encontrar.

PARTE DOIS

Às vezes, você não vai acreditar no que vê

30

Com a escola em recesso, Patrice tem passado os dias na casa de Chris, que não consegue se habituar. Ele finge ter uma alimentação saudável até perceber, alguns dias depois, que dá no mesmo que de fato se alimentar melhor. Uma maçã continua a ser uma maçã, esteja você comendo a fruta por querer cuidar da saúde ou só para impressionar uma nova namorada. São os mesmos nutrientes. Chris não come um Snickers desde segunda-feira.

Esta noite eles pretendiam jantar no Le Pont Noir. Antes uma espelunca chamada The Black Bridge, agora é o principal gastropub de Fairhaven — ou único. Nas terças-feiras, um trio de jazz toca no salão de jantar. Chris jamais apreciou jazz ou mesmo entendeu o que deveria estar apreciando, mas sabe que quem gosta de jazz parece curtir a vida e ele precisa fingir curti-la um pouco mais do que realmente curte. E se for parecido com a história das maçãs? Se fingir curtir a vida acabar dando no mesmo que de fato curti-la? Desde que Patrice chegou, ele não para de sorrir. Talvez isso não seja um caso como outro qualquer, afinal.

Patrice também tinha a ganhar com a relação, ele sabia disso. Objetivamente, não lhe escapava o fato de ser gentil e divertido. Tinha um emprego respeitável, caçava criminosos. Mais alguma coisa? Já lhe disseram que tem olhos bonitos. E que sabia beijar.

Por ora basta. Não corra antes de aprender a andar, Chris. E será que toda mulher dizia a todo homem que ele sabia beijar? Chris acha que sim. Não custa nada.

A ligação de Donna veio por volta das seis e meia. Ryan Baird fora preso e estava a caminho da delegacia de polícia de Fairhaven.

Nada de jazz para Chris, o que era um alívio; essa novidade bem poderia esperar.

Patrice fora muito compreensiva. Era até estranho como fora compreensiva. E se Patrice também não gostasse de jazz? E se os dois estivessem fingindo? Era algo a se pensar. E, sem dúvida, seria um enorme alívio.

Chris pegara o carro, dirigira até a estação e interrogara Ryan Baird, que havia feito um escarcéu sobre ter sido incriminado por um encanador, porém acabara autuado por "posse com intenção de venda" e "roubo" e conduzido a uma cela. Seu advogado também parecia mais animado do que da última vez. Ou gostara de ver Ryan ir em cana ou também havia escapado de uma noitada de jazz.

Chris enviara uma mensagem a Patrice e agora estão sentados no aconchego do Le Pont Noir, onde o único resquício do jazz da noite é uma solitária baqueta repousada sobre um dos bancos de madeira de nogueira no balcão do bar.

Chris e Patrice ocupam um sofá de couro e, em frente a eles, de pernas cruzadas em uma poltrona, está Donna. Parceira de Chris, filha de Patrice.

— O Clube do Crime das Quintas-Feiras? — pergunta Patrice.

— Eles são quatro — diz Donna. — Ibrahim foi quem teve o celular roubado. Ron é o encanador.

— E quem conseguiu dez mil em cocaína?

Donna olha para Chris.

— Elizabeth, imagino?

Chris assente.

— Imagino que sim — responde. — Quer dizer, não dá para descartar a Joyce.

— Mas isso não é tudo ilegal?

— Muito.

— E vocês não teriam problemas se isso fosse descoberto?

— Mãe — começa Donna —, eu recebi uma ligação de um encanador dizendo ter achado cocaína e um cartão de banco roubado num apartamento. Ele ouviu gritos. Fui ao apartamento e havia mesmo cocaína e um cartão de banco. Prendi o rapaz em flagrante no local. Chris e eu o interrogamos. Ele negou tudo...

— O que eles sempre fazem — interrompe Chris.

— O que eles sempre fazem. Nós consideramos que as provas eram suficientes para autuá-lo e foi o que nós fizemos.

— E como vai ser no tribunal? Quando o encanador for chamado a testemunhar e virem que ele não é encanador?

Donna dá de ombros.

— Imagino que Elizabeth tenha pensado nisso.

Patrice ergue seu copo de uísque e os cubos de gelo tilintam em saudação.

— Eles parecem uma turma e tanto. Adoraria conhecê-los.

— Você é segredo nosso, por enquanto — diz Chris.

— Ah, é? — provoca Patrice, esticando uma das pernas sobre o colo dele.

— Quero que o meu envolvimento com o Clube do Crime das Quintas-Feiras se mantenha limitado. Se eles conseguem plantar cocaína na caixa de descarga da privada de alguém, nem quero pensar no que fariam com a minha vida amorosa.

— Que fofo, você disse "vida amorosa", não "vida sexual" — comenta Patrice.

— Para de falar de sexo, mãe. Chega de ficar se gabando.

— Quis dizer minha vida pessoal — corrige Chris.

— Tarde demais, agora já foi — diz Patrice.

— Aquele pessoal já começaria a planejar nosso casamento — continua Chris.

— Que horror — rebate Patrice, com uma sobrancelha erguida.

— Mãe, para de fingir que quer se casar com o Chris só porque tomou dois uísques. Não faz eu me arrepender de ter apresentado vocês dois.

— E alguma notícia da Elizabeth, aliás? — pergunta Chris a Donna.

— Nem um pio — diz Donna, checando o celular. — Seria de esperar que ela estivesse amando essa situação. Ryan Baird em prisão temporária.

Chris olha para o relógio.

— Bem, são dez e meia e você sabe como aquele povo é. A uma hora dessas, já estão todos na cama.

— Por falar em cama... — diz Patrice, encarando Chris e brincando com seu colar.

— Ah, meu Deus, mãe, não me faz vomitar! — Donna termina seu uísque, balançando a cabeça.

31

Vejamos então qual é a de Elizabeth Best. A grande heroína do Serviço. Seria mesmo tudo isso que falam dela?

Sue Reardon não consegue evitar comparações com a mulher sentada à sua frente. Elizabeth Best. Cabelo grisalho, casaco de *tweed*. Rosto impassível. O que Elizabeth sabe? Ou o que está disposta a revelar?

Ambas carregam mortes nas costas. Por bons motivos, claro, mas mesmo assim. Daí surgem afinidade e respeito. Mas também desconfiança. Elizabeth conhece cada uma das artimanhas e Sue Reardon precisará bolar novas para obter o que precisa. Que seja.

A sala é pequena, como sempre costuma ser.

Claustrofobia, esse é o objetivo. As paredes têm revestimento metálico até a altura da cintura; daí para cima, concreto. Sem janelas, mas com câmeras em todos os cantos. Por serem espessas, as paredes abafam as conversas. Passam a impressão de que o lugar sobreviveria a uma explosão nuclear, e de fato a ideia é essa. Lance James anda de um lado para outro junto à parede do fundo.

— Pare quieto, pelo amor de Deus, isso não ajuda ninguém — diz Elizabeth.

— Desculpe — diz Lance.

Lance James não é o tipo que permanece parado quando pode ficar de pé e caminhando. É subordinado a Sue, do Serviço de Bote Especial, mas ela sabe pouco a seu respeito. É discreto e esforçado e, para Sue, isso é o suficiente. Tem quarenta e poucos anos e mantém bravamente a aparência de razoável para boa.

Mas o cabelo louro já rareia, logo ficará ainda mais ralo e grisalho e então desaparecerá. Toda uma vida de salas apertadas, tocaias, noites maldormidas e estresse; Sue já viu muito homem bonito degringolar ao longo do tempo. Ela dá cinco anos a Lance, no máximo.

Sue estivera sentada com Elizabeth e sua amiga Joyce no banco de trás da van sem janelas durante todo o trajeto até ali. As duas foram vendadas ao serem conduzidas até a sala. A intenção era esconder delas o destino final, mas Elizabeth sabia muito bem onde se encontravam. Godalming. "A Casa", como era chamada. Nas câmaras de isolamento três andares abaixo do solo. Ela sabe que Elizabeth deve ter interrogado gente nesta mesma sala em sua época de MI5. Deve ter se sentado na mesma cadeira em que ela está sentada agora. De lá para cá, a sala recebeu umas melhorias, retocaram a pintura cinza no teto. Na época de Elizabeth, não havia câmeras, também, o que devia ser melhor para todos.

— Não se vê muita gente com o nome de Lance hoje em dia — comenta Joyce. — É uma tradição de família?

— Pois é — diz Lance.

Sue percebe quanto toda a experiência entusiasma Joyce. Ela cochilara na van enquanto Elizabeth, sem dúvida, mantinha-se atenta ao tempo transcorrido e à direção em que iam, mas gostara em particular de ser vendada. "Bem, estou percebendo que estamos subindo num elevador agora", dissera enquanto desciam até o andar subterrâneo.

Lance se recosta contra a parede e cruza os braços diante do tórax musculoso.

— Você então recebeu uma mensagem de Douglas Middlemiss — diz Sue. *Vamos começar por aí.* — A que horas exatamente isto teria acontecido?

— Não sei — responde Elizabeth.

Ela não vai querer entregar tudo. Ou nada, se for possível. Tudo bem. Devagar e sempre.

— E você pode nos mostrar a mensagem? — pergunta Sue, a polidez em pessoa. Sue é sempre polida em interrogatórios. Os raivosos perdem a paciência bem antes de você.

— Sinto muito, mas está no meu celular.

— E cadê seu celular? Não estava na sua bolsa. Estranhamos.

— Ah, nós não os carregamos para todo lado, Sue — comenta Joyce. — Carteira, chaves, um pouco de maquiagem só para garantir e uma boa sacola de mercado, ninguém precisa de mais do que isso.

Sue faz um aceno com a cabeça para Joyce. Elas atuam em dupla, então. Preciso ficar de olho nessa Joyce também, pelo visto. Como essa mulher é pequena e formidável! Exatamente o tipo que você gostaria de despachar de paraquedas atrás das linhas inimigas com uma arma e uma máquina de decifrar códigos. Volta-se de novo para Elizabeth.

— Queria saber onde ele estaria, Elizabeth.

— Bem, eu gostaria de lembrar — responde ela.

— Você não se lembra de onde está o seu celular? — indaga Lance, atrás dela. Já era hora de ele dar sinal de vida.

— Lamento, mas o dia chega para todos nós, meu querido — diz Elizabeth.

— Teve uma vez que procurei o meu pelo apartamento todo — comenta Joyce. — Falando sério, devo ter levado uns vinte minutos nisso. E estava na minha mão o tempo todo.

— Não desejaria isso a você, Lance — diz Elizabeth. — Valorize sua juventude.

Lance finalmente desencosta da parede. Caminha até elas e ocupa o assento ao lado do de Sue Reardon. Esta se inclina para a frente e se dirige a Elizabeth.

— Imagino que esteja no seu apartamento.

— É onde seria de esperar — concorda Elizabeth.

Sue faz que sim com a cabeça, satisfeita.

— Parece o mais provável, não é? Você então não tem objeções a que eu envie uma equipe para lá com o intuito de fazer uma busca?

— As regras hoje em dia não exigem que se deixe tudo impecável após uma busca? — pergunta Elizabeth.

— As regras sempre foram essas — declara Lance.

— Sim, mas agora é preciso cumpri-las, não é? O Tribunal Europeu de Justiça está botando as manguinhas de fora.

— Tudo ficará impecável — garante Sue. O que estaria naquele celular? Mensagens? Ou fotografias?

— Bem, nesse caso, vá em frente. Está precisando mesmo de uma arrumação. Vai ser divertido para o Stephen, uma gangue entrando no apartamento na calada da noite. Ele é um bom anfitrião.

— Talvez ela tenha até deixado comigo — intervém Joyce. — Querem dar uma olhada no meu apartamento também? Em especial no banheiro.

— Por ora, na ausência do celular, você consegue lembrar o que dizia a mensagem? — pergunta Sue. — As palavras exatas?

Elizabeth assente e recita de memória:

— Poppy e eu fomos transferidos para a avenida St. Albans, nº 38, em Hove. Ficaria grato se pudesse me encontrar lá. Tem algo que quero mostrar para você.

— Você então se lembra das palavras exatas da mensagem — observa Lance. — Mas não de onde deixou o celular.

Elizabeth dá uma batidinha na cabeça.

— Meu palácio tem muitos quartos. Alguns são mais empoeirados do que outros.

Sue repara que Lance não consegue esconder um sorrisinho. Essas duas são mesmo umas figuras.

Sue assente de novo.

— Pobre senhora, como deve ser horrível. E essa era a mensagem inteira? Mais nada?

— Bem, dizia também para eu ir sozinha, mas achei que Joyce gostaria de me acompanhar.

— Obrigada — diz Joyce. — Gostei mesmo. Até certo ponto.

— E você faz alguma ideia do que ele queria te mostrar?

Elizabeth hesita. Olha para as câmeras. Ao olhar de novo para Sue Reardon, já se decidiu.

— Para ser sincera, parti do pressuposto de que queria me mostrar os diamantes.

— Você crê que estavam com ele?

— O que mais poderia ser? — pergunta Elizabeth.

— Isso supondo que ele tenha roubado os diamantes, para início de conversa — argumenta Lance. — E não temos provas disso.

— Bem — diz Elizabeth —, sei que deveria ter avisado antes, mas sei que ele os roubou. Ele me contou.

— Quando ele contou isso, Elizabeth? — pergunta Sue, ainda calma.

— Ah, uns dias atrás, talvez — responde Elizabeth.

Sue não se espanta. É claro que Douglas contou a ela. Confiava nela. Amava-a.

— Mas os diamantes não estavam com ele no esconderijo, Elizabeth. Ele foi revistado. Antes de chegar lá. Enquanto estava lá. E depois de alguém explodir os miolos dele. Portanto, o que mais ele desejaria mostrar para você?

— Talvez quisesse mostrar a Elizabeth uma chave, um código ou uma charada — palpita Joyce. — Para ela descobrir onde os diamantes estavam. Eu sou péssima com charadas. Como é aquela do homem que só consegue mentir e do homem que só consegue dizer a verdade?

Sue percebe que Joyce aguarda uma resposta e o faz dando de ombros, como quem diz "Sei tanto quanto você, minha senhora".

— Muito bem pensado, Joyce — diz Elizabeth. — E agora, é óbvio, quem quer que tenha matado Douglas e Poppy, suponhamos que tenha sido o Martin Lomax, é quem vai ficar com essa informação. Seja uma charada ou não. Portanto, Martin Lomax pode vir a recuperar seus diamantes.

— Mas será que o Martin Lomax é a única pessoa com um motivo para matar o Douglas e a Poppy? — pergunta Joyce.

— É claro — afirma Sue.

— Todo esse dinheiro. Vinte milhões. Todos nós gostaríamos desse dinheiro, não é?

Há um consenso de que, sim, todos gostariam. Estão em algum lugar. Mas onde?

— E, como a Elizabeth poderá argumentar, havia duas pessoas na casa na noite em que o roubo dos diamantes ocorreu — continua Joyce. — O Douglas e o Lance. E creio que a gente esteja acreditando na palavra do Lance muito facilmente. Sem querer ofender, Lance, mas não conhecemos você, não é? Quem vai garantir que você não viu o Douglas roubar os diamantes? E não quisesse dar um jeito de botar as mãos neles?

— Bem, eu não pretendia dizer isso com todas as palavras — diz Elizabeth —, mas agora o coelho saiu da cartola. E já que estão mesmo nos filmando, vale a pena entrar no assunto.

— Entrem à vontade — diz Lance. — Não tenho nada a esconder.

— É quase certo que não — concorda Elizabeth. — Mas você estava na casa na noite do roubo. Sabia onde Douglas e Poppy estavam escondidos. É provável até que tenha sido você quem designou a Poppy para o trabalho, o que foi uma escolha fora do comum.

— Talvez estivesse até mesmo mancomunado com ela — continua Joyce.

— Conjectura total, é claro — acrescenta Elizabeth. — Mas posso ter a certeza de que será tudo investigado?

— Ah, vai ser tudo investigado — diz Sue. Agora está mais no estilo dela. — O Lance com certeza será considerado suspeito e devo acrescentar mais um nome à lista. Talvez a única outra pessoa que sabia da presença do Douglas em Coopers Chase e na avenida St. Albans. Confidente e ex-mulher do falecido. Uma mulher treinada em arrombamentos e invasões, treinada para matar, uma mulher que convenientemente não sabe onde deixou o telefone celular. Seria suspeita também, você não acha?

— Sem dúvida — concorda Elizabeth. — E você também, Sue. Imagino que todas as habilidades que eu tinha você também tenha, e talvez mais algumas, desenvolvidas de lá para cá. Digamos que você suspeitasse que o Douglas tivesse roubado os diamantes.

— Digamos, então — confirma Sue. Ela gosta de ver que a conversa está se desenvolvendo lentamente. Uma chance de observar Elizabeth um pouco melhor. Começar a decifrá-la.

— Ou digamos que você já soubesse. Digamos que você e Douglas fossem mais do que colegas. Não teria sido a primeira pessoa que ele seduziu.

— Digamos que nem todas cometeriam o mesmo erro que você — rebate Sue. Tática de ataque interessante a de Elizabeth.

— *Touché!* — diz Elizabeth. — Mas vinte milhões de libras dando sopa de repente? E só um homem sabe onde estão? Talvez fosse tentador.

— Imaginaria que sim — reconhece Sue. — Muito tentador.

— E você, é claro, teria tido todas as oportunidades para matar o Douglas e a Poppy. Sabia onde eles estavam, teria acesso, teria a confiança deles. Instalá-los por lá era sua responsabilidade e sem dúvida limpar a sujeira será também.

Sue assente.

— Estou começando a desejar que tivesse pensado nisso. E você?

— Acho que teria pensado numa maneira de fazer sem matar ninguém — responde Elizabeth.

— Espero que estenda a mim a cortesia profissional de imaginar que eu também — diz Sue. — Trabalhei com o Douglas por quase vinte anos.

— Meus pêsames — diz Elizabeth. — Mas, embora a gente concorde que todos nesta sala, à exceção da Joyce, poderiam ter assassinado o Douglas, me parece que uma visita ao Sr. Lomax talvez caísse bem.

— Você não vai visitar o Martin Lomax em hipótese alguma — instrui Sue. — Com ele, lidamos nós.

— Claro — concorda Elizabeth. — Não visitar Martin Lomax. Vamos ter que tentar lembrar disso, Joyce.

— Entendido — responde Joyce, assentindo.

— Mas, Elizabeth — acrescenta Sue —, você disse que o Douglas tinha alguma coisa para mostrar a você.

— Sim, falei.

— Bem, encontramos isto aqui no bolso do casaco dele. — Sue enfia a mão num saco de provas e tira um medalhão de prata. Dentro, um espelho e mais nada. Significaria alguma coisa para Elizabeth? — Seria o que ele queria mostrar a você?

Ela percebe que Elizabeth reconheceu o objeto de imediato. Mas é claro.

— Tem o seu nome gravado.

Elizabeth pega o medalhão. Sopesa-o na mão e abre-o para ver o espelho. Sue vê que Elizabeth está pensando. E sabe bem o que está pensando.

Sue sorri para ela.

— Muito comovente, Elizabeth. Ele devia amar muito você.

— À maneira dele — concorda Elizabeth.

— Sorte sua — comenta Sue. — O amor de um bom homem. Ou de um homem, ao menos.

Elizabeth sorri para si.

— Bem, é meia-noite — diz Sue. — E vocês têm que ir dormir.

E Sue ainda tem um último trabalho esta noite. Não é agradável, mas é necessário. Lance conduz Joyce e Elizabeth para fora da sala. Sue ficará de olho nelas de agora em diante.

32

Joyce

Já falei alguma vez sobre Maureen Gilks? Imagino que não, sem querer ofendê-la. Mora em Ruskin Court. O marido trabalhava com motocicletas e ela às vezes aparece para recolher donativos para a lojinha da British Heart Foundation.

Certa vez, dei a ela uma blusa e, na minha visita seguinte a Fairhaven, vi a roupa na loja. Achei o máximo. Mandei uma foto para a Joanna e tudo o que ela respondeu foi "Bom, o que você achou que iam fazer com ela, mãe?". Enfim, quando voltei a blusa não estava mais lá, o que também é ótimo, embora eu não tivesse o que fotografar dessa vez.

Pois bem, a Maureen Gilks tem um sobrinho chamado Daniel ou David. É ator. Do jeito que ela fala, parece que está indo muito bem, ainda que eu nunca o tenha visto em nada. Nem num episódio do inspetor Morse que seja.

Alguns anos atrás, o sobrinho passou por um transplante de cabelo. Já ouviram falar desse tipo de coisa? Uma vez assisti ao Dr. Ranj falar a respeito no *This Morning*. Tiram cabelo da nuca e enxertam no alto e, abracadabra, acabou a calvície.

Pelo visto, funcionou que foi uma maravilha, e o Daniel parecia dez anos mais novo sem ninguém sequer reparar no truque. Tudo isso segundo a Maureen, a propósito, não se fiem por mim.

Na verdade, nem sei por que comecei por este assunto hoje. Deixe eu voltar um pouco. Ando bem cansada.

Douglas e Poppy estão mortos.

Elizabeth e eu fomos a Hove e, devo dizer, lá estava bem mais cheio do que eu esperaria para uma terça-feira. Será que ninguém mais trabalha? Douglas queria mostrar alguma coisa a Elizabeth. Entramos numa casa na avenida St. Albans (perto da piscina King Alfred, sabem onde é?) e lá estavam os dois, mortos a tiros.

O Douglas ainda dá para aceitar, creio, mas a Poppy, que coisa horrível. Fiquei muito triste, apesar de eu hoje em dia procurar não me entristecer demais.

Três dias atrás, ela estava aqui na sala de casa. Muita injustiça morrer com vinte e poucos anos e tanto ainda por curtir. Beijos, passeios de barco, flores, casacos novos. E todos os poemas que ela nunca vai ter a chance de ler para um namorado novo? Esperar justiça dessa vida é receita para endoidar de vez, mas quem quer que tenha matado a Poppy levou embora algo lindo.

Siobhan, a mãe dela, vinha nos visitar hoje e eu estava preocupadíssima de ser a pessoa que seria obrigada a lhe dar a notícia. Contudo, por ela ser a parente mais próxima, contaram de imediato e a coitada está indo identificar o corpo.

Ela me enviou uma mensagem que terminava com emojis de uma papoula e de uma margarida, foi muito comovente. Respondi dizendo que continuávamos querendo recebê-la e tentei acrescentar uma papoula e uma margarida também, mas apertei o ícone errado e foram uma papoula e uma árvore de Natal. Espero que ela compreenda.

Temos de lidar com dois assassinatos agora. Três, contando o Andrew Hastings, mas esse a gente sabe quem foi.

Sempre que entro num quarto hoje em dia tenho a sensação de que vou encontrar o corpo de alguém. Mais cedo pensei em ir até o quarto de hóspedes ajeitar as almofadas, mas fiquei com medo.

Creio que não vamos conseguir nos divertir com Sue e Lance da forma como nos divertimos com Chris e Donna e a polícia de Fairhaven. É uma pena. Mas, com certeza, vamos nos esforçar ao máximo. A gente acaba dobrando as pessoas.

Por falar no Lance, lembrei por que estava falando da Maureen Gilks e do sobrinho no início! Dá para ver que o cabelo do Lance está ficando ralo e fiquei pensando se não deveria mencionar esse negócio de transplantes para ele. Dá para ver que se trata do tipo de homem para quem o cabelo conta muito. Fiquei esperando uma brecha na conversa ou um momento de papo aleatório, mas o momento certo não veio. Toda vez que surgia uma pausa e eu pensava "bem, é agora", a Sue mencionava alguma coisa sobre os ferimentos à bala da Poppy ou o sangue espirrado por trás da cabeça do Douglas. Simplesmente não tive chance.

Portanto, espero rever logo o Lance, porque esse tipo de coisa, quanto mais cedo se faz, melhor. Foi o que a Maureen Gilks me disse. Deixa eu procurar no Google esse sobrinho dela.

Ok, voltei. Nada. Tentei *Daniel Gilks ator* e *David Gilks ator* e não apareceu um resultado sequer. Talvez o primeiro nome esteja errado. Ou ele não seja um Gilks. Pois é, não sei nem o nome nem o sobrenome e não sou tão boa assim de Google para contornar esse problema.

A propósito, mandei mensagem para a Nigella no Instagram sobre suas salsichas em melaço preto. Ela não respondeu, mas, como eu sei que vive para lá e para cá o tempo todo, está perdoada. Também postei minha primeira foto. É só a minha caixa de correio, porém alguém chamada @sparklyrockgirl respondeu "show essa foto" e me seguiu. Pois é, tenho uma seguidora agora. Há que começar de alguma forma.

Eu me pergunto se Elizabeth está triste pelo Douglas. Como nunca tive um ex-marido, não saberia dizer. Percebia que ela não gostava muito dele, mas Elizabeth não gosta da maioria das pessoas e ainda assim não sai se casando com elas. Douglas ainda a amava, isso dava para ver. E o medalhão dela estava no casaco dele, o que foi muito emocionante.

Ela deve estar triste, sim. E não pode mais conversar sobre nada com o Stephen, sobre isso então muito menos. Eu ainda tenho Joanna com quem conversar. De manhã vou mandar uma mensagem de texto para ela contando que vi três cadáveres, fui vendada e interrogada pelo MI5. Nos últimos tempos minhas fofocas andavam sendo "não sei quem está com catarata" ou "apareceu uma raposa no galinheiro". Vejo que ela está se afastando e não tenho como culpá-la.

Mas sobre os vinte milhões não vou contar. Não sei por quê. Bem, eu sei; ela vai ter alguma opinião e não estou no clima para as opiniões da Joanna.

Imaginem se acharmos os diamantes. Não digo que a gente vá, só digo imaginem. É provável que quem descubra onde estão seja o Martin Lomax; já deve ter achado eles, aliás. Ou o MI5 vai achar. Ou a máfia.

Mas digamos, por um momento, que a Elizabeth, o Ron, o Ibrahim e eu os encontremos. Com a gente nunca se sabe.

Cada um ficaria com cinco milhões.

Fico pensando o que faria com cinco milhões.

Preciso de novas portas para o terraço, custam em torno de quinze mil. Apesar de o Ron conhecer alguém que as faria por oito.

Poderia comprar vinho de 14,99 libras em vez do de 8,99, mas será que eu ia notar a diferença de gosto?

Talvez dar algum dinheiro a Joanna? Ela já tem bastante. Antigamente eu lhe dava vinte libras para sair com amigos e os olhos dela brilhavam. Eu amava aquilo. Será que brilhariam igual por um milhão de libras? Provavelmente não. Provavelmente ela aplicaria o dinheiro em algum fundo ou algo assim.

É, não preciso de cinco milhões de libras, mas ainda assim é com isso que vou sonhar esta noite, tenho certeza. Vocês também sonhariam, não sonhariam?

33

Disseram-lhe para fazer uma pequena mala pois precisaria acompanhá-los. Já estava feita.

Os policiais estariam esperando lágrimas, mas ela não conseguira fazê-las brotar. Será que a julgariam? Achariam que não amava Poppy? Que era uma péssima mãe? Siobhan supõe que tenham visto todo tipo de reação possível nesta vida. Deveria simplesmente ser ela mesma. Quem quer que fosse naquele momento.

A viagem pareceu longa, mas Siobhan não conseguira dormir. Os dois policiais haviam falado um pouco no carro. Queriam saber se ela estava bem. Não, não estava. Se precisava de algo. Se esse "algo" fosse para comer ou beber, não, não precisava. E se estaria disposta a fazer a identificação naquela noite. Bem, para ser sincera, não fazia ideia. Haviam demonstrado solidariedade algumas vezes, e ela agradecera em cada uma delas.

Chegaram a Godalming logo depois da meia-noite. Apesar da hora avançada, passaram por uma van na longa subida até a casa. Na direção oposta, afastando-se dali.

Sue Reardon e Lance James se apresentaram. Ambos foram educados, mas que alternativa teriam? Sue era exatamente como ela esperava. Exatamente o tipo que havia imaginado.

E agora todos atravessam um longo corredor em um edifício que um dia deve ter servido de estábulo. Lance vai à frente. Dá para ver que ele não sabe o que dizer. Se ela estivesse em seu lugar, também não saberia.

Sue Reardon dera o braço a Siobhan. Com certeza este não era o protocolo, mas há horas para se cumprir o protocolo e esta não é uma delas. Siobhan fica grata pelo gesto. Sabe o que a espera. O que precisa ser feito.

Lance tira do bolso uma chave eletrônica e abre uma grande porta de metal. Bate nela ao entrar. Uma lufada de ar gelado se projeta detrás da porta e invade o corredor. Sue Reardon hesita por um momento e olha nos olhos de Siobhan.

— Está pronta?

Siobhan faz que sim.

— Estou aqui se precisar de mim.

Sue deixa Siobhan entrar primeiro no recinto. Ela sente calafrios quando o ar gelado a envolve.

A sala é pequena e funcional. Há duas mesas compridas e em cada uma jaz um corpo encoberto por um pano. O da esquerda deve ser Poppy, pois há uma médica bem ao lado. Ao menos Siobhan supõe que seja uma médica. Ela veste jaleco branco, luvas cirúrgicas e máscara. Seus olhos são ternos, o que quase faz Siobhan chorar pela primeira vez. Não precisa de ternura no momento.

Lance se encosta na parede dos fundos, um homem num recinto onde não deseja estar. Siobhan repara que ele começou a esfregar as mãos uma na outra para se aquecer, por reflexo, mas que pensou melhor e preferiu plantá-las atrás das costas. Uma das mãos de Sue está no cotovelo dela.

— Esta é a Dra. Carter, Siobhan.

A Dra. Carter a cumprimenta com um aceno de cabeça, e Siobhan se vê forçada a desviar o olhar de seu semblante caridoso.

— Sinto dizer que sua filha sofreu lesões traumáticas. Vou ter que lhe pedir para se preparar.

Siobhan assente. Chegou a hora.

A Dra. Carter puxa o lençol verde-claro que cobre o corpo e, ao ver o cabelo louro revolto começando a surgir, Siobhan sabe que terá que desligar uma parte de si. Uma parte que talvez jamais recupere.

Pouco sobrara do rosto, mas era o suficiente. O suficiente para uma mãe identificar a própria filha. Siobhan se volta para Sue e faz que sim com a cabeça.

— É a Poppy.

E é quando Siobhan começa a chorar. Ela sabia que o choro viria. Ninguém devia ter que passar por isso. Sue leva uma das mãos a seu ombro.

— Siobhan, só preciso lhe fazer mais algumas perguntas. Por causa das lesões. Há alguma outra característica marcante que você possa nos descrever?

Siobhan engole em seco.

— Ela tem uma cicatriz longa bem atrás da panturrilha esquerda. Foi arame farpado, na ilha de Wight. E no punho esquerdo tem um calombo. Ela quebrou jogando hóquei. E a porcaria da tatuagem.

Sue volta o olhar para a Dra. Carter, que concorda com um aceno.

— Obrigada, Siobhan — diz Sue. — Quer passar mais algum tempo aqui? Ninguém está com pressa.

Siobhan não quer se voltar de novo para o corpo que jaz logo atrás de si. Já viu demais. A imagem em sua mente permanecerá lá até ela morrer.

— Ou podemos ir para um lugar mais quente, talvez? Tomar um chá?

Entre lágrimas, Siobhan assente. Vira-se uma vez mais para o corpo. A Dra. Carter cobriu de novo o rosto de Poppy. O cabelo louro continua exposto. Com delicadeza, Siobhan estende a mão e acaricia uma mecha solta.

Lance, Sue e a Dra. Carter permanecem em silêncio enquanto ela acaricia o cabelo louro e chora.

Lesões traumáticas, pensa Siobhan. Bem, é a verdade.

Siobhan afasta a mão do corpo e Sue a envolve com um braço.

— Vamos tirar você daqui — diz Sue.

Siobhan observa a figura na outra mesa.

— E aquele é o outro? O tal do Douglas? — pergunta ela.

— Sim — responde Sue. — É o Douglas.

— E alguma pobre alma vai ter que vir aqui identificá-lo também?

Sue balança a cabeça em negativa.

— Felizmente não — responde. — Não há parentes. Vai ser por impressões digitais, arcada dentária, o que quer que tenhamos na ficha.

— Bem, que Deus o abençoe — diz Siobhan, e Sue a conduz para fora da sala.

34

Elizabeth rearruma alguns dos enfeites que a equipe do MI5 pusera no lugar errado durante a busca no apartamento. Prefere que tudo esteja no seu devido lugar. O pescador de Delft que Stephen comprara numa feira hippie em Bruges, bem ao lado do distintivo da polícia de Penny, por sua vez ao lado do cartucho soviético despedaçado que Elizabeth resgatara do radiador de seu Triumph Herald após uma desavença em Praga, em 1973. Eram muitas memórias.

Sua última lembrança, o medalhão de Douglas, está em sua bolsa e lá permanecerá.

Elizabeth ficou surpresa por Sue tê-la deixado levá-lo. Era uma prova, sem dúvida.

Se bem que, Elizabeth imagina, uma vez checado para ver se não havia uma mensagem oculta, Sue deve tê-lo achado inofensivo. Foi uma gentileza sua deixar que Elizabeth ficasse com ele.

Já fazia trinta e tantos anos que não o via. Para ser sincera, mal se lembrava dele. Quando Sue o mostrara, ela tentara se lembrar do que havia dentro. Uma mecha de cabelo? Uma foto de Douglas fumando despreocupado? Mas não, claro, o espelho.

Quando fora que ele a presenteara com o espelho? Acredita que tenha sido na época de Londres. A relação deles fizera aniversário? Ou teria ela pegado Douglas pulando a cerca? Por um motivo ou por outro, ele lhe comprara o medalhão. “Barato não foi”, revelara ele. E o espelho era o mais puro papinho: “Me parece injusto”, dissera ele, “que só eu tenha o privilégio de olhar sempre que quero para o seu rosto lindo. Por isso eu queria que você visse o que eu vejo". Elizabeth não caíra naquela, disso tem certeza, mas ficara tocada da mesma forma.

O medalhão ficara para trás quando Douglas ficara para trás, e, desde então, ela não se lembrara dele nem uma vez. Por que diabos ele o teria guardado? E por que diabos estaria no casaco dele quando morreu? Seria isso mesmo o que pretendia mostrar a ela? Sempre fora dado a gestos românticos. Teria sido aquele um último ato de amor?

A primeira coisa que fizera ao chegar em casa, evidentemente, fora catar uma chave de fenda para arrancar o espelho. Tinha certeza de que haveria uma mensagem oculta por trás dele. A localização dos diamantes? Bem, este, sim, teria sido um último ato de amor, muito obrigada, Douglas.

Mas não havia nada atrás do espelho. Nenhum mapa de tesouro, nenhum código oculto. O medalhão, no fim das contas, era só um medalhão, e o ato de amor, somente um ato de amor. Douglas nunca deixava de surpreendê-la.

Antes de ser conduzida ao banco de trás da van em Hove, Elizabeth havia usado o celular de Joyce para contatar Bogdan. Sem hesitar, ele viera passar a noite na casa dela para tomar conta de Stephen. Teria cancelado algo importante? Elizabeth não tem a menor ideia do que Bogdan faz quando não está trabalhando. Está na cara que passa parte de seu tempo na academia e no tatuador, mas, fora isso, é um mistério.

Elizabeth pensa em Martin Lomax. É óbvio que foi ele quem matou Douglas e Poppy, não é? Óbvio demais? Será que deveriam dar uma passada para vê-lo? Se o medalhão não trazia a chave do segredo, teriam que começar sua busca por algum lugar.

Stephen está adormecido e Bogdan, pacientemente sentado junto ao tabuleiro de xadrez.

— No começo ele estava dormindo, sabe como é o Stephen — comenta Bogdan. — Mas aí precisaram revistar seu quarto e eu acordei ele.

— E ele levou numa boa? — pergunta Elizabeth. Ela sopesa na mão o distintivo de Penny. Sua lembrança mais recente.

— Ah, ele adorou. Ficou perguntando o que estavam procurando, ajudando o pessoal a procurar, contando histórias.

— Eles arrumaram tudo direitinho — diz Elizabeth.

— Bom, eu tive que ajudar um pouco. Eles estavam atrás do quê? Pode me contar?

— Estavam atrás do meu celular. Queriam ver a mensagem que o Douglas tinha me enviado. Mas eu tinha tirado algumas fotos dos cadáveres e não queria perdê-las.

Elizabeth inteirara Bogdan sobre as mortes de Douglas e de Poppy. Bogdan meneara a cabeça e dissera "entendi" um monte de vezes.

— É, a gente nunca sabe quando vai precisar de fotos de cadáveres — concorda Bogdan. — Mas seu celular não está aqui? Eles olharam em um monte de lugares.

— Não, está atrás de um tijolo solto num muro baixo em frente ao nº 41 da avenida St. Albans, em Hove — responde Elizabeth. — Você me faria o imenso favor de ir até lá depois pegar para mim?

— Claro.

— Guardou o endereço?

— Claro — diz Bogdan. — Eu me lembro de tudo.

— Obrigada.

— E eu entreguei pro Ron a cocaína no píer, como você pediu.

— Você é mesmo uma maravilha, Bogdan — diz Elizabeth.

— Verdade — diz Stephen, que acordou, olhou para o tabuleiro e moveu o bispo. — E deu a cocaína ao Ron no píer. Ótimo isso também.

Bogdan estuda o tabuleiro.

— Meninos, me deem licença. Tenho uma ligação a fazer. Bogdan, se você estiver livre, preciso que me leve de carro para encontrar um sujeito que faz lavagem de dinheiro internacional, pode ser?

— Para isso eu arranjo tempo — diz Bogdan.

Ela vai para o quarto. A cama está impecavelmente arrumada. Dado que Stephen voltara a dormir depois que o MI5 terminara seu trabalho, só pode ter sido Bogdan. Ela pega o telefone fixo e disca o número de Chris Hudson. Ele atende no quinto toque. Devagar para os padrões dele.

— Inspetor-chefe Chris Hudson.

— Chris, é Elizabeth. Só para saber do Ryan Baird. Se houve alguma novidade com relação ao caso.

— Você quer saber se por acaso a gente encontrou cocaína e um cartão de banco na privada dele?

— Algo assim.

— Ele está sendo acusado de posse com intenção de venda. E roubo.

— Olhem só que apropriado. Você e a Donna podem nos contar tudo amanhã. Vai ter vinho na casa da Joyce.

— Poxa, não posso amanhã, vou estar trabalhando.

— Não, não vai, Chris, eu já chequei.

— Como foi que você che... não, nem precisa responder. Ok, desculpe, mas vou estar ocupado amanhã.

Elizabeth escuta ao fundo a voz de uma mulher perguntando "É a Elizabeth?". Veja só, essa deve ser a namorada misteriosa. Ninguém gosta de ser bisbilhoteira, é claro, mas já fazia mais ou menos um mês e nada de Chris apresentá-los a ela. Elizabeth pensa rápido. Como lidar com a situação? Joyce vai ficar furiosa se não obtiver o máximo de informação possível.

— Ah, tudo bem, qual vai ser o programa? Algo especial? Vai beber com amigos?

— Só uma noite tranquila... espera um instantinho. — Chris põe a mão por sobre o bocal e ela escuta o som abafado de uma pergunta. Soa como "Tem certeza?".

— Alô. — Surge na linha uma voz feminina. — Você é a Elizabeth?

— Sim, sou a Elizabeth. Com quem estou falando?

— Patrice, a nova namorada do Chris. Se é que a idade me permite ser "nova" em alguma coisa. Isso muda a partir de quando? Não sei, mas Chris e eu temos planos para amanhã. Quem sabe numa próxima vez?

— Claro, seria ótimo numa próxima vez, Patrice, que bom enfim conversar com você.

— Digo o mesmo, Elizabeth, ouvi falar muito de você.

— Bem, gostaria de poder dizer o mesmo. Mas mistério é muito importante, não é? — Elizabeth tenta identificar o sotaque. Sul de Londres? Lembra um pouco o de Donna.

— Mas não é? Talvez continuemos por mais algum tempo com esse nosso mistério, se não houver problema. Mas adorei conversar com você.

— Eu também, querida. Despeça-se do Chris por mim.

— Pode deixar. Logo nos veremos, tenho certeza.

Patrice desliga e Elizabeth fica encarando o fone por um instante. Foi colocada no seu devido lugar e gostou disso. É exatamente esse o tipo de mulher de que Chris precisa em sua vida. E, se ela gosta de Chris, e Chris gosta dela, Elizabeth gostaria de conhecê-la. Será que Donna ajudaria, talvez? Será que convenceria os dois a ir à casa de Joyce? E lá poderiam oferecer a Patrice algumas taças de vinho e assim conhecê-la mais a fundo.

Verificação. Era o nome que davam no Serviço.

A cabeça de Stephen surge na porta.

— Um pessoal dos seus apareceu aqui ontem à noite, estava para contar a você. Espiões pela casa toda, atrás disso, daquilo e não sei do que mais.

— Eu sei, sinto muito, meu amor.

— Não, longe disso. Foi ótimo. O que quer que quisessem, não acharam. Eu falei para eles: se Elizabeth não quiser que vocês achem alguma coisa, não vão achar. Simples assim, não percam seu tempo, ela conseguiria esconder presentes de Natal num barco a remo. Não sabia aonde você tinha ido, achei que às compras, mas já era tarde.

— Joyce e eu estávamos conversando.

— Falei a eles para voltarem sempre. Para espiões a porta está sempre aberta. O que houve? Mataram alguém?

— Duas pessoas foram mortas.

— Espiões?

— Sim.

— Ótimo. Mas o que eu estava fazendo mesmo, meu amor?

— Jogando xadrez com o Bogdan.

— Ah, que bom. Ele fez ovos mexidos. E deu cocaína ao Ron. Que bom camarada. Vou voltar a jogar com ele. Deixo você com seus espiões assassinados.

Dois espiões assassinados. Dois espiões assassinados. Elizabeth pega o telefone e liga de novo para Chris Hudson. Desta vez, ele demora ainda mais para atender. São sete toques. Tempo suficiente para uma discussão sussurrada sobre se devem atender ou não. É evidente que ele já reconhece o número fixo dela.

— Pois não, Elizabeth.

— Ah, olá, Chris. Desculpe, mas você pode passar para a Patrice?

— Patrice?

— Sim, querido, por favor, e sem querer ofender.

Uma pausa, de novo a mão dele sobre o bocal e uma conversa abafada.

— Alô, Elizabeth — diz Patrice.

— Alô, querida, desculpe incomodá-la de novo. Não sei o que vocês vão fazer amanhã.

— De fato — diz Patrice.

— E não é da minha conta, é claro. Mas o que eu vou lhe contar ainda não contei ao Chris.

— Eu vou lhe dar trinta segundos, Elizabeth. Eu estava recebendo uma massagem.

— Ah, que bom para o Chris — comenta Elizabeth. — Vou vender meu peixe então, meu bem. Ontem à noite dois espiões foram mortos a tiros numa casa em Hove. Eu estive lá. Não vai ser assunto de polícia, foi direto para o MI5, mas eu adoraria conversar com o Chris e saber a opinião dele. E só pensei que, caso queira vir com ele... quem sabe amanhã à noite? Você me parece ser o tipo de pessoa que talvez se interesse pelos detalhes a respeito de dois espiões assassinados. Tenho fotos e tudo, vai ter vinho, e sei que o restante do pessoal vai adorar conhecer você. Mas, como falei, não sei quais são seus planos.

— Bem, a gente estava pensando em ir ao Zizzi's.

Está quase fisgada, pensa Elizabeth. Como fazê-la morder a isca de vez?

— E um dos espiões assassinados, por acaso, era meu ex-marido.

— Ok — diz Patrice. — Nós levamos uma garrafa.

Elizabeth ouve a voz de Patrice falando ao longe "amanhã nós vamos à casa da Elizabeth, gato" e ouve também a resposta de Chris, "claro, eu já sabia".

— Pode ser às seis e meia? — diz Elizabeth. — E pode pedir ao Chris para também convidar a Donna?

— Donna? — pergunta Patrice.

— Sim, não seria a mesma coisa sem ela. Imagino que você e ela já se conheçam.

— Ah, sim, já estive com a Donna — diz Patrice. — Uma ou duas vezes.

— Nos vemos amanhã, querida — despede-se Elizabeth, desligando o telefone.

Patrice já foi apresentada a Donna, então? A coisa deve estar séria.

Certo, e agora é tratar de Martin Lomax.

35

Martin Lomax leva a bandeja com café e biscoitos para sua sala de cinema particular. São vinte assentos de couro diante da tela, que ocupa uma parede inteira. O máximo de gente que o recinto já viu foram quatro pessoas, quando a final da Copa do Azerbaijão coincidiu com uma negociação particularmente vantajosa envolvendo heroína. Martin Lomax trouxera belisquetes e todos pareceram se divertir. Lomax não entendia muito o conceito de diversão, mas tinha talento para se misturar e não estragar a experiência para os outros. Ao menos quando havia dinheiro envolvido.

Aponta o controle remoto para a tela e examina sua coleção de filmes. Não vê sentido algum em assistir a nada disso. É só um bando de gente atuando, como é que as pessoas não percebem isso? Alguém escreve algumas palavras, uns idiotas americanos as dizem e todo mundo vai à loucura. Lomax fora uma vez ao teatro e lhe pareceu um pouco melhor. Ao menos os atores estavam lá. Dava para falar com eles quando se discordava. Fora convidado a se retirar, mas não rejeitaria a possibilidade de voltar um dia.

Passa por uma infinidade de filmes a que jamais assistirá, embora a essa altura já reconheça um monte de títulos. Por fim, para em outro que também não vai ver. O nome é *O Tesouro de Sierra Madre* e dá para ver pela foto que é em preto e branco. Preto e branco? Como as pessoas eram estúpidas. Seleciona o filme e navega pelo menu até "Legendas". Surge uma lista de idiomas e Martin Lomax a percorre até encontrar "Cantonês". Ele a seleciona. Na mesma hora, ouve os três toques eletrônicos familiares e a tela de cinema desaparece teto adentro. Um arco-íris adorna a parede atrás dela. Martin Lomax posiciona suas digitais nas duas extremidades do arco-íris. Mais três toques eletrônicos e uma porta de correr se abre. Martin Lomax pega sua bandeja e caminha para dentro do cofre.

Martin Lomax tem o hábito de tomar café com biscoitos no cofre. É uma experiência adorável, desde que não se danifique alguma das cédulas ou das pinturas de valor inestimável enroladas e empilhadas contra a parede do fundo. Acabou de receber seu primeiro Banksy, mas não ficou impressionado. É um rato olhando para um celular. Por que um rato olharia para um celular? Lomax não entende arte moderna, mas aposta que Banksy adoraria saber que seu trabalho era agora valioso o suficiente para ser usado como adiantamento numa negociação internacional de armas. O homem que lhe entregara a pintura, um checheno, dissera que o nome verdadeiro de Banksy era segredo, porém assim mesmo lhe contara qual era. Lomax já o esquecera. Arte era um saco, preferia mil vezes ouro. Ninguém precisava compreender o ouro.

O cofre também era um lugar dos mais silenciosos, graças às paredes de quase dois metros de espessura. Daria facilmente para matar alguém ali dentro. Pensando bem, já acontecera uma vez. Na época foi uma confusão.

Lomax mergulha um cookie com gotas de chocolate no café. Hoje é o primeiro dia da semana de apresentação do jardim. O que as pessoas achariam do terreno? Muito enfeitado, muito cultivado? Não cultivado o suficiente? Será que choveria? Diz o Google que as probabilidades são de 0%, mas como eles lá poderiam saber? As pessoas viriam? Será que comprariam seus brownies? Será que alguém tentaria entrar na casa? Logo descobririam ser impossível, mas e se conseguissem se aproximar o bastante para perceber os lasers e as microcâmeras nos cestos suspensos? Ele deixará um livro para comentários no pagode, e pode ser que passe a segunda-feira dando uma olhada no que escreverem. Será que as pessoas assinarão? Talvez ele deixe um espaço para que coloquem também os endereços. Se houver algum comentário desagradável, a pessoa pode acabar recebendo uma visita.

Lomax toma um gole de seu café e nota alguns farelos de cookie boiando. O café é colombiano, assim como era o homem que tomou o tiro de pistola de dardo no cofre daquela vez. O chefe do homem — o responsável por matá-lo, imagina-se que tivesse as suas razões — havia perguntado a Lomax se poderia enterrar o corpo nos jardins, mas, como já havia coisa suficiente enterrada por lá, Lomax recusara educadamente. O chefe fora compreensivo e Lomax, como uma forma de se desculpar, ajudara a arrastar o corpo até o helicóptero.

Se Lomax vender todos os brownies, talvez lucre setenta libras. Vai gastar esse dinheiro com o quê?

No geral, Martin Lomax gosta de seu trabalho. É muito bem remunerado, e, ainda que o dinheiro não seja tudo, nem de longe, ele já foi pobre e já foi rico e prefere ser rico. Há variedade, os dias jamais se repetem, o que é psicologicamente saudável. Num dia, tudo corre às mil maravilhas, você devolve algumas barras de ouro a um búlgaro e a coisa termina em sorrisos e apertos de mão; no outro, alguém bota uma bomba num carro em Cabul e a pessoa X corta os dedos da pessoa Y, todo mundo cobra seu dinheiro, sua pintura ou seu cavalo de corrida e Martin Lomax se vê na maior correria. A ausência de rotina de fato o ajuda a manter a mente ativa. E o melhor de tudo: trabalhar de casa. Todo mundo sabe como funciona. Não, Martin Lomax não irá até Monte Carlo, Beirute, Doha ou Buenos Aires. Se puder evitar, Martin Lomax não viaja nem até o supermercado. Não. *Você* vem até Martin Lomax — seja "você" um chefe militar, um traficante ou um alto executivo.

Mas, às vezes — só de vez em quando, bate na madeira —, o trabalho é estressante, e esta é uma de tais ocasiões. Ele abre o laptop e liga para o número que recebera em seu celular criptografado. Frank Andrade Jr., a segunda pessoa mais importante de uma das principais famílias da máfia nova-iorquina. Lomax sabe que, se a conversa não for boa, o próximo com quem terá que falar será o pai de Frank. Que, se não lhe falha a memória, tem o mesmo nome. E, se isso ocorrer, Martin Lomax terá que viajar de fato. Provavelmente contra sua vontade, confinado num avião particular.

Os americanos querem saber o que houve com seus vinte milhões de libras em diamantes. Claro, natural que queiram. Martin Lomax crê que o mais importante para eles nem seja o valor — podem se dar ao luxo de perder vinte milhões de vez em quando —, mas a questão da confiança. Há tempos Martin Lomax lhes presta serviços inestimáveis, e o faz com habilidade e discrição. Tem sido uma engrenagem bem lubrificada nas rodas dessas enormes organizações, irrepreensível e acima de qualquer suspeita. Mas e agora?

De repente, o rosto de Andrade domina a tela e ele imediatamente começa a reclamar com Lomax, braços feito um moinho de vento. Dá um soco em sua mesa em Nova York.

— Frank, eu acho que você está no mudo — diz Martin Lomax. — Tem que clicar no microfonezinho. O botão verde.

Frank Andrade se inclina na direção da tela, boca aberta, olhos em busca do botão. Ele o aperta.

— Está me ouvindo?

— Perfeito, Frank. O que você estava dizendo quando deu o soco na mesa?

— Ah, nada — diz Frank. Martin Lomax nunca deixa de se decepcionar com o fato de ele não ter o sotaque forte de Nova York dos gângsteres do cinema. Soa igual a qualquer americano normal. — Só estava criando um clima.

— Não tem necessidade de criar nada comigo, Frank.

— Escuta, Lomax. Eu gosto de você. Você sabe disso. Meu pai gosta de você. Você é inglês, a gente respeita.

— Estou sentindo que vem um "mas" por aí, Frank.

— Bem, pois é — diz Frank. — Se a gente não receber os diamantes de volta até o fim da semana que vem, vamos matar você.

— Ok — diz Martin Lomax.

— Talvez tenha sido você quem roubou, talvez não tenha sido, com isso a gente lida depois. Mas vou pegar um voo e ir até aí encontrar com você, e se até então não estiver com os diamantes, encerramos nossa parceria.

Martin Lomax assente. Como se não bastasse isso, ainda tem que se preocupar se vai haver vaga para todos estacionarem mais tarde. Que dia.

— Eu mesmo vou cuidar do assunto — diz Frank. — Vai ser rápido, prometo. É o mínimo que posso fazer.

— Você nunca se cansa disso tudo? Sabe que não fui eu quem roubou, mas sempre tem que ter esse drama todo. Sei que você responde a um chefe, mas, na boa, pode refletir por conta própria de vez em quando. Não precisa sempre sair matando todo mundo, Frank. Douglas Middlemiss roubou os diamantes de mim...

— É o que você está dizendo — responde Frank.

— Sim, é o que eu estou dizendo. E você trabalha comigo há tempo o bastante para confiar na minha palavra. Agora mesmo estou atrás dele e logo, logo terei notícias para você.

— Não preciso de notícias, Martin. Preciso dos diamantes. E preciso deles no instante em que encontrar você. Senão...

— Senão você vai me matar, já sei. Entendi. E vai ser rápido, sem dor, em sinal de respeito.

— Consiga os meus diamantes — diz Frank.

— Fechado. Beijo na Claudia e nas crianças.

Frank grita para outra direção e se dirige de volta ao microfone:

— Ela mandou outro. Até breve, Martin.

36

Quando Bogdan tinha dez anos, seus amigos o desafiaram a pular de uma ponte. A queda era de doze metros, talvez, direto na correnteza de um rio com pedras por todos os lados. Alguns anos antes, um menino morrera tentando o mesmo salto. Durante algum tempo, o parapeito tivera arame farpado por toda sua extensão, uma iniciativa das autoridades locais para evitar que alguém fizesse a mesma besteira. Mas àquela altura o arame já havia enferrujado, perdido a forma e caído no rio. Ninguém pensara em consertá-lo, pois o dinheiro era curto e a memória também. Fora que a mãe do menino se suicidara pouco depois, então logo a impressão era de que nada jamais acontecera.

Bogdan se lembra de se debruçar na ponte e contemplar a fúria espumante da água e o cinza afiado das rochas. Havia três maneiras principais de morrer caso pulasse. Uma era o simples impacto do corpo contra a água, levando-se em conta a altura. Poderia matá-lo na hora. Seria fácil evitar as pedras que conseguia ver, mas e todas as outras que se escondiam abaixo da superfície? Caso se chocasse com alguma delas, a morte seria certa. E, se conseguisse driblar as duas maneiras, havia a correnteza, feroz e implacável. Ele precisaria de força e sorte para alcançar qualquer uma das margens.

Seus colegas de turma o incitavam, chamando-o de *tchórz*, ou doninha, que era a gíria local para "medroso". Mas Bogdan não estava prestando atenção porque observava a altura da queda. Qual seria a sensação de voar pelos ares? Achava que seria muito boa.

Já na época, Bogdan sabia que não era alguém muito corajoso, e, com certeza, não era irresponsável. Disso ninguém jamais poderia acusá-lo. Bogdan não corre riscos; nunca se deixa levar pela testosterona nem pela insegurança. Apesar disso, ele se lembra de tirar o suéter, o que sua mãe havia tricotado para ele, e escalar o parapeito, para horror dos amigos, subitamente assustados.

A queda era longa.

— Eu apresento o futebol? — pergunta Ron do banco de trás.

De repente, Bogdan é trazido de volta ao aqui e agora. Ao volante do carro, levando Elizabeth, Joyce e Ron para um encontro com um criminoso internacional.

— Não — responde Elizabeth.

Eles não conseguiram chegar a um consenso sobre que rádio escutar, por isso jogavam "Vinte perguntas", tentando adivinhar a identidade de gente famosa. Ron adivinhara a escolha de Joyce, Noel Edmonds, ao obter um "sim" para a pergunta "quando ele aparece, eu começo a gritar com a TV?". Neste momento, encontram-se num impasse na tentativa de adivinhar a escolha de Elizabeth.

— Sou... como é o nome daquele em que eu estou pensando? O ator? — pergunta Joyce.

— Não — responde Elizabeth.

— Podemos desistir? — pede Ron.

— Você vai querer se estapear — diz Elizabeth.

— Fala — solicita Ron.

— Eu era o oligarca russo assassinado Boris Berezovsky — informa Elizabeth.

— Ah... — diz Ron.

— Denzel Washington! — exclama Joyce. — Era nele que eu estava pensando.

Bogdan está com um saco de doces. De doze em doze minutos, o entrega para seus companheiros, pois sabe que assim todos ficarão quietos. Sabe também que não será preciso se preocupar em guardar doce algum para a volta porque aqueles três estarão em um sono profundo.

Haviam conversado um pouco sobre os assassinatos. Ron acha que a máfia matou Douglas e Poppy. Ele perguntara a Bogdan se havia visto *Os Bons Companheiros*. Bogdan dissera que sim e Ron retrucara "então pronto". Joyce acha que algum médico pode estar envolvido de alguma forma e Joyce costuma estar certa. Se bem que, pensa ele ao olhar para a pulseira da amizade em seu punho, tricô ela não sabe fazer.

O que será que Elizabeth acha? Quem poderia saber? Ela vai esperar até ter falado com o tal Martin Lomax.

Fosse só ele no carro, Bogdan estaria dirigindo muito mais rápido. Mas o fato de usarem o Daihatsu de Ron e ainda o respeito de Bogdan por seus passageiros significava que ele permanecia nos 130 quilômetros por hora por todo o caminho. De vez em quando Elizabeth lhe dizia para sentar o pé, mas Ron retrucava: "Vá um pouco mais devagar, Bogdan, aqui não é a Polônia." O que lhe fazia crer que fizera a escolha certa.

Por volta de uma e meia, ele avista as placas que indicam Hambledon. Bem como previa. Nada de GPS, recusa-se a usá-lo. Bogdan vira à direita ou à esquerda quando escolhe virar à direita ou à esquerda. Não é preciso avisá-lo de que a rotatória está próxima.

Hambledon é um belo vilarejo britânico, ainda que ao cruzá-lo Bogdan repare em alguns telhados que precisam de um pouco de atenção.

— Aqui foi disputada a primeira partida de críquete da história — informa Elizabeth.

— Em se tratando de críquete, não deve ter acabado ainda — diz Ron.

Passam por uma escola primária, um pub chamado The Bat and Ball e até por uma placa que indica um vinhedo antes de surgirem os primeiros cartazes indicando o caminho para o "Open Garden" de Martin Lomax. Logo chegam a uma ampla entrada cujo acesso se dá por uma estradinha secundária. Os portões de ferro estão escancarados e placas de boas-vindas foram afixadas às árvores. Bogdan entra e estaciona próximo a uma sebe da altura de uma casa.

Como sempre, seus três passageiros levam um certo tempo para "juntarem suas tralhas".

— Nos encontramos aqui, ok? — diz Bogdan. — Levem o tempo que precisarem.

— Obrigada, querido — diz Elizabeth. — É muito improvável que sejamos assassinados, mas se não tivermos voltado em duas horas vá à nossa procura e arme uma confusão.

— Saquei — diz Bogdan, checando o relógio. Adora falar gírias como "saquei", pois fazem com que se sinta como um local.

— E o folheto diz que tem banheiros, caso você precise — avisa Joyce, puxando o zíper do casaco com capuz até o alto e saindo devagar do carro.

— Não vou precisar de banheiro — garante Bogdan.

— Sortudo — comenta Ron.

E com esta se despedem e Bogdan retorna ao santo silêncio.

Ele volta a pensar no parapeito e no rio furioso. Os amigos implorando para que não pulasse. O suéter tricotado pela mãe era amarelo e ele o vê, dobrado com cuidado a seu lado. Sempre fora bom com dobras.

Ele olhou para baixo uma última vez. Sim, três formas diferentes de morrer, mas de alguma coisa haverá de se morrer algum dia. Ao som dos gritos dos amigos, Bogdan saltou.

Que sensação mágica, aquela!

Quebrou três costelas, mas elas logo sarariam. Havia sido a escolha certa. Sempre soubera disso.

As pessoas adoram dormir, no entanto têm muito medo da morte. Bogdan jamais entendera isso.

37

Joyce

Que dia longo. Acabamos de chegar da visita a Martin Lomax e agora ainda teremos uma reunião na casa do Ibrahim.

Felizmente, dormi durante todo o caminho de volta. Acordei com a cabeça encostada no ombro do Ron. É um ombro bem tranquilizante. Não deixem ninguém saber que eu falei isso.

Lomax não era de forma alguma o que esperávamos. Ou o que eu esperava. Quem passasse por ele na rua acharia se tratar de um advogado ou de alguém que é dono de uma lavanderia a seco mas não trabalha nela. Eu diria que é atraente, se não fosse pelo fato de ser meio chato, e não consigo me sentir atraída por homem chato. Acreditem, já tentei muito. A vida teria sido muito mais simples.

Apesar de que, se tudo que ouvimos for verdade, ele nem é tão entediante assim. Assassinatos, ouro, helicópteros e tudo o mais. Mas, pensando bem, quem precisa de ouro, assassinatos e helicópteros para ser interessante no fundo deve ser chato de doer. Gerry nunca precisou de um helicóptero.

E, de qualquer modo, eu jamais sairia com alguém que matou gente.

Mas só o que estou dizendo é que ele se parece um pouco com Blake Carrington. Só olhar também não faz mal.

Elizabeth, óbvio, sacou qual era a dele logo de cara. Ah, o senhor deve ser Lomax, que jardins lindos, que casa linda, aquilo ali é um pagode?, já foi ao Japão, Sr. Lomax?, ah, tem que ir, precisa ir. Ficou de conversa fiada.

O pobre Martin Lomax pareceu meio ressabiado, mas de repente o objetivo era esse.

Ron aproveitou a deixa. Apontou com a cabeça para a casa e perguntou: "Quanto é que isso aí custou?" Lomax não respondeu, e quando Ron acrescentou "porra, amigo, tem torres de guarda, torres de guarda, porra", ele fingiu ter reconhecido alguém na multidão e pediu licença.

Elizabeth deu o braço a ele e disse pois bem, vamos juntos, que dia lindo, e Lomax tentou se desvencilhar com toda a educação. Mas não conseguiu.

Elizabeth quis saber se poderia lhe fazer algumas perguntas, e Lomax disse que tudo que ela precisasse saber sobre os jardins estava no folheto que recebemos na entrada. E Elizabeth falou, bem, duvido muito que as informações de que preciso estejam no folheto, Sr. Lomax, muito mesmo.

Nesse momento, deu para notar uma certa preocupação no rosto dele. As pessoas não demoram a perceber que Elizabeth não é uma senhora inofensiva. Eu consigo enganá-las por muito mais tempo. Esse dom Elizabeth não tem. Lomax então soltou seu braço, desejou-lhe bom-dia e disse que tinha de cuidar das plantas.

Elizabeth esperou que ele estivesse a alguns metros de distância para perguntar, com a maior calma do mundo: "Só queria saber, antes de o senhor se afastar demais e eu ter de elevar a voz, se o senhor matou Douglas e Poppy por conta própria ou se mandou alguém no seu lugar de novo."

Bem, isso chamou a atenção dele. Lomax se virou — e, juro, ele se parece um pouco com Blake Carrington mesmo — e perguntou quem era ela, e Elizabeth disse: "Bem, aposto que você adoraria saber, não é?" E então disse que eles deveriam conversar pois estavam ambos procurando a mesma coisa.

"E o que você está procurando?", perguntou ele, e Elizabeth disse: "Então vamos conversar a respeito?"

E então, de braço dado com Martin Lomax, ela o afastou da multidão, deu a volta na casa e apresentou-se, e a mim e ao Ron também. Bogdan foi quem nos levou até lá, mas ficou no carro. Ele está aprendendo árabe com uma fita.

Elizabeth perguntou a Lomax se Douglas lhe dissera onde os diamantes estavam antes de tomar o tiro, Lomax disse que não fazia ideia do que ela estava falando, Elizabeth revirou os olhos e disse: "Olha só, vamos ser honestos um com o outro, nós dois já somos gatos escaldados."

Achei que deveria dizer alguma coisa. Não sei por quê, parecia o momento certo, por isso falei "a gente gostava muito da Poppy", ele perguntou "quem é Poppy?", respondi "a que matou seu amigo Andrew, lembra? Você a matou na quarta-feira".

Nesse momento, deu para ver ele meio que desistir. Talvez eu já não lhe parecesse mais inofensiva. Seria bem inconveniente se fosse o caso.

Ele confrontou Elizabeth, disse não saber quem a havia mandado até ali, e ela disse que a gente mesmo resolvera ir e ele olhou para nós e disse que acreditava. Falou então "vou ser sincero, posso confiar em vocês?" e Elizabeth respondeu "na verdade, não, mas se não foi você quem matou o Douglas e se quer seus diamantes de volta, provavelmente somos sua melhor chance". E ele então contou a história.

Sim, os diamantes existiam de fato. Sim, haviam sido roubados. Nesse ponto creio que todos concordamos. Sim, ele descobrira ter sido Douglas o responsável e, sim, o havia ameaçado. Ron comentou "eu também teria, para ser justo", e Lomax agradeceu.

Dava para sentir o cheiro das últimas madressilvas da estação; havia várias subindo pelas paredes externas da casa. O melhor lugar para que cresçam é numa parede voltada para o oeste. Aprendi num programa de jardinagem da rádio. Na nossa família, o jardineiro era Gerry, não eu, mas ainda ouço o programa porque me faz lembrar dele.

Lomax admitiu então ter mandado Andrew Hastings até Coopers Chase. Pelo jeito que falou, só queria assustar Douglas. Forçá-lo a contar onde estavam os diamantes. Foi quando Poppy apareceu, atirou em Andrew Hastings e Lomax se viu com um homem a menos e nenhuma informação a mais.

Elizabeth perguntou como sabia que eles estavam em Coopers Chase e Lomax lhe respondeu que muita coisa vaza do MI5. Perguntei a Elizabeth se era verdade e ela me disse que certamente era na sua época.

Poppy e Douglas então foram levados para outro lugar e Martin Lomax disse que, por não fazer ideia do destino deles, desistira da procura. Elizabeth perguntou se não tentara o MI5 de novo e ele falou que sim, tentou, claro, mas que não recebera informação alguma. Pelo visto, bem menos gente sabia do novo esconderijo.

Lomax perguntou se nós sabíamos onde estavam os diamantes. Garantimos que não. Disse-nos então que, se não aparecessem logo, ele provavelmente seria levado até o mar e assassinado a tiros. E dava para ver que era verdade.

É disso que eu estava falando quanto aos homens chatos e aos empolgantes. Gerry nunca seria levado até o mar e assassinado a tiros, mas era cem vezes mais divertido do que esse Lomax. E Gerry não se parecia com Blake Carrington, mas sabe lá, se parecesse na época, talvez eu não o tivesse fisgado. Um pensamento que não me agrada. Se bem que, dependendo da luz, ele podia se parecer com Richard Briers.

Ron perguntou se podia usar o banheiro e Lomax respondeu que havia um nos estábulos, ao que Ron perguntou se não poderia usar o da casa e Lomax respondeu que de jeito nenhum. Boa tentativa, Ron. Nem acho que ele quisesse bisbilhotar nem nada. Acho que só precisava mesmo ir ao banheiro.

Elizabeth entregou seu cartão a Martin Lomax (desde quando Elizabeth tem cartão eu não sei, isso ela nunca nos contou) e lhe disse que, caso ele tivesse dito a verdade, então tínhamos um interesse em comum: encontrar o assassino. Lomax concordou e Elizabeth lhe pediu que telefonasse se surgisse algo e ela faria o mesmo.

Aproveitei a oportunidade, abri a bolsa e tirei uma pulseira da amizade. Lomax pareceu horrorizado, algo com que estou me habituando, mas expliquei ser uma atividade beneficente e Elizabeth lhe assegurou que eu não iria embora até ele comprar uma. Como eu tinha uma verde e dourada, pensei rápido e disse que o verde simbolizava o jardim e o dourado, o sol. Ia acrescentar que as lantejoulas representavam os diamantes, mas não convém abusar da sorte.

Perguntei para qual entidade gostaria que o dinheiro fosse. Ele deu de ombros. Insisti para escolher uma organização. Ele disse não ter nenhuma favorita. Perguntou para quem as pessoas em geral davam dinheiro e, por estar ao lado de Elizabeth, sugeri a Vivendo com Demência. Ele então me perguntou o preço e falei que era quanto ele quisesse dar. Ele pareceu não entender. Eu disse quanto você puder pagar. Eu estava olhando para a casa quando disse isso.

Com um aceno de cabeça, ele levou a mão ao bolso do casaco e tirou um talão de cheques. Talão de cheques! Nem eu uso mais isso, e tenho setenta e sete anos. Escreveu a quantia no cheque e o dobrou. Entregou-o para mim desse jeito e lhe dei a pulseira.

Àquela altura, ele me parecia manso como um cordeiro.

Foi quando ele disse: "Terminaram?" Quando dissemos que sim, olhou para cada um de nós como um açougueiro avaliando uma vaca. Foi bem desconfortável.

"Aposto que todo mundo cai, né?", disse ele. "Vocês três, a turminha inofensiva. A polícia, o MI5, todo mundo cai nessa?" Elizabeth admitiu que sim, ao que parecia todos caíam e Martin Lomax assentiu e disse "comigo não funciona, sinto muito. Não estou nem aí se vocês têm dezoito ou oitenta. Mato vocês do mesmo jeito. Estamos entendidos?".

Foi bem assustador, para ser honesta. Às vezes preciso me lembrar de que não se trata de uma brincadeira.

Elizabeth disse que sim, claro, estávamos entendidos e que ele era um homem "admiravelmente não ambíguo".

Lomax disse então que "charme não funcionava com ele" e Ron falou "Gostei de ver!", ao que Lomax respondeu "se encontrarem meus diamantes e não trouxerem para mim na mesma hora, mato vocês. Se apenas suspeitarem de onde estão e não me disserem, mato vocês".

Ele não é um homem de meias-palavras, isso a gente tem que reconhecer. De certa maneira, é um alívio, pois sabemos com quem estamos lidando.

Ele disse então que nos mataria um a um. Apontou para o Ron e disse que ele seria o primeiro. Ron fez um daqueles gestos de "sempre eu". E é verdade, é sempre assim.

"Com certeza contaremos para você, então", disse Elizabeth. "Se os encontrarmos."

Terminou assim. Lomax disse "não é que eu *queira* matá-los" e Ron falou "claro, claro". Lomax continuou com um "mas mato e sem pensar duas vezes", ao que Elizabeth respondeu "mensagem recebida e compreendida".

A essa altura, Ron precisava *muito* ir ao banheiro e, portanto, nos despedimos.

Até fizemos um rápido passeio pelo jardim, já que era de fato muito bonito, e Bogdan nos trouxe para casa depois. Pedi a ele que falasse um pouco em árabe conosco, e ele o fez. Nada de mais.

Elizabeth acredita em Lomax. Acha que ele não matou mesmo Douglas e Poppy. Eu lhe disse que ele não me convenceu e ela falou que era justamente esse o ponto. Mentirosos, como Lomax, sempre soam muito pouco convincentes quando dizem a verdade. É algo a que não estão habituados.

Quem os matou, então? Ela tem uma teoria e convidou Sue Reardon para ir ao vilarejo para testá-la. Sei que não é hora de pedir mais detalhes.

A propósito, quando falei antes que Elizabeth ficou de conversa fiada, não foi como eu fico de conversa fiada. A dela é bem pouco convincente. Muito desajeitada. Gosto de reparar no que Elizabeth *não* faz bem. Não é muita coisa, mas ao menos deixa a gente um pouco mais equilibrada.

Como disse, dormi todo o caminho de volta e só me lembrei do cheque quando entrei em casa. Fiquei toda animada.

Abri e estava escrito "só cinco libras". Bem, muito obrigada, Martin Lomax, que tremenda sorte da Vivendo com Demência.

38

Ibrahim havia sugerido que o encontro da noite fosse na sua casa. Sente-se pressionado a sair do apartamento. A ir fazer coisas. Ron chegou a sugerir que fossem "caminhar um pouco". Logo o Ron! Estão preocupados com ele e Ibrahim não gosta de se sentir assim. Prefere não incomodar ninguém. Ibrahim tem a sensação de estar começando a desmoronar e, neste momento, não vê problema nisso.

— Sabe que eu tenho uma teoria? — anuncia Elizabeth, já três taças de vinho à frente dos demais.

— Você me surpreende, Elizabeth — diz Sue Reardon.

Sue também tem uma taça de vinho na mão, muito embora para ela aquilo seja, ao menos oficialmente, uma reunião de trabalho. Talvez esteja lubrificando as engrenagens. Tanto faz. De qualquer forma, não será páreo para Elizabeth.

— Na vida, Sue, algumas pessoas preveem o tempo. Já outras são o tempo em si.

Elizabeth telefonara para ela na volta de Hambledon querendo saber se estaria livre para vir bater um papo. Sue adorara a ideia e fora de imediato. Ibrahim pedira pizza na Domino's.

— A minha apresentadora da previsão do tempo preferida é a Carol Kirkwood, da BBC — comenta Joyce. — Sempre achei que a gente se daria bem.

Joyce aparecera cerca de meia hora antes dos demais e ela e Ibrahim passaram um tempo na internet olhando fotos de cachorros. Joyce também entrou no Instagram e estava tentando despertar o interesse dele pelo app. Não estava conseguindo até lhe mostrar alguns vídeos de uma mulher decifrando palavras cruzadas crípticas.

— Os meteorologistas — continua Elizabeth —, e nesta sala seríamos eu e o Ibrahim, sempre estão com o dedo levantado para tentar adivinhar a direção do vento. Nós nunca queremos ser pegos de surpresa.

Verdade, pensa Ibrahim.

— Dou um minuto para você sentir a direção em que o meu foi — diz Ron, esparramado em uma das poltronas de Ibrahim, terminando uma fatia de pizza e mergulhando um biscoito de chocolate no vinho tinto.

— Ao passo que a Joyce e o Ron *são* o tempo — continua Elizabeth. — Vocês fazem o que dá na telha, agem de acordo com o que sentem. Fazem as coisas acontecerem sem ficar perdendo tempo pensando em que coisas seriam essas.

— Impossível prever qualquer coisa — declara Ron. — Para que tentar?

— Mas algumas coisas dá para se prever — rebate Ibrahim. — As marés, as estações, a chegada da noite, o nascer do dia. Terremotos.

— Nada disso tem a ver com gente, camarada — diz Ron. — Gente não se prevê. Dá até para imaginar o que uma pessoa vai dizer, mas não passa disso.

Por um momento, Ibrahim se vê de volta à sarjeta, com o gosto de sangue na boca. Tenta repelir o pensamento.

— É bobagem ficar pensando demais em tudo — opina Joyce. — Concordo com o Ron.

— Bem, é claro que você concorda com o Ron — diz Elizabeth, terminando sua taça. — Vocês dois são farinha do mesmo saco.

— Quantas vezes você já não me ligou logo de manhã, Elizabeth, e me disse "Joyce, estamos indo para Folkestone"? Ou "Joyce, vamos a um esconderijo do MI5"? "Joyce, prepara uma garrafa térmica, a gente vai até Londres"?

— Muitas — admite Elizabeth.

— Alguma vez eu pergunto o motivo?

— Não faria o menor sentido, meu bem, eu jamais lhe diria.

— Eu só junto a minha tralha, checo o horário do trem e lá vamos nós. Sempre sei que vai ser divertido. Sem ficar pensando demais.

— Sim, mas sempre é divertido porque eu planejo tudo — argumenta Elizabeth. — Você só precisa se preocupar em saber se vai ser necessário um casaco mais pesado.

Ibrahim percebe que Sue deu uma olhada no relógio. Quando é que vamos voltar ao que importa? É nisso que ela está pensando. O que Elizabeth sabe? Saberia onde estão os diamantes? Foi para isso que Sue foi até ali. Pode esperar sentada, Sue.

— Deixem eu contar — diz Elizabeth aos presentes, evidentemente sem a mínima intenção de falar em diamantes tão cedo. — A primeira viagem que fiz com Stephen foi a Veneza. Ele queria passar o fim de semana vendo arte e igrejas e eu queria passar o fim de semana vendo ele.

— Que romântico! — exclama Joyce.

— Olhar para o homem que você ama não é romântico, Joyce — defende Elizabeth. — É apenas a coisa mais sensata a fazer. Como assistir a um programa de TV de que você gosta.

Ibrahim assente.

— Mas, voltando ao assunto, Stephen disse no caminho, vamos passar todo o fim de semana sem guias turísticos, vamos vagar, nos perder, dobrar uma esquina e descobrir a mágica escondida do outro lado.

— Bom, *isso* é romântico — diz Joyce.

— Não, não é romântico, é muitíssimo ineficiente, isso, sim — rebate Elizabeth.

— Concordo — diz Ibrahim. Olhem de que lhe valeu ser espontâneo.

— Eu conheço o Stephen. Sei que ele não ficaria feliz se não visse *A Adoração do Bezerro de Ouro* de Tintoretto e o retábulo de

Bellini em San Zaccaria. Se não encontrasse um belo bar escondido onde os locais comessem *cicchetti* e tomassem *spritz*. Ele não quer dobrar à esquerda e se deparar com um prédio do governo, ou então à direita e ir parar num beco cheio de viciados em heroína que roubariam seu relógio.

— Tenho certeza de que isso não aconteceria — diz Joyce.

— Bem, é claro que não aconteceria — explica Elizabeth. — Porque eu tinha passado as duas semanas anteriores mergulhada em cada guia turístico existente. Então saímos nós dois para passear de braços dados, vagando a esmo, eu com um mapa perfeito na cabeça, e demos uma sorte enorme de esbarrar com San Francesco della Vigna, olha que surpresa agradável! E depois demos a sorte de passar bem em frente a um barzinho lindo que eu vira no programa do Rick Stein na BBC2...

— Aah, eu gosto do Rick Stein — diz Joyce. — Não gosto de frutos do mar, por isso não iria ao restaurante que ele tem. Mas dele eu gosto.

— E então, vejam só, dobramos uma esquina, nos deparamos com a Madonna dell'Orto e nos enchemos de Tintorettos e Bellinis. Foi a viagem perfeita e, até onde o Stephen sabia, tudo havia sido o mais mágico dos acidentes. E isso porque ele é o tempo e eu, a pessoa por trás da previsão do tempo. Ele acredita em destino, eu *sou* o destino.

— Gerry e eu nunca planejávamos nossos fins de semana — diz Joyce. — E sempre nos divertíamos muito.

— O Gerry planejava tudo e nunca contou a você — replica Elizabeth. — Porque, para você, as coisas são mais divertidas quando não são planejadas e, para ele, eram mais divertidas quando eram planejadas. O melhor é ter os dois tipos em cada relacionamento.

— Não é verdade — rebate Ron. — Marlee e eu, os dois eram o tempo.

— Você se divorciou faz vinte anos, Ron — lembra Ibrahim.

— Verdade — aceita Ron, erguendo um pouco a taça.

— Não quero estragar a festa — interrompe Sue Reardon. — Mas aonde você quer chegar com isso, Elizabeth?

Ela está tentando apressar um pouco as coisas, pensa Ibrahim. Mas Elizabeth tem o próprio ritmo.

— Por que eu desejaria chegar a algum lugar? — pergunta Elizabeth.

— Porque você pediu que eu viesse até aqui. E agora me pegou pela mão, me guiou para lá e para cá, e só estou pensando: para onde a gente está indo? O que será que tem na próxima esquina? Por que eu tenho a sensação de estar sendo levada para o beco com os viciados em heroína?

— Bem, não está — responde Elizabeth. — Você está comendo pizza numa sala cheia de aposentados que andam devagar. Que mal poderia acontecer? Eu só estava batendo papo.

Joyce bufa. Ela e Ron reviram os olhos.

— Desembucha — diz Sue.

— Bem, não é nada. É só que hoje fomos visitar o Martin Lomax.

— É mesmo?

— Pois é — responde Elizabeth. — E todos nós acreditamos que ele não matou Douglas e Poppy.

— Entendo — diz Sue.

— Apesar de que eu não fui — avisa Ibrahim. — Por causa dos meus ferimentos. Do contrário, teria adorado ir.

Mentiroso. Ele não queria sair. Não queria ficar em casa. O que lhe restava? Bem, ao menos estava se divertindo esta noite.

— E isso me levou a pensar com um pouco mais de atenção a respeito do Douglas. Não sei se você o conhecia muito bem.

— O suficiente — responde Sue.

Elizabeth assente.

— Bem, seria de imaginar que ele fosse o tempo, certo? A julgar pela forma como entra feito o vento na vida das pessoas. Tendo casos, se divorciando a torto e a direito. Mas não. Douglas era um meteorologista. Douglas planejava tudo. Se Douglas me mandasse uma mensagem dizendo que tinha algo a me mostrar, era porque ele tinha algo a me mostrar. E, se tivesse marcado de me mostrar às cinco, ele iria se certificar de que ainda estaria vivo às cinco. Douglas era muito, muito cuidadoso com as palavras.

— O que você está querendo dizer? — indaga Sue.

— O que estou querendo dizer é: e se o Douglas tiver me mostrado justamente o que queria me mostrar? Se quisesse que eu visse o cadáver dele?

— Exatamente como Marcus Carmichael — acrescenta Joyce.

— Quem é Marcus Carmichael? — pergunta Ibrahim.

— Exato — diz Elizabeth, limpando as manchas alaranjadas de pizza dos dedos com o guardanapo branco. — Sue, posso perguntar uma coisa? Imagino que você mesma já tenha pensado nisso, mas ainda assim.

— Qualquer coisa que quiser — responde Sue. — Quem é Marcus Carmichael?

— Procura o nome, vai haver uma ficha — responde Elizabeth. — Como o corpo do Douglas foi identificado?

— Ih, lá vamos nós — diz Ron, tomando mais um gole de seu vinho tinto. — Eu sabia que você tinha alguma carta na manga.

— Quer saber se temos total certeza de que o corpo era do Douglas? — pergunta Sue.

— É isso mesmo o que quero saber — afirma Elizabeth.

— Você acha que ele forjou tudo e fugiu com os diamantes? — sugere Ron.

— Acho que é uma possibilidade — diz Elizabeth.

— Você deve ter forjado algumas mortes nesses anos, não, Sue? — pergunta Joyce.

— Uma ou duas — admite Sue. — Douglas estava com as mesmas roupas de quando foi visto pela última vez, assim como portando a carteira, os cartões e tudo o mais, mas é claro que ele pode ter armado uma dessas.

— É claro — reforça Elizabeth.

— Mas, hoje em dia, quando não há parentes, tudo é feito através de DNA. A médica coletou uma amostra e o laboratório checou se batia com os registros. Era do Douglas.

Elizabeth bebe e pensa. E finalmente faz que sim com a cabeça.

— Essas duas afirmações não batem, Sue, e você sabe disso. Se o Douglas tinha um plano, ele tinha um plano. Se precisava que o teste de DNA desse positivo, daria positivo.

— Verdade — reconhece Sue.

— Quem ali poderia ter adulterado o DNA? Você cogita alguém?

— Isso eu poderia ter feito — responde Sue. Ela parece pensar. — O Lance também poderia. Forçando um pouco a barra, a médica poderia. Ela não era a nossa médica de sempre, mas é bem experiente. Ou, quem sabe, alguém do laboratório. Tudo agora é interno.

— Em quarenta anos de enfermagem, a gente aprende que é sempre o médico — acrescenta Joyce, esticando o braço para encher a taça de vinho branco.

— É possível, então, que não seja o Douglas? — pergunta Elizabeth.

— Sim, é possível. Dependeria de uma cadeia de acontecimentos improváveis, mas é possível — admite Sue.

— Mas os planos bons são assim, não são? — diz Elizabeth. — Eles se baseiam numa sequência de eventos tão improvável que despistam a gente. Quem se daria a todo este trabalho? Eu tentaria me safar de algo dessa forma. Você também. E, da mesma maneira, o Douglas. Tudo é questão de... complicar.

— Ele devia estar tendo um caso com a médica — propõe Joyce. — Ele tinha casos com todo mundo, Sue. Sem ofensa, Elizabeth.

— Ok — declara Sue. — Digamos por um momento que você esteja certa, Elizabeth.

— Isso costuma poupar tempo — diz Ron.

— Por que o Douglas desejaria que você visse tudo? O cadáver, até? Se eu estivesse forjando minha morte, iria querer você o mais longe possível da cena do crime.

— Nisso concordo com a Sue — comenta Ibrahim. — Você seria a primeira a perceber tudo.

— Algo a ver com os diamantes? — pergunta Sue. — Ele precisava da sua ajuda para pegá-los?

— Não sei — diz Elizabeth, dando de ombros. — Se bem que, se eu estiver certa quanto a ele estar vivo, então não *precisava* da minha ajuda. Ele *precisa* dela.

Sue assente.

— Joanna fez uma assinatura do Netflix para mim — diz Joyce, terminando sua última fatia de pizza. — Tem muita coisa lá, mas não consigo me entender com os horários. Não acho em lugar nenhum.

— E você vai ajudá-lo? — pergunta Sue a Elizabeth, ignorando Joyce.

— Não. Vou tentar achar os diamantes, claro, mas lamento dizer que o Douglas está sozinho nessa. Você não concorda? Caso ele tenha feito o que acho que fez? Caso tenha matado a coitada da Poppy e forjado a própria morte?

— Essa é uma baita suposição — diz Ron.

— Sim, concordo — responde Sue. — Mas e se você estiver certa? E aí? Ele teria deixado alguma pista para você? Eu sei que você queria examinar aquele medalhão que a gente deixou ficar com você. Mas haveria algo menos óbvio que o medalhão? Algum *lugar* menos óbvio?

— Olhe... sei lá — diz Elizabeth. — Mas, sim, é com essa suposição que eu estou trabalhando. Queria me assegurar primeiro de que você não achasse a minha teoria esdrúxula demais.

— Esdrúxula ela é — confirma Sue. — Mas neste trabalho nada é esdrúxulo demais. Vou voltar direto para lá e dar uma checada discreta no processo sem chamar muita atenção. Posso manter a investigação em banho-maria por alguns dias enquanto a gente reflete sobre isso.

— Acho que o Douglas escondeu os diamantes em algum lugar — diz Elizabeth. — E sei que em algum momento ele me disse exatamente onde. Só tenho que me lembrar de como e quando ele me contou.

— Então nós duas temos trabalho a fazer — diz Sue. — Devo conseguir ganhar tempo para você, mais ou menos uns três dias.

— Continuo a achar que foram a máfia e o Lomax — opina Ron. — O tamanho da casa daquele malandro!

— Continuo a achar que foi a médica — contrapõe Joyce.

— Sabe de uma coisa? — diz Sue. — Se tivessem me dito três meses atrás que eu iria trabalhar com Elizabeth Best, eu nunca teria acreditado. Mas aqui estamos nós.

Joyce alcança a garrafa e volta a encher a taça de Sue.

— Bem-vinda ao Clube do Crime das Quintas-Feiras!

Fazem tim-tim com as taças. O resto da noite transcorre de forma bastante amena. Algumas histórias de guerra são contadas, Sue mudando nomes e datas das suas sempre que necessário, Elizabeth sem se dar ao trabalho. Sue veio com a pulseira da amizade que Joyce lhe dera; é sempre bom agradar quando se vem em busca de informações, pensa Ibrahim. Joyce deixa com Sue um envelope para entregar a Lance. Sue, afinal, boceja como quem está pronta para ir embora.

— Me conte se algo acontecer a você? — pergunta Sue.

Elizabeth assente energicamente.

— Quando eu souber, você vai ser a primeira a saber. Talvez ele queira que eu o ajude, mas, levando tudo em conta, prefiro capturá-lo.

Douglas forjou a própria morte? Ibrahim gosta dessa teoria. Percebe que Sue também. Era implausível, mas possível. A combinação perfeita.

— Está bem, então. Estou indo — diz Sue. — Você sabe onde me achar.

— E dê uma checada na doutora, por favor — lembra Joyce.

— Pode deixar.

Depois que ela vai embora, os quatro amigos se acomodam de novo. Taças de vinho são reabastecidas. Ron dá um pulo até o banheiro.

— Conversar com a Sue foi uma boa ideia — diz Ibrahim a Elizabeth. — Sei que em geral você prefere manter essas coisas só para si.

— Eu precisava saber mais sobre o processo de identificação — explica Elizabeth. — Ver se de fato é impecável. E não é.

— Ela me lembrou você — observa Joyce. — Com uns vinte anos a menos, sem ofensa.

— Longe disso — responde Elizabeth. — Ela também me faz lembrar de mim mesma. Não que ela seja assim *tão* boa, mas não é má.

— Então, você acha que ela consegue decifrar onde o Douglas deixou a pista? — pergunta Ibrahim.

— Ah, eu sei onde foi. Percebi isso hoje de manhã.

Ibrahim aquiesce. Era óbvio.

— Sabia que você estava escondendo alguma coisa — comenta Ron, de volta à sala. — Pobre Sue.

— Não quis incomodá-la com isso — explica Elizabeth.

— Elizabeth, você é perversa às vezes — diz Joyce, sorrindo.

— Além disso — acrescenta Elizabeth —, e se meu palpite estiver errado? Eu não iria ficar com a cara no chão?

— Desde quando você dá palpite errado? — questiona Ron.

— Na verdade, acontece bastante — afirma Joyce. — Mas ela sempre fala com confiança. É como uma consultora.

— Isso mesmo, Joyce — confirma Elizabeth. — Posso estar certa, posso estar errada. Mas quem se anima a ir dar uma volta no bosque para saber a verdade?

— Oba, lá vamos nós — diz Ron, esfregando as mãos.

— Agora? — pergunta Joyce. — Sim, sem dúvida.

— Você não pode ir para o bosque de chinelo, Ron — observa Ibrahim.

— Ah, para de ser tão meteorologista — retruca Ron, vestindo o casaco. — Para o bosque e avante, velhos amigos.

39

Joyce

Já é amanhã de manhã, se é que me entendem, e acabei de voltar da loja. Mais a respeito disso já, já. Minha bolsa e meu guarda-chuva estão prontos, à espera, na mesa da entrada. Mais a respeito disso já, já também.

Elizabeth acha que Douglas forjou a própria morte. Pelo visto, não chega a ser incomum no ramo dela. Matou alguém, deu um jeito de que o corpo fosse identificado como sendo o seu e fugiu com vinte milhões. Quem vai saber ao certo? Mas, sem dúvida, um trabalho bem-feito.

Todos nos reunimos ontem à noite na casa do Ibrahim. Elizabeth queria submeter a teoria dela a Sue Reardon. Ibrahim, por sinal, já se movimenta melhor, mas parece triste, o que não combina nada com ele. Digo, ele sempre pareceu melancólico, a não ser quando estava escrevendo uma lista ou explicando algo, mas é muito raro vê-lo triste de verdade.

Preciso dar um jeito de tirá-lo do apartamento. Botá-lo de volta ao volante do carro dele. Melhor dizendo, do carro do Ron. Vocês entenderam.

Tivemos uma noite agradabilíssima. Nada de especial, mas não precisa ser sempre assim, não é? Um ano atrás, talvez parecesse estranho receber alguém do MI5, mas já começo a esperar por esse tipo de coisa. Sue Reardon também parecia um pouco triste, achei. Imagino que esteja vivendo um momento difícil no trabalho, com tudo o que houve.

Estou aprendendo que às vezes é importante parar e se permitir um drinque e uma fofoca com amigos, mesmo quando os cadáveres começam a se empilhar ao seu redor. E, nos últimos tempos, isso tem acontecido bastante.

Tudo com o devido equilíbrio, é claro. Mas, falando de forma geral, na manhã seguinte os cadáveres vão continuar onde estão. Não se deve deixar que estraguem a sua pizza da Domino's.

Não conversamos muito sobre o caso até Elizabeth começar com a tal história de Douglas e a meteorologia. Foi a deixa para Sue Reardon, e aí Elizabeth entregou tudo. A história completa, Douglas forjando a própria morte e tudo. A mim soa meio complicado. Como ele teria feito isso?

Apesar de que se você não se esforçar um pouco para embolsar vinte milhões de libras, vai se esforçar pelo quê nesta vida?

Percebi que Sue não descartou a ideia de cara. Ela sabe que Elizabeth tem a cabeça no lugar e creio que também queria acreditar na hipótese. Quem está investigando algo deseja que todo tipo de coisa seja verdade, caso isso lhe ajude.

Senti orgulho de Elizabeth por ter compartilhado sua teoria e, depois que Sue foi embora, estava preparada para dizer que achara muitíssimo maduro uma vez na vida não guardar todas as informações para si quando ela nos contou que tinha algo a nos mostrar e sugeriu uma caminhada pelo bosque. Ah, Elizabeth...

Tenham em mente também que passava das dez da noite e eu já havia dito "bem, hoje foi ótimo" mais de uma vez.

Juntamos nossos trapos, Ron foi em casa pegar uma lanterna e Ibrahim, que não quis ir, nos desejou boa sorte. Dei-lhe um beijo na bochecha e disse que ele parecia bem. Ele vai saber que quis dizer o oposto. Somos amigos o suficiente para isso.

Enquanto subíamos a colina, Elizabeth entrou nos detalhes de como havia matado a charada.

Quando Douglas estava em Coopers Chase, ela subira aquela mesma trilha com ele, Poppy na cola dos dois com fones de ouvido. Pobre Poppy, acho que, dessa história toda, é só com ela que me importo. Não tenho problema com o assassinato de Andrew

Hastings. O que vem fácil vai fácil, e esse era o trabalho dele. Quem trabalha na peixaria vai cheirar a peixe. E Douglas? Bem, caso esteja morto, é provável que tenha sido merecido também. Mas não deveria ter sido assim com Poppy e sinto muito que ela tenha sido envolvida nisso...

Elizabeth e Douglas haviam parado perto de uma árvore. Paramos ao lado da mesma árvore ontem à noite. Quando Ron apontou a lanterna, deu para ver um grande buraco no tronco. Ron estava feliz da vida. Gerry ficava igualzinho com uma lanterna na mão.

Já ouviram falar no termo "ponto de entrega"? Coisa de espiões. Um lugar público e acessível onde dá para esconder alguma coisa sem o risco de alguém encontrá-la por acidente. O Espião A deixa algo para o Espião B, talvez um microfilme ou algo assim. O Espião B caminha a esmo pela margem de um canal — só um exemplo —, ergue um pedaço bambo da cerca — de novo, só um exemplo — e pronto.

Quando Elizabeth e Douglas passaram pela árvore, ele lhe dissera que o local seria um ótimo ponto de entrega e que o lembrava de outro que haviam usado antes. Elizabeth concordara na ocasião e nunca mais pensara no assunto.

Bem, isso não é bem verdade. Quando Elizabeth para de pensar em alguma coisa, não é mesmo? Pois agora estava convencida de que Douglas chamara sua atenção para a árvore por alguma razão. De que havia escondido algo por lá.

E, como muitas vezes acontece, estava certa.

Ela pediu a Ron que apontasse o facho da lanterna bem para dentro do buraco e... adivinhem o que achamos?

Eu sei o que vocês estão pensando. Estão pensando que achamos os diamantes. Lamento, mas seria sorte demais. Tenham certeza de que, se fossem os diamantes, este relato teria começado de forma bem diferente. Logo de cara haveria algo do tipo: "Acabamos de achar diamantes no valor de vinte milhões de libras." Eu não teria me estendido sobre a lanterna do Ron ou o Ibrahim ter me parecido triste. Teria ido direto ao ponto, sem rodeios. Falaria só de diamantes.

O que achamos não foi tão bom, mas foi *quase* tão bom.

Elizabeth tirou de lá uma carta escrita em papel imaculadamente branco guardada num saquinho Ziploc. Para mantê-la seca, é claro. Devo admitir que essas sacolinhas são uma mão na roda. Tenho uma gaveta cheia delas. A carta estava dobrada, com o nome dela escrito a mão na frente. Segundo Elizabeth, era a letra de Douglas. Antigamente a gente sabia como era a letra uns dos outros, não é?

Ela retirou a carta do invólucro e a desdobrou. Era papel caro, vocês sabem como é, não se acha em qualquer lugar. Papel caro vem de árvores mais caras ou só é produzido de forma diferente?

Elizabeth leu a carta em silêncio e depois a releu em voz alta para que ouvíssemos. E, quando vocês ouvirem também, saberão o que vamos fazer hoje. Saberão direitinho por que deixei a garrafa térmica e o guarda-chuva na mesinha da entrada.

E, por sinal, a razão de eu ter acabado de voltar da loja é que eles têm uma máquina de xerox por lá. Tirei uma cópia da carta para cada um de nós quatro e mais duas, caso Chris e Donna se interessem pelo assunto mais para a frente.

Cada xerox custa trinta pence! Não consigo entender por quê. E ainda por cima precisei tirar cópias extras, já que, nas duas primeiras vezes, pus a carta na posição errada. Que aborrecimento. E quem vai saber para onde vai esse dinheiro? Contei ao Ron no caminho de volta e ele ficou todo alvoroçado.

Deixei a original com Elizabeth e ela me pareceu bem cansada, o que não é comum no caso dela. Se bem que fomos todos dormir muito tarde. Em todo caso, ela estava enfim usando a pulseira da amizade que lhe fiz. Disso eu gostei.

Minha cópia da carta está aqui na minha frente agora. Eis o que está escrito:

Cara Elizabeth,

Eu nunca duvidei de você nem por um momento, sabichona. Sabia que acharia esta carta.

Ponho as cartas na mesa: provavelmente devo desculpas por roubar os diamantes e dar início a todo este circo. É que todo mundo tem seu preço e, pelo jeito, o meu é vinte milhões de libras. Realmente, vinte milhões dando sopa e eu, um dinossauro, perto da aposentadoria? Tentar resistir é inútil. Aaah, você entende, não entende?

Dinossauro ou não, ainda tenho as manhas. Velho ou não, ainda me restam alguns anos também. Anos que não pretendo desperdiçar. Aposentadoria não é comigo.

Claro, não deveria ter praticado um roubo, isso é evidente. Você não o teria feito, por exemplo. Mas espero que não sinta inveja de mim pela sensação de aventura. Afinal, você tem tido aventuras aos montes também. Ao menos essa situação fez o sangue voltar a correr pelas minhas veias nestas últimas semanas, e é muito bom sentir isso de novo.

Chega desse lero-lero, vamos falar do que importa.

Se você está lendo esta carta, imagino que uma de duas coisas tenha ocorrido. Fui assassinado, talvez? Alguém me torturou até eu revelar a localização dos diamantes e depois se livrou do corpo? Não é impossível. Com ou sem aventura, eu não aguentaria muita tortura. Além disso, posso muito bem lhes dar a pista errada. Quando se derem conta de terem sido tapeados, já estarei enterrado em alguma mata por aí.

Caso tenha sido assassinado, espero que alguma parte de você sinta falta de mim e que perdoe meus muitos pecados. Os seus eu já perdoei faz tempo. Não sei quem ficaria a cargo de um funeral, a verdade é que não há ninguém com quem eu tenha alguma ligação especial. Um ou outro caso esporádico pelo caminho, mas comigo é sempre assim, não é? Ao longo dos anos, não fiz muitos amigos, e os que fiz já perdi. Se lhe perguntarem, e, sabe-se lá, talvez o façam, minha mãe e meu pai estão enterrados na Nortúmbria. Por favor, certifique-se de que eu seja enterrado o mais longe possível deles. Em Rye, de repente? Lembra aquele fim de semana que passamos lá? A casa de campo?

Há uma segunda opção, claro. Seria mais divertida: eu ter conseguido escapar.

Martin Lomax quer me matar, a máfia de Nova York quer me matar e o Serviço quer mais é lavar as mãos. Neste exato momento não consigo pensar numa maneira de escapar, porém sempre fui habilidoso e quem sabe se vou bolar algum plano? Há uma ou outra ideiazinha que estou matutando.

Portanto, estou morto ou rico e há um jeito fácil de você saber a resposta certa.

Os diamantes estão num guarda-volumes para bagagens. Você sabe que foi a pedido meu que me instalaram em Coopers Chase; portanto, deixei-os nas cercanias para facilitar na hora de eu pegá-los de volta. Ou na hora de você pegá-los de volta, se este acabar sendo o caso, e pode ser que tenha sido.

Minha querida, os diamantes estão no guarda-volumes 531 da estação de trem de Fairhaven. Tenho certeza de que você saberia arrombá-lo, mas a chave está neste invólucro.

Vá e tente a sorte. Se você abrir o guarda-volumes e os diamantes estiverem lá, saberá que estou morto. Se abrir o guarda-volumes e não achar diamante algum, saberá que consegui fugir. Terei ido direto ao nosso velho amigo Franco, na Antuérpia, trocá-los por dinheiro vivo.

Por falar nisso, caso não encontre diamante algum, não lhe escapará que estarei viajando pelo mundo cheio da grana. E, caso isso lhe seja de algum interesse, tenha a certeza de que em algum momento darei um jeito de voltar a contatá-la. Você sabe que eu acharei alguém com quem compartilhar minha vida, mas seria o homem mais feliz do mundo se este alguém fosse você.

Não culpe um velho apaixonado por tentar.

Deus a abençoe, Elizabeth, e sem dúvida a Joyce, Ron e Ibrahim também. Estou imaginando que este segredo ficará entre vocês quatro. Nenhuma necessidade de contar a Sue, Lance e o resto do pessoal, certo?

Imagino quanto tempo terá levado para você encontrar esta carta. Aposto que não demorou muito. Se eu estiver morto, obrigado pela diligência e pela sabedoria. Se estiver vivo, ao menos estarei alguns passos à frente de todos os demais.

Ótimo trabalho o de encontrar este ponto de entrega. Eu sabia que você não deixaria a pista passar. Você sempre foi e sempre será a melhor de todas.

Guarda-volumes 531, estação de Fairhaven. Se os diamantes não estiverem lá, eu estou livre. Se os diamantes estiverem lá, eu estou morto.

Seria esta, então, mais uma carta de um homem morto? Quem sabe? Mas imagino que o sangue esteja a toda pelas suas veias.

Todo o meu amor, sempre.

Douglas

A letra dele é linda, reconheço. Dentro de alguns minutos, Elizabeth e eu vamos pegar o micro-ônibus para Fairhaven. Não conheço a estação, mas é bem grande, pois de lá saem trens para Brighton e Londres. Segundo o site, tem um café Costa, uma WHSmith e um lugar onde se vendem cachorros-quentes de forno e salgadinhos. Há um lounge de primeira classe, que pelas fotos parece um luxo, e um grande Centro de Visitantes. E, é claro, os guarda-volumes para bagagens.

Talvez, portanto, venhamos a encontrar diamantes no valor de vinte milhões de libras. Elizabeth não vai me deixar ficar com eles, sei disso, mas vai ser gostoso tê-los nas mãos por uns instantes. Será que os levaremos para Sue e Lance? Ou para Chris e Donna? Eu adoraria mostrá-los a Donna, seria a minha escolha, mas deve haver um protocolo a seguir.

Ou será que não vamos achar nada? Talvez Douglas nos tenha passado a perna e esteja por aí, à solta. Um velho, eufórico pela liberdade, cheio da grana e desejando que Elizabeth ainda esteja apaixonada por ele.

Só há uma forma de saber, e é entrando no micro-ônibus.

40

Lance James boceja e se coça. Para Sue Reardon no escritório dela, de porta aberta, parecerá que ele está trabalhando. Checando relatórios de inteligência, cruzando referências em manifestos de carga aérea, o tipo de coisa que lhe pagam para fazer. Quando estava no Serviço de Bote Especial, a vida era mais interessante. No entanto, também levava mais tiros e hoje em dia seus joelhos já não lhe permitem levar tiros a cada cinco minutos.

Lance está na internet, olhando casas que não pode comprar. Uma casa de campo em Wiltshire? Aceito. Aquele conjunto de estábulos poderia virar um salão de jogos. E uma cobertura com vista para o Tâmisa? Linda paisagem, mas olhe só para a planta. Onde instalar um cinema particular?

Puro devaneio. A menos quê. A menos quê.

Os vinte milhões mudariam este quadro, não? E estão por aí em algum lugar.

Lance imagina que até mesmo gente com vinte milhões de libras nas mãos ainda olhe casas que nunca conseguirá comprar. A cratera de um vulcão, talvez. Ninguém jamais compra uma casa sem, no fundo, desejar outra dez por cento mais cara.

Dinheiro é uma cilada, com certeza. Mas, na cabeça de Lance, há ciladas piores.

Ele ergue o rosto e vê Sue Reardon através da porta aberta. Está absorta em algo. Será trabalho? Pouco provável. Quem começa a trabalhar antes das onze hoje em dia?

Ela encara a tela do computador com o rosto franzido. Será que sabe de alguma coisa? Estaria desvendando o caso bem ali ao lado?

Mais provável que esteja pedindo um drinque, providenciando cuidados para um parente idoso ou vendo algum pornô. Lance já não se surpreende mais com as pessoas. Em vinte anos de serviço de segurança, já viu de tudo. E aquelas duas setentonas? Qual seria a delas? A mais baixa e menos sinistra ficara olhando para ele como se tivesse algo a dizer. A outra, Elizabeth Best... Na presença dela, Sue parecera deferente e cautelosa. Teriam uma história em comum?

Lance dá outra espiada em Sue. Parece mergulhada em pensamentos. Embora seja provável estar só olhando para a mesma casa em Wiltshire e pensando no que faria com os estábulos. Pensando nos vinte milhões.

No momento, Lance mora num quarto e sala em Balham. Está às turras com a ex por causa da compra da parte dela do apartamento. Ele não tem dinheiro para isso, nem para se mudar, mas ela não quer nem saber. Era um rapaz pobre que comprou um apartamento com uma moça rica, a princípio uma história cheia de romantismo e esperança, nem tanto agora que só se comunicam por meio de cartas dos advogados do pai dela. Por ora, ele paga aluguel a ela. Foi o acordo temporário a que chegaram. Pagar um aluguel que lhe é inviável para alguém que não precisa do dinheiro. Alguém que, até seis meses atrás, lhe dizia todos os dias quanto o amava. Não é o que parece nas cartas dos advogados. Roebuck, Harrington & Lowe não repousam o braço em seu peito nem lhe dão sonolentos beijos de bom-dia.

Teria ela parado de amá-lo? Ou, quem sabe, nunca tenha estado apaixonada por ele? Fosse como fosse, trepara com o empreiteiro do casal e agora namorava um executivo de banco de investimentos chamado Massimo.

A mãe de Lance a adorava. Todos a adoravam. E agora Lance não vê nem mesmo a própria mãe com frequência. Quer apostar que as duas ainda se falam?

Pelo menos Balham era conveniente para quem costuma trabalhar em Millbank, o que em geral é o caso de Lance. Mas nada tinha de conveniente levando-se em conta o ridículo trabalho em Godalming, para onde havia sido deslocado até o fim daquela investigação. Tudo bem ter que investigar dois assassinatos. Mas não se, para isso, é preciso viajar em pé no trem das oito e vinte e um da manhã de Waterloo até Godalming.

E, como se tudo isso não bastasse, seu cabelo está caindo. O superpoder que o ajudara tanto ao longo dos anos, o cabelo esvoaçando diante de seus olhos, no qual passava a mão casualmente ao sair com alguém, ciente de que, não importando de que lado caísse, lhe cairia bem. Pois era a hora de lhe dar adeus. Estava rareando, ficando grisalho e as entradas começavam a aparecer. Justo agora que está solteiro de novo.

Às vezes, quando o autorizam a portar uma arma, a vontade de Lance é só de dar um tiro na cabeça.

Melhor trabalhar um pouco.

Lance sai do site da imobiliária e abre seus e-mails. Como já trabalhou tanto para o MI5 quanto para o MI6, recebe um monte de lixo. Sempre uma mistura de briefings de segurança com os resultados do concurso culinário promovido pelo escritório da China.

Sue acaba de lhe mandar um e-mail. Ela está a cerca de três metros de distância e sua porta está aberta, mas tudo bem. Será que ele poderia checar a ficha da Dra. Carter, aquela do necrotério na outra noite? E lhe mandar um relatório? Claro. Sue está estressada, dá para perceber. Sob pressão para consertar toda aquela lambança.

Nos últimos dias, umas figuras indistintas têm surgido e desaparecido da sala dela. Gente mais ou menos da mesma idade de Sue, pelo visto, talvez sessenta e poucos, mas todos homens e de cargos mais altos. Ainda era essa a realidade, apesar do discurso bonito nos folhetos. Lance sabe ser o mais malsucedido possível para um homem de quarenta e dois anos no MI5. Mas ainda dá tempo de mudar essa situação e a hora para isso é agora.

Depois de ler que o concurso para batizar a cantina do MI6 fora vencido por Priya Ghelani, da divisão antiterrorismo, com o nome "Vai um Espião para Acompanhar?", ele vê um alerta sobre um voo que sairia do aeroporto de Teterboro, em Nova Jersey. Lance clica para abri-lo.

Sue Reardon tinha uma ótima reputação. Se houvesse encrenca, ela a identificava e localizava os encrenqueiros responsáveis pela encrenca. Era dura. Sabia ser brutal. Essa era uma consequência do cargo. Mas esta investigação havia sido desastrosa. Dois agentes mortos a tiros em pleno esconderijo, incluindo o maior suspeito da investigação original? Não era à toa que tantos homens grisalhos entravam e saíam da sala dela.

Um voo havia sido colocado em observação. O nome Andre Richardson consta da lista de passageiros. O avião é um Gulfstream G65R e o voo, proveniente de Teterboro, tem previsão de pouso na base aérea de Farnborough na manhã do dia 8, segunda-feira.

Lance fecha o e-mail, caminha até a sala de Sue e bate na porta. Ela desvia o olhar da tela e fecha o que quer que estivesse olhando. Site de loja de roupas? Pinturas de cavalos?

— Lance?

— Um voo vai sair de Nova Jersey no domingo. Consta na lista de passageiros "Andre Richardson", um codinome conhecido de Frank Andrade Jr. Pousa em Farnborough, que não é tão longe daqui nem da casa de Martin Lomax.

— O homem cujos diamantes foram roubados vai visitar o homem de quem eles foram roubados, então?

— Pois é... — confirma Lance. Está pensando se Priya Ghelani ainda está solteira. Com ou sem cabelo, ele precisa voltar ao jogo. — Quem sabe não retorno semana que vem à equipe de vigilância, senhora? Para nos certificarmos de não deixarmos esta passar.

— Boa ideia, Lance. Eles estão em Andover. Tudo bem para você ficar por lá?

Uma semana inteira longe do apartamento em Balham. Uma semana sem ver o trem nem aquele escritório. Talvez, ao fim de tudo, glória e diamantes.

— Sim, senhora — diz Lance, erguendo a mão para passá-la no cabelo, mas depois pensa melhor.

41

Elizabeth não faz o tipo sentimental, mas ainda assim.

Está a ponto de descobrir se o ex-marido morreu ou não. Conhece — ou conhecia? — Douglas bem o suficiente para saber que ele não teria revelado a verdadeira localização dos diamantes para mais ninguém. Qualquer trilha falsa que tenha aberto só pode ter sido boa. Mais ninguém sabe do guarda-volumes 531. Trata-se de um segredo escondido no tronco oco de uma árvore na colina logo acima de Coopers Chase.

Se os diamantes não estiverem nesse guarda-volumes, estão com Douglas.

Se estiverem no guarda-volumes, significa que Douglas não conseguiu resgatá-los. O que, por sua vez, significa que ele está morto. Que dia!

Se Douglas estiver vivo, é um fugitivo muito rico. E, claro, se Douglas estiver vivo, foi ele quem matou Poppy. Matou Poppy e forjou a própria morte com um cadáver arranjado sabe Deus onde. Um cadáver fresco, note-se, isso não há como negar. Não era como o de Marcus Carmichael, retirado por eles do Tâmisa tantos anos atrás. Como todos tinham suas funções a cumprir, ninguém examinou Marcus Carmichael muito de perto. Elizabeth, porém, vira o corpo de Douglas. De perto. Era um cadáver fresco, sem a menor dúvida. Teria ele, então, matado duas pessoas? Só assim para se safar.

Assim sendo, e olhando para o quadro geral, Elizabeth espera que Douglas esteja morto. Sem querer ofender. Só prefere ter como ex-marido um ladrão morto do que um assassino vivo.

O micro-ônibus está lotado. Um cigarro pende da janela de Carlito, o motorista. Esse grupo não está nem aí se alguém fumar. Em troca, Carlito não dá bola se todos estão usando cinto de segurança ou não. A cena poderia ser nos anos 1970, quando você podia decidir livremente morrer de câncer de pulmão ou num acidente de estrada.

Joyce está calada, o que é atípico para ela. Chega quase a ser irritante.

A princípio, Elizabeth achou que era por causa de Poppy. Joyce e Poppy tinham ficado próximas, isso era certo. Ou será que era por causa de Siobhan? Por estar tão próxima do luto de uma mãe?

É quando Elizabeth percebe que, da última vez em que as duas haviam estado juntas naquele micro-ônibus, Bernard estava no banco de trás. Foi logo antes de Joyce e Bernard se aproximarem. Joyce sente falta dele, embora ele nunca seja assunto de conversa entre elas. O mesmo vale para Stephen ou Penny. Aliás, sobre o que ela e Joyce conversam? A Inglaterra rural passa veloz do lado de fora da janela do micro-ônibus.

— Sobre o que você e eu conversamos, Joyce? — pergunta Elizabeth.

Joyce pensa.

— Basicamente assassinatos, não? Desde que nos conhecemos.

Elizabeth faz que sim com a cabeça.

— Acho que sim. Sobre o que você acha que a gente vai falar quando não houver mais assassinatos?

— Bem, em algum momento a gente descobre, não é?

Joyce olha novamente para a paisagem do lado de fora. Elizabeth não gosta de ver a amiga infeliz. O que uma pessoa normal diz numa situação como esta? O jeito é tentar qualquer coisa.

— Quer falar sobre o Bernard?

Joyce se vira em sua direção, com um breve sorriso.

— Não, obrigada.

Joyce volta o rosto de novo para a paisagem e, sem se virar, pousa a mão sobre a de Elizabeth.

— Quer falar sobre o Stephen? — oferece Joyce.

— Não, obrigada — diz Elizabeth.

Joyce aperta sua mão e não larga. Elizabeth abaixa o olhar para a pulseira da amizade. Que coisa horrível, mas quanto significado tem para ela. A vida de Elizabeth fora marcada por colegas de classe, primos, professores, parceiros de trabalho e maridos. Amigos, sempre fora difícil arrumar. O que um amigo quer de você? O que espera de você? Seu cérebro brilhante nunca conseguira decifrar essas respostas.

Na noite passada, ela e Stephen estavam acordados às quatro da manhã e ele estava se gabando de alguma montanha que escalara quando jovem. Ela então inventara uma montanha ainda mais alta que havia escalado — "sem a ajuda de um único sherpa, querido" — e ele fora um passo além, escalando o Everest sem sherpas nem oxigênio, ao que ela retrucou escalando o Everest com um piano de cauda nas costas e os dois não paravam de rir. Era amor, claro, mas também era amizade. Stephen fora a primeira pessoa que ela conhecera que se recusava a levá-la a sério.

Joyce não a leva a sério, Ibrahim não a leva a sério, Ron com certeza não a leva a sério. Eles a respeitam, ela acha, sabem que podem confiar nela, *cuidam* dela — arrepio! —, mas se recusam a levá-la a sério. Quem imaginaria que era esse o segredo?

Agora, pensando com calma, Chris e Donna também não a levam a sério. Primeiro Stephen, depois o Clube do Crime das Quintas-Feiras, agora Chris e Donna? Por que essa repentina leva de pessoas que se recusavam a se deixar levar por seu brilhantismo casual e sua eficiência curta e grossa?

Ela sabe a resposta, claro. Após conhecer Stephen, passara a *se* levar menos a sério. No momento em que isso ocorrera, uma porta se abrira, possibilitando a entrada de verdadeiros amigos. E eles entraram. Ela aperta de volta a mão de Joyce.

— Sabe de uma coisa? Sim, eu *gostaria* de falar sobre o Stephen. Só que ainda não sei como.

Joyce desvia o olhar da janela e sorri para a amiga.

— Bem, no meu apartamento a chaleira está sempre ligada.

O micro-ônibus estaciona na porta de uma papelaria e todos começam a juntar seus pertences. Carlito gira o corpo em seu assento.

— A gente se encontra aqui em três horas. Não roubem nem pichem nada.

Elizabeth se levanta e faz sinal para que Joyce vá na frente.

— Antes de conversarmos sobre o seu atual marido — diz Joyce, ao passar por ela —, vamos descobrir se seu ex-marido está morto.

— Vamos — concorda Elizabeth. É para isso que serviam os amigos.

A estação ficava a dez minutos a pé da papelaria, na direção beira-mar. No que as lojas começam a rarear, Fairhaven se torna um local menos acolhedor. Elas passam pelo fim de uma rua cheia de garagens-depósito, por onde adolescentes de bicicleta avançam em todas as direções. É outono e Fairhaven começa a se encolher, preparar-se para o inverno, quando não há passeios diurnos nem turistas e todos têm que encontrar maneiras distintas de ganhar dinheiro. Elizabeth sabe que se abrissem aquelas garagens descobririam muita coisa.

Deveria ter mencionado a carta para Sue Reardon? É claro que deveria. Que pergunta estúpida. Mas Elizabeth queria que fosse ela própria a abrir o guarda-volumes. Sue compreenderia. E, se não compreendesse, com o tempo a poeira se assentaria. Suspeita que, se entregar a Sue um saco cheio de diamantes, não receberá muitas reclamações.

Ao se aproximarem da estação, passam pelo Le Pont Noir, onde antes funcionava o Black Bridge. Jason, filho de Ron, lhes contara muitas histórias do Black Bridge. Faz tempo que não o veem. Está namorando Karen, filha de Gordon Playfair, e ao que consta estão muito felizes. Quanto mais amor, melhor, é como Elizabeth prefere pensar atualmente.

Chegam à estação de Fairhaven. É bem como Joyce a descrevera. Apesar de ter mais movimento pela manhã, ainda é um local cheio de vida. Cada um cuidando da própria vida. Estudantes com mochilas nas costas procuram a plataforma certa, homens de terno correm para não perder a baldeação, crianças pequenas em carrinhos de bebê fazem manha querendo lanchinhos.

E, de olho nas placas da estação, uma velha e tola espiã e sua amiga procuram por diamantes no valor de vinte milhões de libras, roubados da máfia de Nova York.

Elizabeth localiza a seta que aponta para "Guarda-Volumes".

42

Ron ocupa o banco traseiro do táxi, ao lado de seu neto Kendrick. Sempre pede que enviem o mesmo motorista, Mark, pois é torcedor do West Ham e tem um adesivo de "Vote no Partido Trabalhista" no vidro traseiro.

Ron acaba de pegar Kendrick na estação. Suzi, sua filha, não saltou, pois estava a caminho de Gatwick. Só deu tempo de Ron lhe perguntar como estava e ela responder "não se preocupe comigo" antes de o trem voltar a andar e só restar a ele e a Kendrick acenar a distância.

Kendrick abraça forte sua mochila e olha de uma janela para outra, animado com cada nova casa, cada nova placa de rua e cada nova árvore.

— Vô, uma loja! — exclama Kendrick.

Ron olha.

— Isso mesmo, Kenny.

— Me chama de Kendrick, vô — pede o menino.

— Sempre chamei você de Kenny. É mais rápido.

— Vô, dá no mesmo.

— Não, é mais rápido — insiste Ron.

— Na real, não é — responde Kendrick, esticando-se para a frente e espremendo-se contra o cinto de segurança para atrair a atenção de Mark, o taxista.

— Não tenho nada a ver com isso, Ron, mas o número de sílabas é o mesmo.

Nem um torcedor do West Ham para ajudar. As pessoas são muito moles quando se trata de crianças.

— Chamo você de Ken, então. Aí é mais rápido.

— Que tal me chamar só de Kendrick? Meu pai me chama de Ken.

— Está bem, Kendrick, então — diz Ron. Ele não é muito fã do genro. Não é preciso nem dizer que Danny não tem um adesivo de "Vote no Partido Trabalhista" no vidro traseiro de sua BMW.

— Vô, posso fazer uma pergunta?

— Manda — diz Ron.

— Você tem smart TV?

— Ahn, não, acho que não. Duvido. Acabei de comprar um micro-ondas.

— Tem, sim, Ron — diz Mark, falando por cima do ombro. — Seu filho Jason deu uma para você. Um amigo dele tinha encontrado umas cem num campo. Você até tentou me vender uma delas.

— Então eu tenho smart TV — diz Ron para Kendrick. — Isso é bom?

— Acho muito bom — confirma o menino. — Eu trouxe o meu iPad e sei que tenho sorte porque nem todo mundo tem um, mas com uma smart TV dá para todo mundo jogar *Minecraft* juntos. Conhece *Minecraft*, vô? Aliás, o pessoal tem gatos lá onde você mora?

— De vez em quando aparecem alguns.

— Poxa, que legal.

— Um deles matou um esquilo outro dia e depois tentou entrar pela porta do meu pátio com ele.

— Ah, não!

— É, não deixei, botei para fora!

Kendrick pensa a respeito por algum tempo.

— Mas gatos são assim mesmo, vô, não é que estejam tentando ser maus. Mas fiquei com pena do esquilo. Tomara que eu consiga ver um esquilo. Mas você conhece *Minecraft*?

— Não conheço, meu neto.

— Tudo bem, dá para aprender. A gente constrói mundos novos, cria um monte de coisas e às vezes dá para falar com outras pessoas, mas tem que tomar cuidado. Eu construí um castelo, tinha fosso, mas não tinha ponte levadiça, ninguém conseguia entrar, só que ninguém conseguia sair, era bom mas era ruim. O tio Ibrahim pode jogar também.

— O tio Ibrahim não anda lá muito bem ultimamente — avisa Ron. — É melhor pegar leve com ele.

— Ah, tudo bem, mas dá para ele jogar mesmo assim. Vô, o que você vai querer construir?

— Como é isso, é para usar a imaginação? Ou tem instruções? — pergunta Ron.

— Imaginação — diz Kendrick, jogando as mãos para o alto.

— Bem, não tenho muita imaginação. Tem luta?

— Dá para lutar, mas eu não gosto.

— Eu construiria uma fazenda de unicórnios, Kendrick — contribui Mark, do banco do motorista. — Mas com anexos que trouxessem receita comercial. Tipo uma loja de itens para fazenda.

— É, isso é legal — diz Kendrick. — Vou fazer isso. E talvez escorregas?

— Escorregas e sorvete, talvez? — sugere Mark, e Kendrick faz que sim com entusiasmo.

— Por que você e o tio Ibrahim não constroem e eu só fico olhando? — diz Ron.

Kendrick faz que sim de novo.

— É muito legal de assistir também. E aí se você disser que viu um gato a gente para.

Mark liga a seta e vira à esquerda para pegar a entrada de Coopers Chase.

— Chegamos, Kenny. Lar, doce lar.

Kendrick olha para Ron, uma sobrancelha erguida, as pernas balançando. Tenta olhar tudo ao redor por todas as janelas ao mesmo tempo.

— Lembra da Joyce? — pergunta Ron.

— Lembro. Ela é legal.

— Ela disse que fez um bolo e quer saber se você quer ir visitá-la.

— Só para mim? — pergunta Kendrick.

— Foi o que ela disse.

Kendrick faz que sim.

— Vocês podem comer também, eu só quero um pouco. Mark, você também.

— Adoraria, mas tenho que pegar um passageiro em Tonbridge — diz Mark.

Kendrick pensa e então olha para o avô.

— Eu não trouxe presente para a Joyce. Vou fazer um desenho, então. Você tem papel?

— Na loja tem — responde Ron.

— A gente vai à loja, então — fala Kendrick.

— Quebra-molas! — diz Mark, e o carro dá um salto.

Kendrick ergue os braços e enlaça o pescoço de Ron.

— Vô, vai ser muito legal ficar aqui. — Ele começa a contar com os dedos. — A gente pode nadar, fazer caminhadas, ver a Joyce, dar oi para todo mundo. — Aponta para a janela. — Vô, as lhamas!

Ron observa as lhamas. Ideia de Ian Ventham, antigo dono do local. Ron não era muito fã delas, mas, aos olhos de uma criança, tinham seu charme. Até que nem tudo está mal quando se mora num lugar onde há lhamas.

Kendrick volta a se acomodar no assento e balança a cabeça, pensando.

— Poxa, vô, você é muito sortudo de morar aqui!

Ron abraça o neto e observa janela afora. Você tem toda a razão, menino, pensa ele.

43

Uma adolescente com expressão entediada e fones nos ouvidos está ao balcão da sala dos guarda-volumes. Elizabeth exibe a chave quando passa pelo balcão com Joyce e a jovem assente em silêncio, permitindo-lhes a entrada.

— Não deveria ser permitido o uso de fones de ouvido em horário de trabalho — reclama Elizabeth. — Deixa passar tudo.

Joyce assente.

— Mas ela tem um cabelo muito bonito — diz.

Há cinco fileiras verticais de guarda-volumes com estrutura de metal cinza e portas azuis maltratadas, sempre com três compartimentos em cada. Elizabeth leva Joyce até a quinta fileira e começam a percorrê-la.

— Espero que seja um dos que ficam no meio — comenta Joyce. — Assim a gente não precisa se abaixar nem se esticar.

Elizabeth para.

— Está com sorte, Joyce. Guarda-volumes do meio, 531.

Ambas param em frente ao compartimento. O número está escrito em branco contra a porta azul, em fonte inclinada. Elizabeth olha para a chave. A portinha é pequena e frágil, fácil de arrombar. A moça da recepção não representaria o menor obstáculo. Que lugar para se esconder vinte milhões de libras.

— Bem, seja o que Deus quiser — diz Elizabeth, enfim colocando a chave na fechadura. Da primeira vez, ela encontra resistência e não consegue girar. Elizabeth retira a chave e tenta de novo. Mais uma vez, a fechadura resiste e ela faz uma careta. Espia dentro do buraco.

— A tranca deve estar danificada. Me vê um grampo de cabelo, Joyce.

Joyce procura um e o encontra. Elizabeth o insere com muita delicadeza dentro do buraco da fechadura, empurra, gira, depois empurra de novo. A porta de metal se abre para revelar-lhes o destino de Douglas Middlemiss.

Para não lhes revelar nada.

Bem, nada até que não. Três paredes cinza e uma embalagem de salgadinhos. Dos diamantes, nem sinal.

Elizabeth olha para Joyce. E Joyce para Elizabeth. Ficam quietas por um instante.

— Vazio — diz Joyce.

— Até certo ponto — responde Elizabeth, tirando o saco de salgadinhos.

— Isso é boa ou má notícia? — pergunta Joyce.

Elizabeth permanece em silêncio por mais alguns instantes. E então assente como quem já sabe o que fazer.

— Bom, é uma notícia, sem sombra de dúvida — garante Elizabeth. — Se boa ou má, só o tempo vai dizer. Joyce, põe essa embalagem de salgadinhos na bolsa.

Obedientemente, Joyce dobra o pacote e o guarda. Elizabeth bate a porta do compartimento e insere mais uma vez o prendedor de cabelo. Gira-o até a porta se trancar com um clique pouco convincente.

Joyce sai na frente, e, ao deixarem a sala, acenam com a cabeça para a moça.

— Um minutinho — chama a jovem. Elizabeth e Joyce se viram para ela e a moça tira os fones dos ouvidos. — Só duas coisas. Em primeiro lugar, eu não estou escutando nada nos fones. Só uso isso para o gerente da Costa achar que eu estou ocupada e não vir tentar puxar papo.

— Bem, peço desculpas — diz Elizabeth. — E a segunda coisa?

A moça olha para Joyce.

— Só queria agradecer pelo comentário sobre meu cabelo. É o meu primeiro corte depois de me separar. Ganhei o dia.

Joyce sorri.

— Pode acreditar, meu bem, opção é o que não falta por aí — comenta.

A moça sorri de volta e aponta para os guarda-volumes com a cabeça.

— Espero que tenham achado o que queriam.

— Sim e não, pelo visto — diz Joyce, enquanto a moça põe de volta os fones nos ouvidos.

Ao deixarem a estação, Elizabeth envia a alguém uma mensagem e as duas se enfiam no labirinto de vielas atrás da estação. Joyce não faz ideia de para onde estão andando, mas Elizabeth, ao guiá-la com destreza pelos becos de Fairhaven, sabe bem o destino das duas.

Viram à esquerda e pegam um atalho. Estariam a caminho da delegacia? E caso estejam, por quê? Para entregar a Chris e Donna uma embalagem de salgadinhos? São raras as vezes em que Joyce questiona Elizabeth, mas um dia desses ela perderá o juízo, não é? Será que o dia chegou?

Cruzam agora um pequeno parque; as crianças no trepa-trepa tentam atrair a atenção dos pais de olho nos celulares. É, com certeza estão indo para a delegacia. Joyce tenta lembrar se lá tem banheiro. Deve ter. Mas e se for só para os presos?

Logo ela avista a delegacia a distância e Donna sentada nos degraus da entrada. A mensagem deve ter sido para ela.

Donna se levanta conforme Elizabeth e Joyce se aproximam. Donna abraça Joyce. Elizabeth recusa o abraço com um gesto.

— Oi, querida, sem tempo para abraços. Trouxe a lanterna?

Donna ergue algo que mais se parece com uma pequena caneta.

— Para que isso? — pergunta Joyce.

— Você pode pegar a embalagem na sua bolsa? — pergunta Elizabeth.

Joyce sabia. Elizabeth não lhe pediria que guardasse uma embalagem de salgadinhos sem um bom motivo. Joyce a retira e entrega à amiga. Elizabeth rasga a lateral do pacote, expondo a parte interna de alumínio da embalagem. Estica-a, então, num dos degraus. Joyce inclina a cabeça para o lado, confusa, e Elizabeth explica.

— Técnica de espião, Joyce. Se o Douglas quisesse que o guarda-volumes estivesse vazio, ele estaria vazio. Mas não estava.

Donna mostra a lanterna a Joyce.

— A luz é infravermelha. Eu usava na busca por bicicletas roubadas. Às vezes havia uma marca invisível feita pelo dono.

— E, é claro, graças a nós, Donna não precisa mais sair atrás de bicicletas roubadas — diz Elizabeth.

— E já agradeci a você por isso inúmeras vezes — rebate Donna.

— Agora ela investiga assassinatos — acrescenta Elizabeth.

— Elizabeth, você não acha que talvez seja um sinal de gratidão eu estar aqui à porta de entrada da delegacia para ajudar duas senhoras a checar uma embalagem de salgadinhos com uma lanterna infravermelha?

— Você sabe que gostamos de você, querida. Agora vamos logo com isso.

— Duas senhoras. — Joyce ri. — Sempre acho isso tão engraçado...

Donna se ajoelha e acende a lanterna. Joyce pensa em se ajoelhar também, mas isso é um suplício para quem já passou dos sessenta e cinco. Ela opta por sentar-se no degrau logo acima. Elizabeth se ajoelha. Não há nada que ela não consiga fazer?

A luz vermelha passeia pela superfície de alumínio e Joyce vê surgirem letras. Fica evidente que há uma frase escrita ali.

— E essa agora, Douglas? — diz Elizabeth, com um suspiro.

Donna move o facho para o canto superior direito da embalagem e começa a ler as palavras reveladas.

— Elizabeth, querida...

Elizabeth resmunga.

— Querida coisa nenhuma...

— Elizabeth, querida, nós dois sabemos que as coisas nunca estão no primeiro lugar em que se procura. Esta foi só uma camada extra de segurança, caso outra pessoa encontrasse a carta. Mas você sabe onde estão os diamantes, não sabe? Pense bem.

Donna para de ler e olha para Elizabeth.

— É só isso? — pergunta Elizabeth.

— Bem, depois diz "do seu amado Douglas" e "mil beijos" — diz Donna. — Mas não quis ler em voz alta para não ter que ouvir uma reclamação.

Elizabeth se põe de pé e estende a mão para ajudar Joyce a se levantar.

— Então a gente continua sem saber se ele está vivo ou morto? — pergunta Joyce.

— Pois é, infelizmente — admite Elizabeth.

— Mas ele diz que você sabe onde estão os diamantes — comenta Donna.

— Bem, se ele diz que eu sei, eu sei. Vou ter que pensar um pouco.

Por falar em pensar, algo deixa Joyce intrigada, mas ela evita mencionar. Nunca foi espiã. O que entende disso? Deve ser bobagem. Mas o dia está ensolarado e ela está na companhia de duas de suas pessoas favoritas. Que mal fará abordar a questão?

— Vocês não acham estranho que a tranca estivesse danificada?

— Como assim, estranho? — pergunta Elizabeth.

— Bem, ele deu a chave para você. Presume-se que estivesse entrando na fechadura quando ele trancou o guarda-volumes. E ninguém teria estado lá desde então. Como foi que a tranca ficou danificada?

— Boa pergunta — diz Donna.

Joyce fica exultante.

— Muito boa pergunta — concorda Elizabeth.

Melhor ainda! Que dia maravilhoso para Joyce.

— Donna, o guarda-volumes tem circuito interno de TV — informa Elizabeth. — Será que você conseguiria as imagens? Só desta última semana?

— Conseguir eu consigo, mas não vou checar uma semana de imagens de câmeras de segurança só porque a Joyce tem um palpite. Sem querer ofender, Joyce.

— Nunca me ofendo — garante Joyce. — Desperdício de energia.

— Se você conseguir as imagens, Donna, o Ibrahim está com tempo sobrando. E ele adora se sentir útil.

— Está bem, vou ver o que dá para fazer — diz Donna. — Mas se houver algum jeito de a gente se envolver neste caso, promete que nos dá essa abertura?

— Me parece justo — responde Elizabeth. — Notícias do Ryan Baird?

— Comparece ao tribunal semana que vem. Eu aviso você.

— Tem trabalhado em algo divertido?

— Tenho ficado de tocaia vigiando uma traficante local. Connie Johnson. Está dando um trabalho do cão.

— Esse tipo costuma dar mesmo — diz Elizabeth. — E creio que nos vemos mais tarde, não é?

— Sim, estou muito animada — diz Donna.

— Alguma informação confidencial sobre a Patrice, antes de a conhecermos? — pergunta Elizabeth.

— Ela é legal — responde Donna. — Meio mãezona para o meu gosto.

Joyce olha o relógio. Ainda falta uma hora para pegarem o micro-ônibus. Dá tempo para um brownie de farinha de amêndoa e uma xícara de chá de hortelã. Hoje foi um daqueles dias em que tudo dá certo. Talvez devesse comprar uma raspadinha.

44

— Os dois levaram tiros no rosto, estava uma sujeira medonha — diz Joyce. — Quer mais bolo, Patrice?

— Não cabe mais nada — diz Patrice, erguendo a palma da mão. — Já sou metade bolo a essa altura.

— Assassinato e suicídio? — pergunta Chris. — Ou duplo assassinato?

— Duplo assassinato — diz Ron. — Não ficou nenhuma arma dando sopa! Foi algum malandro que entrou...

— Ou malandra — interrompe Donna, e sua mãe assente com aprovação.

— Algum malandro, alguma moça, pode ser, alguém entrou na casa, saiu atirando e pum! Explodiu os miolos dos dois. Não desejo isso a ninguém.

— Hoje em dia tem mais mulheres assassinas — diz Joyce. — Ignorando o contexto, é um sinal claro de progresso.

Donna se senta por cima dos pés. Como está sendo a noite, no fim das contas?

O lado bom: a cara de Elizabeth quando descobriu que Patrice e Donna eram mãe e filha. Ter conseguido manter o segredo. Elizabeth odiava que outras pessoas tivessem segredos. O lado ruim: ser testemunha do showzinho que Chris e sua mãe davam para o Clube do Crime das Quintas-Feiras. Joelhos se tocando no sofá. Pegajosos, beijoqueiros, cheios de amorzinho. Donna quer que sejam felizes, mas não precisa ser na frente dela. Na verdade, nem precisam ficar lhe contando muita coisa sobre essa felicidade toda. *Estão* felizes? Está bem assim. E de fato *parecem* felizes, não parecem? Será que esse relacionamento vai mesmo dar certo? Será que Donna fez um milagre?

— E tentaram antes? Tentaram aqui? — pergunta Chris.

— Sim, alguém tentou matar o Douglas — diz Elizabeth. — Fez um serviço porco e a Poppy explodiu a cabeça dele. Que Deus a tenha.

— Eu estava torcendo para você e a Donna virem investigar — diz Joyce. — Mas mandaram Sue e Lance, do MI5.

— Não se deve jamais revelar os nomes de agentes do MI5, Joyce — repreende Elizabeth.

— Ah, só estou contando para o Chris — diz Joyce. — Não seja tão cri-cri.

— Vou checar o Ato de Segredos Oficiais, Joyce, e ver se consta algo a respeito.

— De qualquer forma, eles não estão à altura de vocês — continua Joyce. — Sue é meio distante. Parece a Elizabeth, só que sem o mesmo calor humano. Mas dá para ver que ela a respeita.

— Você era mais sênior, não era, Lizzie? — pergunta Ron.

— E tem o Lance. Está ficando careca, mas é bem bonito e não vi aliança. Quer que eu consiga o telefone dele, Donna?

— Sair com um espião careca? Nossa, imperdível, hein? — brinca Donna. Ela havia saído com alguém na segunda-feira. No perfil, ele dissera ser fisioterapeuta. Alfa, do jeito que tem de ser, pensara Donna. Claro, ela lera errado o perfil e acabara na cama com um fitoterapeuta que fora uma decepção. Cometera ainda o erro de contar a história à mãe e a Chris, que a importunaram o dia todo com piadas sobre plantas. Sua mãe passara o dia falando de caule e seiva e Chris perguntara se ele estava com o jardim da frente aparado. Donna termina mais uma taça de vinho.

— Quer ver fotos da cena do crime? — pergunta Elizabeth.

— Por favor — diz Chris.

— Vou precisar de algo em troca — propõe ela.

— Ai, ai... lá vem! — exclama Chris.

— Nós só queremos saber umas coisas: um, há quanto tempo vocês estão saindo?

— Não é da sua conta — replica Chris.

— Essas fotos são de todos os ângulos possíveis. Lesões causadas pelas balas ao entrar, ao sair, itens que foram mexidos no quarto...

— Seis semanas — responde Patrice.

— Obrigada. Dois, vocês acham que isso vai longe? Creio que falo por todos aqui quando digo que formam um belo casal.

Donna finge que vai vomitar enquanto Joyce e Ron concordam.

Patrice sorri.

— Bem, um dia de cada vez, não é mesmo? — responde. — Ontem foi ótimo, estou me divertindo hoje, estou animada para amanhã.

Ela dissera a mesma coisa para o ainda frágil Ibrahim quando o visitara com Donna e Chris. Ele jogava atentamente *Minecraft* com o neto de Ron, mas desviara o olhar do jogo e dissera: "Na teoria, entendo um pouco de amor. E essa resposta me soa muito saudável."

— E tem alguma fofoca de vocês quatro em troca? — pergunta Donna, doida para mudar de assunto. — Que não seja sobre as três pessoas mortas a tiros?

— Bem, a Joyce almoçou com Gordon Playfair na semana passada — entrega Elizabeth.

— Ele veio reiniciar meu wi-fi — explica Joyce.

— Aposto que reiniciou tudinho — diz Ron, entornando mais uma taça.

— E as fotos? — lembra Chris.

Elizabeth ergue o dedo pedindo-lhe um momento e enfia a mão na bolsa.

— Fiquei um tempinho sem celular, mas o Bogdan o encontrou para mim. — Ela procura as fotos no rolo da câmera e passa o aparelho para Chris. — Aqui, os pombinhos podem olhar.

Chris segura o celular em frente a si, mas posiciona a tela um pouco na direção de Patrice. Passa apressado por algumas fotos, às vezes dá zoom para observá-las com mais detalhes.

— Um trabalho de profissional — diz Patrice.

— Era o que eu ia dizer! — exclama Chris.

— Feitos um para o outro! — comenta Patrice, beijando Chris na boca.

Donna revira os olhos e resmunga "vão logo pro motel" baixinho, de forma que só Joyce escuta. Ela ri e, discretamente, Donna lhe estende a mão num *high-five*.

— Mas que sujeira — comenta Chris.

— Deixa eu ver — pede Donna, estendendo a mão.

— Sempre foi impaciente — diz Patrice. — Não queria andar de bicicleta com rodinha nem usar boia de braço na piscina. A gente vivia no pronto-socorro.

Donna tira o celular da mão da mãe e começa a olhar as fotos. Ao observar os dois corpos, o da jovem e o do senhor, se desliga da conversa ao seu redor. Joyce quer saber como era Donna na infância, Ron quer mais vinho e a mãe dela quer saber quem é Gordon Playfair.

Teria tudo ocorrido como parecia naquelas fotos? Alguma coisa parece estranha. Ao sair com o fitoterapeuta, ele lhe mostrara num de seus braços uma tatuagem composta de logogramas chineses. Ela perguntara o que aquilo queria dizer e ele não sabia. Só havia gostado do visual. Numa tentativa de jogar conversa fora antes de fazerem sexo de novo e ela poder, enfim, lhe pedir que fosse embora, Donna tirara uma foto dos logogramas e jogara-a num app de tradução. E o que a tatuagem dizia era "Texto padrão — Escreva sua mensagem".

Certas coisas não passam de aparências. Ficam bem na foto até você observá-las de outra forma. Donna larga o celular.

— Vocês com certeza já pensaram nisso, mas têm certeza *absoluta* de que este aqui é o Douglas?

— Sim — diz Elizabeth. — Eu pensei nisso. E aquelas câmeras de segurança?

— Que câmeras de segurança? — pergunta Chris.

A campainha soa. Há alguém à porta da casa de Joyce.

45

— Ele chamou de esculhambado! — diz Stephen. — Esculhambado!

— Eu sei, meu amor — responde Elizabeth.

São duas e meia da manhã. Muitos anos antes, um homem chamado Julian Lambert escrevera uma resenha de um dos livros de Stephen, *Irã — Arte após a revolução*. A resenha não fora nada positiva. Fora cruel. Eles eram rivais.

— Vou dar na cara dele. Quem ele pensa que é? — Stephen bate com as palmas das mãos na parede do corredor de entrada, com alguma força. Tamanho ele ainda tem. Mas Elizabeth nunca tivera de temê-lo pelo aspecto físico. Será que continuará assim? A cada dia ele lhe parece mais distante.

— Não dê a ele essa satisfação, meu bem — diz Elizabeth.

Julian Lambert morrera em 2003. Uma mangueira atrelada ao escapamento do carro, numa casa alugada, após um divórcio caro e voluntário.

— Ah, vou dar muito mais do que satisfação! — exclama Stephen. — Vamos ver como fica aquela cara de esperto estatelada no chão! Cadê minhas chaves?

De que chaves ele está falando?, pensa Elizabeth. Do carro? Isso já não existe faz tempo. Do apartamento? Escondidas meses atrás. Stephen não tem mais chave alguma. Como acalmá-lo, então?

— Acabei de ter uma ideia genial — diz Elizabeth. — Quer ouvir antes de sair?

— Não tente me convencer a desistir, Elizabeth. Lambert está merecendo isso e faz tempo. — Stephen vasculha as gavetas. — Mas que diabos, onde foram parar as chaves?

Stephen jamais fora um homem vingativo ou nervoso. Nunca se deixara dominar pelo orgulho. Nunca tivera as características típicas dos fracos. Nunca sentira necessidade de se provar à custa dos outros.

— Jamais tentaria fazer você desistir de nada — diz Elizabeth. — Concordo com tudo. Quem fala mal do seu livro está falando mal de você. E quem fala mal de você está falando mal de mim.

— Obrigado, meu amor.

— Eu só estava pensando que você podia levar o Bogdan. Ele pode dirigir.

Stephen considera a ideia por um momento e assente.

— Ele faria o Lambert se borrar de medo, não faria?

Elizabeth tira o celular da bolsa.

— Vou ligar para ele, meu amor.

São quase duas e meia da manhã, mas Bogdan atende no primeiro toque.

— Oi, Elizabeth.

— Oi, Bogdan. O Stephen quer pedir um favor.

— Ok, passa o telefone para ele — diz Bogdan.

Elizabeth adoraria saber por que Bogdan está totalmente sem sono às duas e meia da manhã. É enervante perceber como ele é uma figura opaca. Nem ruídos ao fundo ela escutara, apesar de seu ouvido treinado.

— Bogdan? É você? — diz Stephen.

— É, Stephen. Como posso ajudar?

— Tem um sujeito que mora em Kensington ou talvez Camden. A gente precisa ir até lá encher ele de porrada.

— Ok. Agora?

— A gente vai assim que você chegar aqui.

— Tudo bem, devo levar pelo menos uma hora. Descansa um pouco antes, ok? Me passa de volta para a Elizabeth.

Stephen devolve o telefone para Elizabeth.

— Obrigada, Bogdan — diz Elizabeth. — Você é um bom amigo.

— Você também. Espero que consiga fazer ele dormir de novo.

— Obrigada, querido. O que está fazendo?

— Bobagens — responde Bogdan.

— Que som é esse que eu estou ouvindo aí no fundo?

— Você não está ouvindo som nenhum.

Elizabeth revira os olhos.

— Boa noite, Bogdan.

Elizabeth conduz Stephen de volta para a cama, já bem mais calmo. Bogdan tem esse poder sobre as pessoas. Elizabeth não consegue persuadir o marido a tirar a roupa, mas consegue fazê-lo deitar-se embaixo das cobertas com ela.

— Já descobriu quem atirou nos seus amigos? — pergunta ele.

Elizabeth aproveita a oportunidade para mudar de assunto.

— Ainda não, mas vou descobrir. — Ela sabe que já tem uma pista. Mas qual? Onde?

— Claro que vai — diz Stephen. — Você sempre pega quem quer.

Elizabeth sorri e beija a bochecha do marido.

— Certamente peguei você, não foi?

— Não, não, fui eu que peguei você, meu amor — diz Stephen. — No momento em que conheci você, já tinha planejado tudo.

Haviam se conhecido quando Stephen lhe entregara a luva que ela deixara cair no chão, à porta de uma livraria, num ato de cavalheirismo tático. Elizabeth jamais revelara tê-lo visto de longe algum tempo antes, sentado num banco, e tê-lo achado nada menos do que o homem mais bonito que já vira. Ao passar pelo banco, deixara a luva cair de propósito. Ele a pegara, como ela sabia que aconteceria. A luva que uma mulher deixou cair, um clichê romântico em que todo homem sempre cai. Portanto, de fato Elizabeth sempre pegava quem queria, mesmo quando a pessoa não estava ciente disso. É preciso sempre ter um plano.

— Ele me deixou um bilhete — diz Elizabeth. — Me contando onde poderia encontrar os diamantes. Joyce e eu seguimos a pista, mas só nos levou a um segundo bilhete, onde ele me diz que, se pensar bem, eu saberei onde eles estão.

— Dizendo para você se mexer.

— Em resumo.

— Como encontrou o primeiro bilhete?

— Estávamos ao lado de uma árvore no bosque ali em cima e ele mencionou pontos de entrega.

— Meio óbvio em se tratando de você — comenta Stephen.

— Agora, pensando a respeito, sim — admite Elizabeth, abrindo um sorriso.

— O bilhete dizia mais alguma coisa?

— Posso ir pegar? — pergunta ela. — Podemos ler juntos.

— Sim, claro, vai ser divertido. Ligo a chaleira?

— Não, meu amor, fique onde você está. Mas de repente podia tirar os sapatos e o casaco para ficar mais confortável.

— Pode deixar — concorda Stephen.

Elizabeth desce da cama e vai até a escrivaninha. Os sapatos de Stephen cruzam o quarto em pleno voo enquanto ela resgata a xerox da carta e volta para a cama. Sorri para o marido, que continua de gravata.

Leem a carta juntos. De vez em quando Stephen faz algum comentário, algo do tipo "Nortúmbria", "lembra aquele fim de semana em Rye?", "Logo a máfia!" e "todo o meu amor, sempre? Bem, nessa você saiu perdendo, meu chapa!".

Talvez a pista esteja escondida à vista de todos, pensa Elizabeth. Ela e Douglas costumavam usar uma técnica bem simples por pura diversão. Soletrar uma mensagem através da primeira letra de cada frase de uma sequência. Escreviam longas e derramadas cartas de amor um para o outro, e as primeiras letras formavam frases como "não esquecer de comprar ovos e papel higiênico".

Será que Douglas lançaria mão de um truque tão simples neste caso? Em nome dos velhos tempos? Não poderia ser...

— Aposto que estão na casa de campo de Rye, meu amor — opina Stephen. — Não é o que você faria? Caso contrário, é até esquisito mencioná-la.

Não estavam na casa em Rye. Esta havia sido a primeira coisa que Elizabeth checara. Fora demolida em 1995 a fim de abrir caminho para um desvio na estrada. Ela pega a carta de novo e tenta ver se Douglas lhe deixou alguma mensagem na letra inicial de cada frase. Vasculha os primeiros parágrafos.

Eu nunca duvidei de você nem por um momento, sabichona. Sabia que acharia esta carta.

Ponho as cartas na mesa: provavelmente devo desculpas por roubar os diamantes e dar início a todo este circo. É que todo mundo tem seu preço e, pelo jeito, o meu é vinte milhões de libras. Realmente, vinte milhões dando sopa e eu, um dinossauro, perto da aposentadoria? Tentar resistir é inútil. Aaah, você entende, não entende?

Elizabeth sorri. Você venceu desta vez, Douglas. Às vezes, se pensasse com muito afinco, conseguia se lembrar por que se casara com ele.

— Meu amor? — pergunta Stephen. — Lembra do Julian Lambert? Acabei de pensar nele do nada.

— Nunca ouvi falar — diz Elizabeth.

— Acho que preciso marcar um almoço com ele. Ele acabou de passar por um divórcio horrível. Seria bom checar se está bem.

Ah, Stephen, não vá embora, pensa Elizabeth. Não vá embora, não vá embora. Não vá embora.

46

Joyce

Estou digitando devagarzinho em silêncio porque tenho visita no quarto de hóspedes.

O quarto de hóspedes está sempre arrumado, caso Joanna apareça sem avisar. Às vezes acontece. Não é comum. Desde que a empresa dela assumiu o empreendimento no alto da colina, ela deu as caras algumas vezes. Da última, me levou até lá. Tive que usar um capacete. Depois de colocá-lo, bati na porta de Elizabeth para deixá-la rir um pouco da minha cara, mas ela não estava em casa. Bati então na de Ron e ele, felizmente, estava. Joanna tirou uma foto minha com Ron, eu de capacete, ele apontando para a minha cabeça. Está no Facebook, se quiserem procurar. Eu devia botá-la no Instagram!

O travesseiro no quarto de hóspedes foi um presente de Natal da Joanna, porque ela achava os meus muito finos. Ela chegou a dizer que um travesseiro era fino demais, mas dois ficavam grossos demais juntos, como se este sempre tivesse sido o meu plano. Como se tivesse ido de propósito à British Home Stores olhar travesseiros até encontrar aqueles perfeitos para irritar minha filha. Também há uma vela da White Company no quarto, que a Joanna me deu de Dia das Mães. Se eu encher o quarto de coisas que ganhei de presente dela, Joanna não terá como reclamar. Ao menos em teoria, porque ela sempre encontra um jeito.

Da última vez que apareceu, me descascou porque fecho as persianas com as tiras voltadas para cima e não para baixo. Foi a gota d'água. Falei para ela — estava com aquilo engasgado havia anos — que me sentia como se nada do que fizesse nunca estivesse certo e ela respondeu que, bem, eu me sinto igual, garanti que era bobagem e lhe perguntei como assim e ela disse, olha, mãe, você sempre me acha muito gorda ou muito magra ou estou saindo com o cara errado ou acabei de me separar do cara que era o certo ou devia prender o cabelo ou soltar o cabelo ou trabalho demais ou tiro férias em excesso ou devia ter pintado a cozinha da cor tal. Aquilo me abalou porque eu *sou* um pouco assim, mas decidi aguentar firme e falar para Joanna que eu dizia tudo aquilo porque me importava, porque a amava, e ela questionou se minha forma de mostrar que a amava era chamá-la de gorda. Eu disse que, bem, sabia que ela era mais feliz quando não estava acima do peso e por isso a alertava com delicadeza e ela retrucou perguntando se eu já tinha parado para pensar que ela sabia muito bem estar acima do peso e que a própria mãe apontar o óbvio a fazia infeliz. O que também era verdade, por isso respondi que não a via o suficiente e tinha que acabar falando tudo de uma vez só e ela rebateu querendo saber se a questão toda era essa, eu não a encontrar o bastante. Naquele momento, a discussão havia chegado a um ponto sem volta, eu disse a ela que a amava incondicionalmente e a resposta foi que óbvio, a sociedade me condicionara a amá-la incondicionalmente, mas que às vezes ela só queria que eu gostasse dela. E respondi, meu bem, claro que eu gosto de você, você não gosta de mim, minha vida é simples demais para você, eu faço você se lembrar das características que você precisou mudar para se tornar bem-sucedida, e ela rebateu com ah, então eu sou uma fraude, é isso? E garanti que de jeito nenhum, tinha muito orgulho dela, e ela me olhou e disse que tinha muito orgulho de mim também e eu perguntei orgulho de quê e ela respondeu que eu era gentil, sábia e corajosa e eu falei que ela era inteligente, linda e obtivera conquistas de que eu jamais seria capaz e nós duas começamos a chorar e nos abraçamos e eu disse que a amava e ela disse que me amava. Secamos os olhos, nos ajeitamos e ela então puxou a cordinha, virou as persianas para baixo e foi fazer chá para mim.

Ainda bem que tive uma filha e não um filho. Ao menos eu a vejo.

Esta noite conhecemos a nova garota do Chris. É mãe da Donna, acreditam? Mas é um amor, como se poderia esperar, e é professora, portanto agora está de férias. Tenho altas expectativas para eles. Mas sou uma romântica, sempre as tenho. Assim é mais divertido.

Estávamos todos conversando sobre as mortes do Douglas e da Poppy. Donna e Elizabeth pensam da mesma forma: temos certeza absoluta de que aquele corpo era do Douglas? Eu estive lá. Eu o vi. Poderia jurar que era. Mas é uma pergunta interessante. Só que infelizmente terá que ficar para outro dia, pois a campainha tocou naquele exato momento e era Siobhan, a mãe da Poppy.

Ela havia estado em Godalming — "Não diga!", eu lhe disse — e identificado o corpo da filha. Melhor nem pensar muito sobre isso. Passara dois dias por lá falando com os organizadores do enterro, gente de RH, advogados, tudo bem complicado, e iriam levá-la para casa, mas ela pedira que a trouxessem até aqui. Acho que, por Poppy ter me dado o telefone dela, Siobhan intuiu que a filha confiava na gente. E talvez quisesse conversar com alguém que fosse da confiança de Poppy. Passara muito tempo com Sue Reardon e Lance James e talvez tenha feito perguntas que eles não souberam responder. Ou não tenha acreditado nas respostas deles.

Dava para ver que estava abalada, e decidimos continuar a conversa pela manhã. Todos a abraçaram e lhe ofereceram palavras gentis e eu preparei uma bolsa de água quente.

Ouço-a se revirando na cama; não espero que durma bem. Esqueci de perguntar o que gosta de comer de manhã. Logo que a loja abrir, vou até lá e, só para garantir, trago um pouco de tudo.

Por falar em férias, o neto do Ron está passando alguns dias conosco. A filha dele, Suzi, trabalha com viagens e foi a uma conferência no Caribe. Se é que é possível haver uma conferência no Caribe.

O marido, Danny — ela se incomoda se o chamarmos de Daniel —, foi junto. Tirou uma folga do seu dia a dia atribulado fazendo ninguém sabe muito bem o quê. Ele usa ternos sem gravata; seria isso uma pista? Ron agarrou a oportunidade de passar algum tempo com Kendrick. Quando o vimos pela última vez, o menino era uma coisa fofa. É de esperar que ainda seja. É ali pelos doze que o encanto dos meninos começa a se esvair, embora a maioria o recupere mais cedo ou mais tarde.

47

— Tio Ibrahim, o que é melhor, um macaco ou um pinguim?

— Um pinguim — responde Ibrahim, fazendo sinal para o menino se sentar na cadeira junto à cama.

— Ah, legal. O vovô não sabia qual era o melhor. Por que um pinguim é melhor?

Ibrahim larga o jornal.

— Kendrick, sabe por que eu gosto de você?

Kendrick faz que não com a cabeça.

— Não sei mesmo.

— Você faz perguntas muito boas. Nem todo mundo é assim.

— Por que não? — pergunta Kendrick.

— Está vendo? Veja, pinguins são melhores que macacos porque "pinguim" é um termo muito específico e "macaco" não é nada específico. Quando uma pessoa diz "macaco", as outras podem visualizar coisas diferentes, um babuíno talvez, ou um miquinho. Ao passo que, quando se diz "pinguim", todo mundo enxerga a mesma coisa. Palavras são muito importantes, nem todo mundo se dá conta disso, e quanto mais específica uma palavra é, melhor.

— Mas um pinguim de verdade é melhor que um macaco de verdade?

Ibrahim reflete sobre a pergunta.

— Nenhum animal é melhor do que os outros. A gente é só um monte de átomos aglomerados. As pessoas também. As árvores também.

— Nem os tigres?

— Nem os tigres.

Kendrick expira o ar que inflava suas bochechas.

— Nem os hipopótamos?

Ibrahim confirma que nem os hipopótamos e volta às palavras cruzadas.

— O que é isso? — pergunta Kendrick, de um pulo. — É um jogo?

— Um jogo de palavras cruzadas.

— É chato ou é legal?

— Um pouco de cada — responde Ibrahim. — Por isso que eu gosto.

Ron se levanta e se espreguiça.

— Vou dar um pulo até a loja. Quer sorvete, Ibrahim?

— Não, Ron, obrigado.

— Ninguém quer sorvete. Está bem, então — diz Ron, virando-se para sair.

Kendrick pressiona os lábios e faz um som discreto. Ron se vira para ele.

— Tudo bem por aí, Kendrick?

Kendrick mantém os lábios juntos e murmura um inseguro "uhum".

— Não quer nada? Ovos? Uma escova de limpeza? Desinfetante de banheiro? Sardinhas?

Kendrick faz que não.

— Tem certeza? Eu vou de qualquer forma à loja. Quer uma garrafa de uísque? Um repolho? Eu trago um repolho para você, quer?

Kendrick baixa o olhar para o chão.

— Não, vô, obrigado.

Ron sorri e ergue o neto no colo.

— E um sorvete, quem sabe?

Kendrick o encara.

— Pode mesmo?

— Você está de férias, Kendrick. Férias não são férias sem sorvete.

— Você estava só brincando?

— Eu estava só brincando.

— Pode ser um Twister? Eu comi um na casa do vô Keith.

Vô Keith. Aquele velho farsante. Ninguém compra uma casa daquele tamanho só negociando carros usados. E ainda é torcedor do Millwall. E quando Kendrick teria ficado com o avô Keith? Suzi não dissera nada a respeito. Há algo errado entre ela e Danny.

— Vamos fazer o seguinte? Pode comer dois — diz Ron, pondo Kendrick no chão enquanto o menino se contorce de alegria.

— Eu *nunca* comi dois Twisters antes.

Ron olha pela janela e vê Joyce caminhando com Siobhan. Coitada da mãe da Poppy. Aparecera na noite passada. Ron sabe que o correto seria sentir nada além de empatia pela dor de Siobhan, mas na verdade está pensando em como é bonita. Mas é melhor esperar uma semana, pensa. Não se importaria em tentar alguma coisa com ela. Depois do enterro, talvez?

Ron deixa Kendrick com Ibrahim, os dois felizes da vida. Ao vestir o casaco, consegue ainda ouvir a voz do amigo.

— Qual seria um sinônimo de "paralelogramo"? Com sete letras.

— Não deve ter outra palavra — diz Kendrick.

— Talvez você esteja certo — responde Ibrahim.

Ron abre a porta e sorri. Como foi ter um neto e um melhor amigo desses? É sorte demais.

48

Patrice voltara para casa naquela manhã. Houve um táxi até a estação, houve lágrimas. Até ela deixou cair uma ou duas. O apartamento parece vazio demais agora e Chris também se sente vazio.

Elizabeth e toda a turma haviam gostado dela. Na hora de ir embora, Joyce havia sussurrado "Ah, Chris, ela é um amor!" e Ron, erguido o polegar e dito "manda ver uma vez por mim, rapaz!".

Chris está faminto.

No início da semana, estava picando pimentas-de-cheiro, igual às pessoas que tinha visto no *MasterChef*. Tinha das vermelhas, das verdes e das amarelas. Sempre soubera que era possível comprá-las em pacotes de três no supermercado. Milhares de vezes na vida havia passado reto pela prateleira. As pimentas riam dele, com toda a sua salubridade, enquanto ele continuava andando rumo à prateleira de tortas e macarrão.

Amanhã ele volta ao batente. À tentativa de capturar Connie Johnson. Uma equipe de Londres veio "ajudar".

Chris sempre fantasiara tornar-se o tipo de homem que compra as pimentas de três cores. O tipo que opta por comprar brócolis, gengibre e beterraba. Para Chris, a prateleira de frutas no supermercado era o lugar onde encontrar bananas. Às vezes, um punhado de espinafre, que punha bem no alto da cesta para o caso de encontrar algum conhecido no mercado. As pessoas sempre espiam as cestas umas das outras, não é? Chris queria fingir que fazia compras e se alimentava como um adulto. Era só esconder os KitKats embaixo do espinafre e ninguém repararia.

Ele se lembra do dia em que a caixa do Tesco's ficara espiando suas compras. Ao passar pela caixa registradora os chocolates, os salgadinhos, as latas de Coca Diet, os cachorros-quentes de forno, ela o encarara com um sorriso gentil e perguntara: "Isso tudo é para uma festa de criança, meu querido?" Desde então, passara a só usar caixas de autoatendimento.

Ele e Patrice haviam ido juntos comprar comida. Ela lhe perguntara se ele costumava preparar yakisoba e Chris mentira, respondendo que sim, mas como Patrice dissera não ter visto wok alguma na cozinha ele acabara admitindo que não, não cozinhava nada do tipo, mas que adoraria passar a fazê-lo.

Foram fazer compras. Não no supermercado. Mas na *feira orgânica*. Compraram um pouco de tudo. Ao ouvir Patrice perguntar a um homem de avental de onde vinham as framboesas, Chris se sentiu um ser humano digno. Era como se fossem um casal de propaganda. Chris torcia para que as pessoas o vissem. "Como? Ah, só estou aqui com minha namorada comprando brotos de feijão."

O lugar parecia vazio sem Patrice. Sem que ela caísse no sono no chão da sala no meio de uma sessão de ioga on-line no laptop. Na teoria, era ótimo ter uma namorada que fazia aula de ioga on-line, porém melhor ainda era ter uma que curtisse a soneca da tarde.

Chris não queria que a semana tivesse acabado. Na segunda, as aulas recomeçarão e ela estará de volta ao sul de Londres. Voltarão a se falar só por Skype e ver os mesmos programas de TV em ambientes diferentes.

Sente o coração apertar ao pensar na delegacia e na comida que consome nas tocaias. Será que bastaria Patrice voltar para casa para que ele retornasse aos velhos hábitos? Ele se lembra da noite anterior.

Chris havia untado uma wok com óleo de coco. Este tivera de ser comprado. A wok também. E, uma vez admitida a verdade para Patrice, também fora necessário comprar a tábua de picar legumes, as facas afiadas, o sal marinho e a pimenta-do-reino. Que experiência inebriante aquela ida às compras havia sido.

Um homem de cinquenta e um anos, misturando pimenta, brotos de feijão, cebolinha e tofu (uma história à parte) numa wok e ouvindo aquele silvo típico de programas de TV. Começara a chorar. De onde viera tal reação? De anos jantando sozinho comida da rua? Lanches da madrugada, a absorção anestesiante de gordura e calorias vazias, as longas noites, os longos anos no sofá sem ninguém para abraçar? E agora tudo aquilo, as cores, os cheiros, a absoluta normalidade cotidiana.

Fazia muito tempo que Chris não cuidava de ninguém, muito menos de si próprio. Deixou as lágrimas escorrerem em meio ao vapor e caírem na frigideira.

No que a primeira delas chiou em contato com o fogo, braços envolveram a sua cintura. Patrice havia acordado e, quando ele se virou, ela esticou a cabeça para beijá-lo.

— Melhor ficar mais longe da wok para os olhos não lacrimejarem tanto.

— Boa dica — respondeu Chris. — Como foi a ioga? Completou a série?

— Uhum. Mas foi cansativo.

Ela projetara o corpo para cima e se sentara na bancada. Chris sabia que aquilo de uma mulher se sentar alegremente na bancada da cozinha existia, já vira em filmes, mas nunca imaginara que aconteceria na sua cozinha. Aquela mulher linda, sonolenta, empoleirada na bancada, feliz da vida.

— E então, já se apaixonou por mim? — perguntou Patrice, rindo.

— Claro — disse Chris, sorridente, dando-lhe um beijo.

— Acho bom — retrucou Patrice, descendo da bancada. — Vou pegar as tigelas.

Chris voltara sua atenção de novo para a wok. Desviara o rosto do campo de visão de Patrice, agora ocupada catando tigelas no armário. E as lágrimas lhe vieram novamente ao rosto, dessa vez com mais intensidade. O que havia de errado com ele? Era só um yakisoba, Chris. Só um yakisoba e uma mulher sentada na bancada.

Foi quando percebeu. Percebeu? Compreendeu? Não importa, só importava o fato de que, naquele instante, sabia que, sim, *havia* se apaixonado por ela.

Ah, meu Deus, sim. Ah, meu Deus, não.

Teria que dizê-lo a Patrice em algum momento? Talvez ela já tivesse percebido.

Chris enxugou uma lágrima do canto do olho. A dor foi imediata, por causa da pimenta nos dedos e, por um instante, todos os pensamentos sobre amor, felicidade, vergonha, vulnerabilidade e medo tiveram que ser postos em segundo plano.

Ao menos não precisava mais explicar por que estava chorando.

Ser saudável era fácil com Patrice ali; parecia muito simples. Comer frutas, beber água tônica, não pedir fast-food.

Mas, sem ela, as noites eram mais longas. E a Chris Hudson parecia algo estranho cozinhar brócolis só para si, não iria se dispor àquilo. Tudo bem comer um biscoito, se fosse só um mesmo? Talvez pudesse comer um pouco de chocolate se fosse do tipo amargo que se compra em lojas de produtos naturais. Era horrível, então tinha que ser aceitável, não é?

Ibrahim lhe dissera certa vez que nozes faziam muito bem. Chris passara, então, a comê-las aos montes.

Qual seria o limite?

Todos os estabelecimentos agora entregavam em casa. Não só os restaurantes, o que já era ruim o bastante, mas as lojas de conveniência. Em dez minutos, poderia ter uma batatinha ou um chocolate à porta de casa.

Come mais um punhado de nozes, mastigando-as a contragosto. Quem sabe não poderia tomar um chá de ervas? Ou pedir um Twix. Que mal faria? Ou dois Twixes. Eram tão pequenos...

Um curry, de repente? Mas com legumes para acompanhar, em vez de *paparis*.

Pare de pensar em comida, Chris. Pense no trabalho. A audiência de Ryan Baird se aproxima. Este deve ser um triunfo fácil. Pensa em Connie Johnson. Teria ela cometido algum deslize? Ele não gosta da ideia de que ela ande de Range Rover com motorista por toda Fairhaven, como se fosse dona da cidade.

O interfone externo de Chris começa a tocar. Nove e quarenta e cinco. Um pouco tarde para visitas.

49

Não era exatamente um encontro.

Ela e um inspetor-chefe de Londres passaram a noite de guarda na garagem-depósito de Connie Johnson. Donna preferiria ter estado de tocaia com Chris, e, agora que sua mãe voltou para o sul de Londres, logo terá seu desejo atendido.

Não houvera nada a reportar sobre a garagem, só um ou outro garoto de bicicleta indo e vindo. Nenhum rosto novo e nada de Connie. Donna meio que esperava ver Ryan Baird passar de bicicleta perto da porta em algum momento. Vai ver está na dele até a audiência no tribunal.

Connie com certeza estava por dentro do jogo deles. Mas, se ela e Chris dessem um jeito de prendê-la, medalhas e promoções seriam uma questão de tempo.

O inspetor-chefe integrava uma equipe enviada de Londres por algumas semanas. Connie Johnson era um assunto sério e reforços haviam sido trazidos. E agora ele está sentado em frente a ela, bebendo cerveja no gargalo ("Para quê copo de vidro se já vem dentro de um vidro?"). O único solteiro em todo o grupo, se a extensa investigação de Donna pelo Facebook estiver correta.

O inspetor-chefe se chama Jordan, ou talvez Jayden. Como já pediram até a sobremesa, já é meio tarde para perguntar qual dos dois. Passara a noite toda chamando-o de "senhor" e isso não pareceu ser um problema. Por ora, sabe que ele não vê *Bake Off* por ser uma "baboseira tosca", porém acha que torres de celular 5G são uma conspiração do governo e têm algo a ver com câncer. No mínimo, algo em que devíamos ficar de olho.

Deve ter trinta e cinco anos. Ou quarenta, é difícil cravar a idade dos homens nessa fase da vida. Parece ter braços musculosos, e isso bastou para Donna aceitar que jantassem juntos no Le Pont Noir após o fim do plantão. Nossa Senhora, como se sente solitária.

Está para fazer trinta anos. Suas amigas estão juntando as escovas de dentes e desaparecendo. Seu ex, Carl, já estava noivo, não perdia tempo. Logo ele, que "precisava de espaço" e "não estava a fim de compromisso, gata". A noiva não é policial. É influenciadora digital no ramo dos calçados. Vão se casar em Dubai.

E assim Donna virou a moça nova numa cidade nova. Uma garota negra numa cidade litorânea, onde se sente indesejada ou uma curiosidade, e não gosta de nenhuma das duas sensações. "De onde você é, então?" "Do sul de Londres." "Não, sério, de onde você é *de verdade*?" "É... é sério, eu sou de Streatham, de verdade."

Uma cidade em que as lojas de maquiagem não vendem base para a sua cor de pele e a pessoa mais próxima em quem você pode confiar para cuidar do seu cabelo está a uma hora de carro. Nada disso vai matar Donna, mas está longe de ajudá-la a se sentir um pouco menos solitária.

Mas é preciso fazer o melhor possível. E também é preciso sair com gente de menos de cinquenta anos pelo menos de vez em quando. É por isso que está diante deste sujeito tão óbvio, qualquer que seja seu nome.

— Não acredito que vocês ainda não a pegaram — comenta o inspetor-chefe cujos braços talvez sejam musculosos.

— Connie é esperta.

— Esperta para uma cidade pequena, aí pode ser — replica ele. — Para Londres, não é, não. Sorte de vocês que eu e a cavalaria chegamos.

— Vocês também não pegaram ela — rebate Donna. Existe um motivo para isso, pensa.

— O ritmo de Londres é diferente, gata. A batida é outra.

— Eu sei — diz Donna. — Eu sou de Londres.

— Só vivendo para saber. Você respira aquilo tudo. A cidade grande, perversa.

— Como já disse, nasci em Londres. Você é de onde?

— High Wycombe — responde o inspetor-chefe.

— Barra-pesada.

— Você está me sacaneando? — pergunta ele.

— Não, só conversando — responde Donna. — Pode conversar também.

E os olhos, são bonitos? A cor até que é. Já é alguma coisa.

— Estou hospedado no Travelodge, por sinal — comenta o inspetor-chefe, olhando para o relógio, um Rolex falso, sem dúvida "emprestado" de um depósito de provas.

Donna faz que sim com a cabeça. Esta noite, o jeito é fazer sexo num Travelodge ou ficar sozinha. Que seja. É pedir a conta, passar em algum lugar para comprar uma garrafa de vinho e ir logo ao que interessa. Um certo torpor, enquanto sua mãe e seu chefe se apaixonam.

— E seu chefe? — pergunta ele. — Chris Hudson? Parece estar meio perdido, não é?

— Eu não o subestimaria, se fosse você — diz Donna. Melhor tomar muito cuidado agora, Jordan ou Jayden.

— Não duraria um segundo em Londres.

— É mesmo? — pergunta Donna.

— Aquele ali não pega nem Covid.

Bem, tudo resolvido. Donna já não precisa passar esta noite fazendo sexo chinfrim num Travelodge. Nem afagar o ego desse sujeito sem graça. Por que estava ali mesmo? À procura de quê? O garçom traz a conta e o medíocre inspetor-chefe, que acaba de cometer o erro de insultar o melhor amigo dela, dá uma olhada.

— Tudo bem dividir? — pergunta ele. — Outra coisa, você tomou vinho, então...

— Claro, senhor — diz Donna, pegando a bolsa. Ela precisa tomar jeito. Aliás, sabe muito bem com quem precisa falar. Ibrahim.

Acabara de lhe enviar por e-mail as imagens dos vídeos do circuito interno da estação. Será que ele se importaria se ela desse uma passada para visitá-lo em algum momento?

Donna não precisa de terapia, mas não cairia mal uma longa e boa conversa com um amigo que, por acaso, é terapeuta.

Seu celular apita. Mensagem de Chris.

50

Chris Hudson alcança o interfone na parede e o leva à orelha.

— Alô? — Seria Donna? A caminho de casa depois de um encontro desastroso com um vendedor de sorvete...

— Oi, Chris, sou eu — diz a voz feminina.

Não é Donna.

— Ok — diz Chris. — Alguma outra pista?

A voz no fone ri.

— Eu disse que sabia onde você morava, bobo!

Chris congela.

Connie Johnson.

— Vai me deixar subir? Tenho algo para conversar com você. É rápido.

Chris engole um xingamento e abre o portão. O que será? Digita apressado uma mensagem para Donna.

Connie Johnson aqui em casa. Se eu não ligar em 15 min, manda uma viatura.

Chris olha ao redor para ver se o apartamento está apresentável. E é claro que está, pois ele o tornara apresentável para Patrice e ainda não teve tempo de bagunçar tudo. Uma batida na porta. Chris respira fundo e a abre.

— Oi, Chris — cumprimenta Connie Johnson.

Chris se recusa a responder, mas faz sinal para que entre.

— Olha só, bacana, hein? — diz Connie, inspecionando o apartamento. — Pequeno, mas bacana.

— Bem, é o que dá para pagar sem vender cocaína para crianças.

— Entendi, Madre Teresa — rebate Connie, sentando-se no sofá de Chris, que pega uma cadeira da mesa de jantar, coloca-a em frente a ela e se senta.

— Você sabe que está na corda bamba vindo à casa de um policial, não sabe? — diz Chris.

— Humm. Assim como você me convidando para subir. Tem algo para beber?

— Não — responde Chris. Essa parte, aliás, é verdade.

— Está bem, então. Vou direto ao assunto. O que você sabe?

— Sobre você?

— Isso — diz Connie.

— Que você matou os Antonio. Que você tem um Range Rover. Que é inteligente, mas não tanto a ponto de escapar impune do que está fazendo, e por isso vou continuar trabalhando nisso.

— Hummm. Bem, em primeiro lugar, "nada a declarar" e, em segundo, também acho você bastante esperto. É o que as pessoas dizem por aí.

— Não sou, não — responde Chris. — Sou mais do que você, mas não sou esperto.

Connie assente.

— Talvez. Descobrir onde você mora certamente foi fácil.

Chris dá de ombros.

— Seguir alguém até em casa é bem fácil, Connie.

— De fato — concorda ela. — Foi fácil seguir você até aqui e também seguir a Donna de Freitas até a rua Barnaby, nº 19. Ela teve um encontro hoje à noite, aliás. No Pont Noir.

Chris ri.

— Aqui não é um pátio de escola. Nós somos policiais de Fairhaven, moramos em Fairhaven. É bem fácil nos localizar. Mas, se você estiver tentando me assustar, tem que caprichar mais. Você não se atreveria a atacar um policial e sabe disso.

— Eu sei — diz Connie.

— Então o que você quer?

— Não quero nada, só dizer que, na condição de empresária, eu tenho um limite de tolerância com vocês fuxicando as minhas atividades.

— É mesmo?

— É, sim. Tirar fotografias dos meus clientes, esse tipo de coisa. Estou chegando ao meu limite. Então, como amiga, vim avisar para você ser mais cuidadoso.

Chris faz que sim com a cabeça.

— Claro, porque você sabe o meu endereço e o endereço da Donna. Isso é assustador.

— Quem avisa amiga é — diz Connie, levantando-se do sofá num impulso. — Se isso não deixar você preocupado, é só ignorar.

— É o que eu vou fazer, obrigado.

Chris lhe mostra a saída.

— Desculpe por ter aparecido tão tarde. Meus horários são loucos. Por sinal, ela é linda.

Chris está a ponto de bater a porta na cara dela, mas se segura.

Connie ri.

— Se não se importa que eu diga, mandou muito bem. Aposto que já está sentindo falta dela, não é? Você aqui, ela lá no sul de Londres.

— Nem pense nisso, Connie.

— Pensar no quê? Só estou dizendo que Streatham é longe à beça. Né?

— Connie, eu não estou brincando. Você não é esperta o suficiente para sair impune disso. Esquece essa ideia.

— Talvez eu não seja... — Connie sorri. — Mas sou bem perigosa. Ou imprevisível. Acho que é a melhor descrição. Segui você até em casa e mandei que alguém seguisse a Patrice até em casa.

— Saia daqui — diz Chris.

— Já saí, seu bobo. Prometo que a gente fica de olho nela para você. Para garantir que não apronte alguma. Ela é mesmo muito bonita. Aposto que faz você andar na linha. Como as melhores mulheres fazem.

Connie sopra-lhe um beijo ao mesmo tempo que Chris bate a porta com força e se escora nela. É pensar rápido e calcular o risco. Conta ou não a Patrice que Connie acabou de ameaçá-la? Pede a ela que tome cuidado? Que fique de olho em Range Rovers? Amedronta Connie? Para quê? Por causa de um blefe amador? Deus do céu. Seria mesmo um blefe? Até que ponto Connie Johnson poderia ser imprevisível? Será que...

O celular toca. Donna. Passaram-se quinze minutos. Ele sabe que precisa atender.

— Tudo certo — diz ele.

— O que ela queria?

Contar ou não a Donna a verdade? Chris decide de supetão. Espera ter feito a escolha certa.

— Só queria me ameaçar. E a você. Queria que eu soubesse que sabe onde a gente mora. Disse para a gente se afastar.

Donna ri.

— Ela acha que a gente vai ficar com medo?

— Também ri na cara dela. Disse que pode fazer o pior de que é capaz.

— Foi só isso? — pergunta Donna. — Só intimidação amadora?

— Sim, desculpe ter deixado você preocupada.

— Deixa de ser bobo. Você está bem? Quer que eu dê um pulo até aí? A gente pode ver outro episódio de *Ozark*.

Chris abre uma gaveta da cozinha e observa os menus de restaurantes, arrumados de maneira impecável por Patrice.

— Não, melhor eu dormir um pouco. E você, a noite foi boa?

— Plantão de vigilância com aquele cara da Metropolitana. Jayden, Jordan, sei lá.

— Jonathan — diz Chris. — A gente se vê de manhã.

— Boa noite, capitão.

Chris observa os menus de novo. Daria tudo por um curry. Fecha a gaveta com força.

Se ele mesmo não se amar, quem o fará?

51

Ibrahim está recostado na cama. Na mesa de cabeceira, um charuto e uma taça de brandy. No colo, seu laptop. Ele clica no arquivo com as gravações que Donna lhe enviou. Achar mais alguém em Coopers Chase que entenda de TI tanto quanto Ibrahim seria bem difícil. Bota difícil nisso.

— Veja, preciso que você me ouça com atenção — diz Ibrahim. — Douglas e Poppy foram assassinados em algum momento antes das cinco da tarde do dia 26. Só precisamos assistir às imagens dali para a frente, até Elizabeth e Joyce aparecerem. Os três dias seguintes, mais ou menos.

— Ok — diz Kendrick, apoiando a cabeça no ombro de Ibrahim.

— Vamos fazer o seguinte? Eu olho o dia 26 no meu laptop, você olha o dia 27 no seu iPad.

— Legal.

— E se vir alguém tentando abrir o guarda-volumes 531, grita.

— Tudo bem — responde Kendrick. — Eu não vou gritar, só avisar.

— Boa ideia. E a gente conversa enquanto assiste.

— Para não ficar chato! — anima-se o menino.

— Isso mesmo — diz Ibrahim, apertando o play.

A velocidade máxima possível é a de oito vezes o normal. O local abre às sete da manhã e fecha às sete da noite. Em noventa minutos, é possível checar as gravações de um dia inteiro. Com a ajuda de Kendrick, dá para cobrir dois dias no mesmo intervalo de tempo. Talvez não seja o trabalho mais indicado para um menino de oito anos, mas as crianças de hoje são protegidas demais.

— Já estou assistindo — diz Kendrick. — A gente vai falar do quê?

Ibrahim observa as imagens em preto e branco em sua tela. A câmera mostra todo o corredor de guarda-volumes. Mesmo na velocidade x8, não apareceu ninguém ainda.

— Como está no colégio?

— Ahh... legal — responde Kendrick. — Você entende de romanos?

— Entendo — diz Ibrahim. Uma mochileira acabou de enfiar a mochila dentro de um guarda-volumes no fim do corredor.

— Quem é o seu preferido? — pergunta Kendrick.

— Meu romano preferido?

— O meu é Brutus. Apareceu uma faxineira, mas não roubou nada.

— Acho que eu prefiro Sêneca, o Jovem — diz Ibrahim. — Foi o maior de todos os filósofos estoicos. Era muito bom em toda a teoria, mas também procurava dar conselhos práticos. Ele acreditava que a filosofia não era um texto sagrado, mas um remédio para a vida.

— Ah, legal, a gente ainda não aprendeu sobre ele. Qual o melhor dinossauro? É o estegossauro?

— Sim, aí nós concordamos, Kendrick — diz Ibrahim, tomando um gole de brandy.

— Dói onde chutaram você? — pergunta Kendrick, com os olhos ainda grudados no circuito interno de TV.

— Eu digo aos outros que não — responde Ibrahim. — Mas dói muito.

— Eles provavelmente sabem.

— Sim, sim. Mas você é a única pessoa para quem contei a verdade.

— Obrigado, tio Ibrahim. Alguém agora tirou uma caixa de um dos outros armários, mas só chatice. Você sentiu na hora em que chutaram? Ficou com medo?

— São ótimas perguntas — diz Ibrahim enquanto um homem de terno põe uma valise num guarda-volumes e depois tira a gravata e faz o mesmo com ela. Perdeu o emprego e ainda não contou para a esposa. — Eu me lembro de ter ficado muito assustado e também de me sentir como se estivesse numa máquina de lavar. Bobo, não é?

— Ah, não acho, tio. Se você se sentiu assim.

— E eu sabia que podia morrer, lembro bem. Pensei sobre isso e achei que tudo bem, mas que era meio injusto acontecer daquela forma. E pensei: "Se eu soubesse que seria assim..."

— Humm — faz Kendrick.

— E pensei no seu avô e na Joyce e na Elizabeth também, porque eu sabia que iria sentir falta deles e eles sentiriam falta de mim e pensei "tomara que eu não morra, tomara que isso termine bem".

— Ainda bem que você não morreu, senão a gente não ia estar fazendo isso.

Ibrahim acende o charuto.

— Se alguém estivesse me matando, eu ia pensar no vovô também e agora também em você. E no Cody, meu amigo do colégio, e na Melissa e na Srta. Warren. E mais do que todo mundo, eu ia pensar na minha mãe. Uau, que charuto grandão! Você não devia fumar, sabia?

Ibrahim dá uma baforada.

— Geralmente eu faço o que me mandam. A vida é mais simples assim. Mas às vezes eu não faço o que me falam para fazer.

— Que nem eu. Às vezes eu fico acordado, mas a mamãe não sabe.

— Você não pensaria no seu pai se estivesse sendo morto? — pergunta Ibrahim.

Kendrick reflete por um momento.

— Acho que de repente ele ia ficar bravo.

Ibrahim assente e faz uma anotação mental da resposta do menino.

— Também não pensei no meu pai.

— Você não tem pai, tio Ibrahim. Só se ele tivesse mil anos.

Os dois se calam e se concentram por algum tempo na tarefa. Ibrahim avista sete ou oito pessoas cruzando o corredor sempre rumo a outros guarda-volumes. Kendrick, a mesma coisa, mais ou menos. Nada de alguém se aproximar do nº 531. A conversa fiada com o menino é bastante agradável. Ibrahim fica sabendo que treze é o número favorito de Kendrick porque sente pena dele. Kendrick pergunta sobre planetas. O maior? Júpiter. O melhor? Saturno ("Não é a Terra?" "Você não pode contar a *Terra*!"). O relógio na tela continua a avançar, oito vezes mais rápido que o da sua mesa de cabeceira. Outra faxineira aparece no fim do dia e só.

— Foi muito legal! — diz Kendrick. — Podemos ver o outro dia juntos?

Ibrahim aceita. Chega uma mensagem de texto de Elizabeth perguntando: "*Alguma novidade?*" Ele responde: "*Sim. Estou preocupado com o relacionamento do Kendrick com o pai dele.*" Elizabeth responde com um emoji revirando os olhos. Virou fã de emojis.

Após uma parada para irem ao banheiro, consideravelmente mais rápida no caso de Kendrick do que no de Ibrahim, se acomodam para checar as fitas do dia em que Elizabeth e Joyce abriram o guarda-volumes. Só checarão as fitas até as duas aparecerem.

Mais uma vez, sucedem-se gravações aceleradas em preto e branco. Nem Ibrahim nem Kendrick estão cansados, pois quem fica cansado quando está se divertindo? Ibrahim pergunta a Kendrick se ele gosta de livros e o menino responde que de alguns sim, de outros não, e pergunta então a Ibrahim se ele já morou em outro país. Ibrahim responde que no Egito e Kendrick soletra o nome do país.

Ibrahim examina as imagens quando, por volta da hora do almoço, avista Joyce e Elizabeth e restaura a velocidade normal das imagens. Não consegue ouvir o que dizem, mas, com aquelas duas, sempre dá para imaginar. Percebe a dificuldade que têm para girar a chave, vê Joyce mexer na bolsa e logo em seguida Elizabeth tenta de novo e a porta do guarda-volumes se abre. A qualidade da imagem não é das melhores, porém é possível entender o que acontece.

Elizabeth retira do armário a embalagem de salgadinhos, aquela que mostrara a Ibrahim hoje de manhã, Joyce a põe na bolsa e as duas vão embora.

Kendrick pede para ver as imagens de Joyce e Elizabeth e, ao fazê-lo, exclama: "Nossa, são elas mesmo!" Mas não encontram mais nada e se dão por vencidos. Então ninguém havia visitado o guarda-volumes? Ninguém tentara abri-lo até Elizabeth e Joyce chegarem.

— Queria ter visto um dos malvados — diz Kendrick.

— Eu também. Elizabeth não vai gostar.

— Vamos ver o dia anterior? — pede Kendrick. — Vai ser legal, só para garantir.

Ibrahim aceita, pois, no minuto em que a tarefa terminar, o menino terá que voltar para a companhia do avô.

Eles assistem às imagens do dia 25, véspera dos assassinatos de Poppy e Douglas. Ou só de Poppy, a julgar pelo que Elizabeth acha. Teria Douglas de fato forjado a própria morte? Hummm. Ambos agora estão mais calados, à vontade no seu silêncio. Kendrick faz Ibrahim adivinhar qual a velocidade de um foguete, mas é só isso.

Juntos, olhando para a tela, veem a silhueta ao mesmo tempo. Caminhando pelo corredor como as centenas de outros que viram antes. Mas essa silhueta usa um casaco de couro e um capacete de motociclista. E se planta bem em frente ao armário 531.

— O que nós temos aqui, Kendrick?

— Será que é um dos malvados? — pergunta o menino.

— Talvez seja um dos malvados — concorda Ibrahim soltando mais uma baforada do charuto. Quem precisa do mundo lá fora?

52

Lance James se acomoda em um imenso sofá branco ao lado de Sue Reardon. A casa inteira cheira a figo branco e romã, um aroma que ele conhece bem. Ou conhecia, antes de Ruth ir embora levando as velas. Lance às vezes acende um fósforo depois de ir ao banheiro. É o mais próximo de zen que consegue ser.

— Tem faxineira, Sr. Lomax? — pergunta Sue Reardon. — Sofá branco é uma escolha bastante ousada.

— Uma mulher do vilarejo faz a faxina há anos — diz Martin Lomax. — Margery, Maggie, algo assim. Muito obrigado por terem vindo, eu não gosto de viajar. Passo mal.

— Não há de quê, Lance estava mesmo diante do portão da sua entrada tirando fotos — diz Sue. — E eu não estou ocupada, apenas investigando a morte de dois colegas.

— Investigando? — pergunta Martin Lomax. — Eu achava que vocês que tinham matado os dois. Não foi isso?

— Acredite se quiser, não foi. A gente achava que tinha sido você — responde Lance.

Martin Lomax projeta um lábio para a frente e assente.

— Bom, um de nós deve estar errado. Mas os dois estão mortos, e é isso que importa.

— Sim, isso é um consenso — concorda Sue. — Como você lida com a história de ter faxineira? Não se preocupa com a possibilidade de ela dar de cara com alguma coisa?

— Sempre dou uma arrumada antes de ela aparecer. Você não?

— Bem, eu coloco algumas revistas no lugar e lavo a louça — diz Sue.

— Comigo é igual. A maior correria meia hora antes de ela chegar, e sempre esqueço alguma coisa, deixo um papelote de cocaína ou algo do tipo. Ao longo dos anos, começou a me dar muita preguiça esse negócio de arrumar minhas coisas.

— Foi por isso que deixou os diamantes dando sopa por aí — comenta Sue.

— Sim, verdade — concorda Lomax. — De qualquer maneira, ligo a Radio 4 para ela e a deixo quieta. Quantas pessoas vocês já mataram, mais ou menos?

— Umas oito, nove — diz Sue. — E você?

— Mais ou menos a mesma coisa — declara Martin Lomax.

Lance olha ao redor.

Estão sentados em um solário com uma bela vista para os jardins externos. Há um resto de decoração de festa pendurado em um dos galhos de um eucalipto. Deve ter havido algum tipo de comemoração. Martin Lomax ainda não lhes ofereceu café ou sequer água. Não parece ser algum jogo de poder, simplesmente não lhe ocorreu.

— Eu sei que esse papo é chato e que eu insisto nele — diz Lomax —, mas preciso mesmo encontrar esses diamantes.

— A gente também — replica Sue.

— Bem, *precisar* de verdade vocês não precisam, não é?

— Sinto dizer que precisamos — rebate Lance.

— Não, não precisam. Óbvio que vai pegar bem para vocês se acharem. Óbvio que as pessoas vão ficar satisfeitas. Mas esses diamantes não são seus, não é, Sue?

— Bem, seus também não são, certo? — diz Sue.

— Li num livro, certa vez, sobre uma máfia que usava tigres para dilacerar as pessoas e matá-las — comenta Lomax. — Em um zoológico particular. Dá para imaginar?

— Bem, sinto informar que os diamantes não estão conosco — revela Sue. — E também não fazemos a menor ideia de onde eles estão.

— Canalhas — diz Martin Lomax. — Para mim, foram vocês que mataram eles, para abafar a história toda. Foi o pessoal de vocês, não foi? Vocês fizeram com que falassem sob tortura?

— Não — diz Lance.

— Você não pode só dar ao Frank Andrade os vinte milhões de libras dele? — pergunta Sue. — Pagar o que deve em dinheiro e dar o assunto por encerrado?

— Meus ativos costumam ser ilíquidos. E também costumam pertencer a outras pessoas. Eu poderia roubar dos mexicanos para pagar à máfia e depois roubar dos sérvios para pagar aos mexicanos. Seria um círculo vicioso constante, e como terminaria isso?

— Com você morto, claro — diz Sue Reardon.

53

A turma toda está reunida em torno da cama de Ibrahim. Elizabeth trouxe um caderno, Joyce, biscoitinhos de chocolate, e Ron, *Rocky III* ("o melhor de todos") para assistir depois com Ibrahim.

Mas o primeiro filme da noite é outro. Elizabeth tamborila com os dedos enquanto Ron anda de um lado para outro e Ibrahim arruma tudo. Ele coloca as imagens na tela. Kendrick está na varanda jogando *Pokémon*.

— Pois bem — diz Ibrahim. — Eis a pergunta do dia. Quem é esse?

Ibrahim aperta o play e todos observam a silhueta com capacete do motociclista percorrer a fileira de guarda-volumes, parando na frente do 531. A silhueta testa a chave.

— Parece que ele está tendo dificuldade com a fechadura também — comenta Joyce.

— Ou ela — diz Ron. Ibrahim repara que Ron tem melhorado muito com a neutralidade de gênero.

A pessoa luta com a tranca, mas a porta do guarda-volumes acaba se abrindo. A câmera não mostra o interior do compartimento, mas eles sabem exatamente o que a silhueta está vendo. Observam o motociclista pegar a embalagem de salgadinhos e em seguida jogá-la de novo lá dentro. A pessoa encara o compartimento por algum tempo, depois curva os ombros, tranca-o de novo e vai embora.

Ibrahim interrompe a gravação e a imagem fica congelada.

— E é isso — diz ele.

— Isso, então, foi na *véspera* de atirarem na Poppy e no Douglas? — pergunta Joyce.

— Sim. Nem íamos checar as imagens da véspera. Foi Kendrick quem sugeriu.

— Kendrick? — pergunta Elizabeth.

— Sim. Foi ideia do Ron que ele ajudasse — responde Ibrahim.

— Achei que ele poderia gostar — explica Ron.

— Se isso foi na véspera, como é que alguém já sabia do armário 531? — pergunta Elizabeth.

— Douglas deve ter contado a outra pessoa — arrisca Joyce.

— Douglas deve ter contado pra todo mundo — resmunga Ron. — Para todas as ex-mulheres. Vai ver botou no Facebook.

— A não ser que seja o *próprio* Douglas na imagem — sugere Joyce. — É possível, não?

— Pode ser qualquer pessoa, Joyce — diz Ron. — Pode ser até a Elizabeth, pelo que sabemos.

— Douglas estava sob custódia, não tem como ser ele — argumenta Elizabeth. — Além disso, é a única pessoa que sabia que o armário estava vazio.

— Mas a quem mais ele teria contado? — pergunta Joyce.

Olham fixamente para a imagem na tela. Roupa de couro preta, capacete preto, luvas pretas.

— A gente está deixando passar alguma coisa — diz Elizabeth. — Vamos assistir de novo.

Sentam-se e examinam novamente a gravação. E outra vez. E mais uma. Mas nada. Elizabeth deixa o corpo afundar na cadeira.

— Não dá para dizer se é homem ou se é mulher, nem a idade. Com esse ângulo da câmera, não dá para ter certeza nem da altura.

Kendrick volta da varanda.

— O suco de laranja estava ótimo, tio Ibrahim. Vocês todos viram a pista?

— Pista? — pergunta Elizabeth.

— Oi, Elizabeth — diz Kendrick. — É, vocês viram? Aposto que sim.

— Tem coisas que dá para notar da postura, do jeito de caminhar, se é isso que você...

— Não, a pista! Você viu, Joyce?

— Não vi absolutamente nada — admite Joyce.

— A gente fez cupcakes hoje, e eu que fiz a cobertura — diz Kendrick. — Quer um?

— Não, pode comer o meu — diz Joyce.

— Tá bem — responde Kendrick. — Vô, tio Ibrahim, vocês viram, né?

— Eu vi — diz Ron. — Mas, para o caso de a gente não estar falando sobre a mesma pista, por que você não diz primeiro qual você viu?

Kendrick se debruça diante da tela.

— Beleza, deem uma olhada na parte em que ele abre a fechadura.

Ibrahim acelera e pausa a gravação. Os quatro se entreolham. Ron balança um pouco a cabeça e dá de ombros.

— Estão vendo quando ele levanta o braço para mexer na fechadura? — diz Kendrick.

Eles veem.

— Estão vendo o espacinho entre o casaco e a luva?

Todos se debruçam. O casaco escorrega na direção do cotovelo e parte do braço fica à mostra.

— Ali a pista!

Quem enxerga mal de longe se inclina para a frente. Quem enxerga mal de perto, para trás.

— O que é, querido? — pergunta Elizabeth.

— Ele está usando uma das pulseiras da amizade da Joyce.

No pulso da silhueta que abre o guarda-volumes 531, notam-se algumas tiras tecidas de forma amadora e cravejadas de lantejoulas.

Todos na sala olham para os próprios pulsos, e então para Joyce.

Joyce olha para a própria pulseira e depois volta a encarar os amigos.

— Bem, agora ficou bem mais fácil!

54

Joyce

Vocês não vão acreditar.

Kendrick estava olhando as imagens do circuito interno de câmeras de segurança do guarda-volumes da estação. Na cabeça de Ibrahim e Ron, esse é um projeto apropriado para um menino de oito anos. Mas o que interessa é: ele percebeu que a silhueta com capacete de motociclista estava usando uma das minhas pulseiras da amizade!

E dava mesmo para ver que era uma das minhas. Acho que sou a única que faz daquele jeito.

Vocês podem imaginar a diversão que tivemos em seguida.

Quem era o nosso motociclista? Ibrahim fez uma lista no seu computador de todas as pessoas a quem já dei pulseiras da amizade. Para começar, isso excluía qualquer um da máfia. Veio abaixo a teoria do Ron, portanto. Ele sugeriu uma hipótese mirabolante na qual eu teria sido seduzida por um ítalo-americano idoso no micro-ônibus, e todos rimos muito. Quem dera. Mas deu para perceber que ele ficou decepcionado.

Nós quatro estávamos na lista, é claro, assim como Kendrick. Imaginem se fosse ele? Se isso fosse um livro, seria. Não seria divertido estar em um livro? Aposto que em um livro meu quadril não doeria tanto.

Passamos então a nomes mais interessantes. Sue Reardon tem uma pulseira. Poderia ser ela? Douglas teria contado a ela onde estavam os diamantes? Elizabeth, porém, acha que ela teria levado a embalagem de salgadinhos.

Lance? Menos provável que Douglas tivesse lhe contado, porém mais provável ter deixado passar a embalagem de salgadinhos.

Siobhan, a mãe de Poppy, tem uma. Douglas poderia ter contado a Poppy e Poppy ter dito à mãe? Siobhan parece tão tranquila e discreta... Mas nós também parecemos.

Martin Lomax? Só lhe dei uma pulseira depois que pedimos as imagens. Além disso, sem querer fazer drama, mas tenho certeza de que a dele foi jogada no lixo no minuto em que saímos de lá. Por sinal, descontei seu cheque de cinco libras para a Vivendo com Demência. Até a mulher do banco fez cara de quem não via um cheque fazia anos.

Quem mais? Algumas pessoas de Coopers Chase. Colin Clemence. Gordon Playfair. A Jane, de Larkin, que está tendo um caso com Geoff Weekes e acha que ninguém sabe. Aliás, ela deu a pulseira dela ao Geoff. Temos que contá-lo também.

E Bogdan, é claro. Quase me esqueci dele.

Conversamos por mais ou menos uma hora. Quem, por quê, onde, o quê? E então Mark chegou com o táxi, sinalizando a hora de Kendrick ir para casa. Abraçamos muito o menino.

Ibrahim caiu no sono — ainda não está totalmente recuperado —, assim Elizabeth e eu fomos embora. Ron disse que voltaria para assistir ao filme depois de levar Kendrick.

Mas tem o seguinte. E isso fica entre a gente.

Assim que me despedi de Elizabeth, um pensamento me ocorreu. Uma forma de descobrir a identidade do motociclista. Pensei em chamá-la de volta, mas foi quando pensei: não, Joyce, por que não tentar fazer as coisas sozinha uma vez na vida? Não precisa ter Elizabeth sempre por perto.

Por isso, hoje cedo peguei o micro-ônibus até Fairhaven. Fiz o mesmo percurso, cruzando as mesmas ruas, até a estação de Fairhaven. Levou mais tempo dessa vez porque Elizabeth anda rápido e precisamos acompanhar. Ela nem percebe, mas anda, sim.

Fui direto ao guarda-volumes e, como eu torcia, a moça gentil do cabelo bonito e dos fones de ouvido estava de serviço.

Até me reconheceu. Ganhei o dia, pois ninguém nunca me reconhece.

Ela tirou os fones que usa só para disfarçar, perguntei como estava e ela disse bem, obrigada. E eu lhe perguntei se continuava tendo problemas com o gerente da Costa e ela respondeu que as coisas estavam até pior, pois o sujeito já lhe oferecera uma carona de motocicleta até em casa. Contei-lhe, em todo caso, que minha experiência com homens de motocicleta era escassa, e rimos como mulheres entendidas do mundo que nenhuma de nós duas realmente é. Ela me perguntou se eu precisava de algo do meu guarda-volumes e respondi que precisava de um favor dela e que era até engraçado estarmos falando de motocicletas. Ela ficou mais atenta quando falei isso.

Vejam bem, a ideia que me ocorreu ao me despedir de Elizabeth na noite anterior foi que a moça do balcão da sala do guarda-volumes levava o próprio trabalho a sério e o fazia com afinco. Imaginei que ela nunca teria deixado alguém com capacete de motociclista se aproximar dos compartimentos como quem não quer nada. E, pelo jeito, eu estava certa.

Ela pediu desculpa por não se lembrar do dia em questão — pelo jeito que ela estava falando, seu trabalho é bem chato —, mas confirmou que jamais deixaria alguém entrar na área dos guarda-volumes sem se certificar de que a pessoa tinha uma chave e sem ver seu rosto. Portanto, se alguém aparecesse de capacete, teria que tirá-lo. Perguntei se havia circuito interno de TV na área do balcão e ela disse que sim, pois seu predecessor havia sido demitido por ficar assistindo a pornografia no laptop em horário de trabalho. Ela acrescentou que não o culpava, pois os dias por lá podiam ser arrastados.

Eu agradeci e ela quis saber do que se tratava, ao que respondi que não poderia contar por ser assunto de Estado. Vocês deviam ter visto a cara dela. Imagine se eu conseguiria falar uma coisa dessas com Elizabeth a meu lado. Duvido. Devia me aventurar mais sozinha.

Depois, fiz o mesmo trajeto que havíamos feito da vez passada pelas ruas, a caminho da delegacia de Fairhaven, para contar a Donna sobre o circuito interno de TV. Claro, eu esqueço que Elizabeth sempre dá um jeito de saber quando Donna está de serviço, e hoje ela não estava. Será que não devo me aventurar tanto sozinha? É uma corda bamba.

Ao chegar em casa, contei a Elizabeth o que havia feito e ela ficou encantada com minha engenhosidade e também incomodada por não ter pensado naquilo ela mesma.

— E por que não me contou, Joyce? — perguntou. Aleguei só ter tido a ideia quando já estava no micro-ônibus. Ela respondeu que eu sou uma péssima mentirosa, o que é verdade, claro. Eu lhe prometi que não voltaria a me aventurar sozinha e ela me disse para jamais fazer uma promessa que não sou capaz de cumprir.

Elizabeth enviou a Donna uma mensagem sobre o circuito interno de câmeras e talvez logo venhamos a descobrir quem abriu o compartimento. E, presume-se, quem sabe isso nos revelará quem matou Douglas e Poppy?

55

O sol do fim do outono realça a beleza de Coopers Chase. No caminho até a comunidade, Donna passa por uma lhama que mexe a cabeça em sua direção com um olhar curioso sobre uma cerca branca. Ela retribui o movimento como quem dá um bom-dia. No lago à sua direita, um ganso calcula mal a descida e pousa desajeitadamente de barriga na água. Ela poderia jurar que o ganso dá uma olhada ao redor para se certificar de que nenhum dos companheiros viu a cena.

Mais à frente uma mulher sentada num banco, apoiada numa bengala, ergue o rosto para o sol. Donna pensa quão solitária ela deve ser, até surgir um homem de chapéu-panamá que se senta a seu lado com sanduíches e dois jornais. Para ele o *Daily Mail*, para ela o *Guardian*. Como teriam se entendido ao longo dos anos?, imagina. Ninguém manda no coração, claro.

Ela cruza o caminho de outro casal, de mãos dadas. Os dois sorriem para ela e lhe desejam um bom-dia. Caminham na direção do lago para se sentarem à margem.

Quando será a vez de Donna caminhar de mãos dadas até um lago para se sentar?

O caminho se alarga na chegada à comunidade. Willows, a casa de repouso, é o primeiro edifício. A última vez que Donna estivera lá fora quando Elizabeth a levara para conhecer Penny, ex-policial e sua melhor amiga. Ela já não estava mais lá, claro. Alguma outra pobre alma ocupa seu antigo leito.

Será que um dia será a vez de Elizabeth estar lá? De Joyce? De Ron? Ibrahim, não, impossível. Pensar em qualquer um deles tão fragilizado a deixa abalada e Donna baixa a cabeça ao passar diante de Willows.

O bloco onde Ibrahim mora é logo à frente, à esquerda, e o caminho cruza um belo jardim ainda vicejante de cores. Uma senhora de andador lhe dá passagem e diz: "Ânimo, meu bem, pode ser que nunca aconteça." Donna sorri timidamente.

Pode ser que nunca aconteça. Pois é, e não era justamente esse o problema?

Ao subir as escadas, Donna reflete outra vez sobre o que está fazendo. Todo mundo passa por momentos difíceis, não é? Todo mundo se sente pra baixo. Nem por isso vão correndo chorar as mágoas para um psiquiatra. Pelo menos não quem veio de onde ela cresceu. Nem existem psiquiatras em Streatham. Lá, as pessoas choram no ombro de amigos. Amigos que dizem para você tomar jeito.

Como Donna não tem amigos em Fairhaven, aqui está ela.

Donna chega ao andar e já encontra a porta de Ibrahim aberta. Ele ainda se movimenta com cautela e só consegue lhe dar o mais leve dos abraços.

— Senta, senta — diz Donna.

Ibrahim se escora nos braços de sua cadeira e até consegue se acomodar nela sem se atrapalhar muito. Donna se senta à sua frente, numa poltrona surrada sob a pintura de um barco. Nada além de uma policial comum numa visita comum a um amigo que, por acaso, é psiquiatra. Mas decidiu que não vai falar nada. Agora que está ali, a situação lhe parece boba demais. Melhor só olharem juntos as imagens do circuito interno de TV. Ela está bem, só meio melancólica.

— Bom te ver fora da cama — diz Donna. — Como está a dor?

— Melhorando — responde Ibrahim. — Só dói pra valer quando eu respiro.

Donna sorri.

— Vamos olhar essas imagens? Achei que você poderia curtir.

Ibrahim assente.

— Tudo a seu tempo, tudo a seu tempo. Mas, antes, como está a *sua* dor, Donna?

— Como está a minha dor? — pergunta Donna, rindo. Ah, tudo bem, então é assim que vai ser? É assim que começa a terapia?

— Sim — responde Ibrahim, virando a cabeça para o lado e fazendo Donna se lembrar da lhama. — Como está a sua dor?

— Machuquei o pulso na academia, isso é o máximo que tenho a relatar — diz Donna. Ela não deveria estar ali, desperdiçando o tempo de Ibrahim.

— É mesmo? — pergunta Ibrahim. Não é exatamente uma pergunta, está mais para uma observação.

Donna percebe que Ibrahim tem um grande bloco de anotações na mesa ao lado da cadeira. Ele se estica para pegá-lo e tira uma caneta do bolso da camisa. Ok.

— Não quero colocar palavras na sua boca, Donna, mas você poderia tranquilamente ter analisado essas imagens sozinha. Ou me enviado. Ou marcado uma reunião com todos. Mas você quis me encontrar sozinha.

— Queria ver como você estava — diz Donna.

— Muito gentil da sua parte. O que não é nem um pouco fora do comum, visto que você é uma mulher muito gentil. Por sorte, eu também queria saber como você está. Então que tal batermos um papo e vermos como estamos?

Como ela não engana nem mesmo Ibrahim, o jeito é embarcar. Donna se recosta na velha poltrona detonada, assente e fecha os olhos.

— Tudo bem. — Não conta como terapia se você só estiver conversando com um amigo, não é?

Ibrahim olha para o relógio.

— Quer começar por onde? A saída de Londres? O relacionamento da sua mãe com Chris?

Donna joga a cabeça para trás e respira fundo.

— Talvez devêssemos começar pela solidão? — sugere Ibrahim.

Pelos olhos fechados de Donna, lágrimas começam a escapar.
— Dói? — pergunta Ibrahim.
— Só quando eu respiro — responde Donna.
Ela se pergunta como estará sendo a manhã de Chris.

56

Os três homens ocupam uma mesa de concreto do lado de fora do Tribunal Real de Maidstone. O prédio parece um hotel de beira de estrada.

Chris Hudson está fazendo seu trabalho, mas teria vindo assistir a Ryan Baird no tribunal por puro prazer.

Chris já esteve inúmeras vezes nesse prédio ao longo dos anos. Seu primeiro caso a ser julgado ali tinha sido o de um vereador local que cometera atentado ao pudor em um trem e pusera a culpa no remédio para rinite alérgica. O político atualmente representava o distrito no Parlamento britânico. Já o caso mais recente fora o de uma atleta paralímpica flagrada em pleno ato de roubar ovos de pássaros raros. Ela comparecera ao tribunal com a medalha de bronze no peito, mas havia sido condenada assim mesmo.

Mas ele não perderia este por nada no mundo. Ryan Baird. Um caso nem um pouco sólido, sem dúvida. A cocaína e o cartão de banco encontrados na caixa da descarga do banheiro... A denúncia anônima... Mas às vezes é preciso fazer o que é necessário. Chris nunca fizera nada parecido antes. O Clube do Crime das Quintas-Feiras o leva para o mau caminho quase diariamente.

Seu único objetivo era se vingar em nome de Ibrahim. Da última vez que Chris estivera com ele, Ibrahim lhe parecera abatido, ferido, e o fato de ele não reclamar de nada e aguentar firme piorara a situação. Colocar Ryan Baird atrás das grades não faria mal a ninguém.

O julgamento, portanto, será um prazer, mas Chris tem outro motivo para estar ali. Um motivo bem menos prazeroso.

Connie Johnson. Do que ela seria capaz? Será que faria mesmo mal a Patrice? Não é possível.

O que ele poderia fazer para impedi-la? Quem poderia ajudá-lo?

Ligar para Elizabeth, sem chance. Ela diria para avisar Patrice, e não é algo que ele cogita fazer. Embora muito provavelmente fosse o mais correto, a atitude corajosa, ele simplesmente não se sente capaz. Não é enfrentando as coisas de frente que se chega aos cinquenta e um anos.

Por isso ligou para Ron.

Um pombo está tentando roubar as batatas fritas de Ron. Ele insistira em passar no McDonald's a caminho do tribunal. Ron o espanta, mas a ave se mantém firme na mesa, encarando-o e também as batatas, esperando que ele se distraia.

— Nem pensar, cara — diz Ron ao pombo, virando-se então para Chris. — Para mim, pombo é tudo eleitor do Partido Conservador.

— É uma teoria — diz Chris.

— Ela parece osso duro de roer, hein? — comenta Ron. — Essa Connie Johnson.

Bogdan, o terceiro homem a ocupar a mesa, assente.

— Mas é gostosa, como ouvi dizer? — pergunta Ron.

— Para uma inglesa — responde Bogdan, desinteressado. — Não para uma polonesa.

Bogdan havia sido o telefonema seguinte de Chris. Durante a vigília à garagem-depósito de Connie Johnson, eles observaram Bogdan fazer uma visita e sair com um embrulho. Chris concluíra que precisaria confrontar Bogdan em algum momento, fazer algumas perguntas. Mas depois o embrulho fora encontrado na caixa da descarga de Ryan Baird e as suas perguntas foram automaticamente respondidas. Porém, Bogdan obviamente conhecia Connie Johnson e, como isso poderia vir a calhar, Chris o convidara: "Me encontra em Maidstone, vai ser legal, e não conta para a Elizabeth."

— Provavelmente não é nada — diz Chris. — É só intimidação, não acha? Ela não vai fazer nada com a Patrice.

Bogdan faz uma careta.

— Não sei. Ela já fez pior.

— Pior do que matar a mulher que eu amo? — insiste Chris.

— Ela matou os irmãos Antonio, você não sabia? Foi ela própria quem matou, cortou os dois na frente um do...

— Deus do céu! — exclama Chris. — A propósito, se tiver alguma prova disso, você sabe qual é a minha profissão.

Bogdan ri.

— Nunca se deve falar com a polícia. É a lei.

— Agradeço pelo voto de confiança — diz Chris. — Obrigado, Bogdan.

— A gente dá um jeito — responde Bogdan. — Hein, Ron? A gente dá um jeito, né?

Ron assente.

— Uma intervenção hostil — diz Ron. — Não vou permitir que algo assim aconteça.

— Mas não façam nada ilegal, por favor — diz Chris.

— Bem, defina ilegal. — É a resposta de Ron.

— Contra a lei — rebate Chris. — Bem simples.

— Chris, meu velho — diz Ron, balançando a cabeça. — Você não poderia estar mais errado. Legal, ilegal, a linha é tênue. O ano é 1984 e nós estamos protestando na entrada da mina de carvão de Manton, em Nottinghamshire. Lutando para proteger os empregos de mil e quinhentos homens, lutando para salvar uma indústria.

— Tinha minas de carvão na Inglaterra? — pergunta Bogdan.

— O governo Thatcher faz passar uma lei emergencial proibindo piquetes na entrada das minas. Protestamos mesmo assim. Aguentamos firme. Questão de princípios. A polícia vem para cima com cassetetes e escudos e ninguém arreda pé. Não revidamos, mas não saímos do lugar. Todos nós terminamos em algum xilindró e levamos uma boa sova no caminho. No dia seguinte, todo mundo no tribunal, multa de duzentas libras por perturbação da paz. Ficha criminal, semanas de concussão. E perdoe aqui o velho progressista, mas acho que não fiz nada ilegal. Fiz o que era certo.

— Bom, era uma outra época, Ron — diz Chris.

— Aí, uma semana depois — continua Ron —, um dos rapazes foi até a biblioteca e descobriu o endereço do comissário-chefe de Nottinghamshire. Pouco depois, virou lorde sei lá das quantas. Mas, enfim, ele conseguiu o endereço e no dia seguinte um cunhado do cunhado de alguém apareceu com uma escavadeira e a enfiou no anexo da casa dele. Aí eu admito, foi ilegal. E eis a sua linha tênue.

— Aham...

— E quando o Jason participou do *Celebrity Bargain Hunt* — continua Ron —, ele descobriu onde seria o leilão e pediu a dois amigos que dessem lances um contra o outro por tudo o que ele havia comprado. Gary Samson, você não conhece, é um cara que comete assaltos à mão armada lá no Norte, acabou pagando cento e sessenta libras por um isqueiro de prata que o Jason tinha comprado por dez. E meu filho terminou vencendo o programa. E aí, foi ilegal? Sabendo que o dinheiro foi todo destinado ao combate à esclerose múltipla?

— Bem... — diz Chris.

— O que a gente pode dizer — completa Bogdan — é que você está em boas mãos.

Chris assente.

— Bom, só não matem ninguém. Mas, se conseguirem dar um jeito de impedi-la, sabem como é, toda ajuda é muito bem-vinda.

Os dois assentem. Até o pombo parece fazer o mesmo e Ron lhe dá uma batata.

— E não digam uma palavra a Donna nem a Elizabeth — pede Chris.

— Elizabeth já deve estar sabendo — diz Bogdan. — Deve ter uma escuta debaixo da mesa.

— Mas alguma coisa eu vou ter de contar a Joyce — diz Ron.

— Ron, não é para contar nada a *ninguém* — afirma Chris. — Essa conversa morre aqui.

— Sinto muito, meu velho — insiste Ron. — Joyce acha que você está apaixonado pela Patrice e eu disse que não, só estavam trepando. E quem não faria o mesmo, com todo o respeito? Uma mulher linda.

— Obrigado, Ron — diz Chris.

— Então vou precisar contar a ela.

— Contar o quê? — pergunta Chris.

— Só vou dizer que a gente bateu um papo, algum assunto de polícia, sei lá, e que o Chris chamou a Patrice de "mulher que eu amo". Ela vai ficar toda feliz.

— Acho que eu não disse isso, Ron — rebate Chris. Ou será que disse?

— Disse — responde Ron.

— Disse, sim — confirma Bogdan. — A Elizabeth vai ter registro disso.

Bem, pensa Chris. Sentar-se a uma mesa de concreto com dois amigos, um pombo se refestelando com comida do McDonald's e estar apaixonado. Era algo que valia a pena proteger, não é mesmo?

57

— Lembro que eu costumava dançar muito mais — diz Donna. — Sabe? Não faz tanto tempo assim. Que fim levou isso?

— Eu não danço — diz Ibrahim. — Não tenho as fibras musculares necessárias.

— E as drogas, as amigas, as risadas. Eu sinto falta de tudo.

— Uma policial não pode usar drogas — comenta Ibrahim. — Nessa você deu azar.

— Uns chatos — diz Donna. Seus olhos continuam fechados, mas Ibrahim a faz sorrir.

— Deve pegar mal — continua Ibrahim, que então olha para seu bloco. — Dançar, drogas, amigas, risadas. Qual desses você acha que eu estou pensando ser o mais importante?

— Vou chutar que não são as drogas — responde Donna.

— Amigas, Donna, é de onde tudo vem. É com amigas que se dança, é com amigas que se usa drogas, é com amigas que se ri. É isso que está faltando. As amigas. Onde elas estão?

Onde foram parar? Por onde começar?

— Londres, Estados Unidos, tiveram filhos com homens de quem não gosto, viraram religiosas, arrumaram empregos de verdade, uma delas se filiou ao Partido da Independência do Reino Unido. Ninguém tem tempo, todas vivem ocupadas. Tirando a Shelley, que está presa.

— Ninguém mais sai para dançar?

— Se saem, não é comigo — diz Donna. — Quem são meus amigos mais próximos? Chris, que está saindo com a minha mãe. Minha mãe, que está saindo com o Chris. Vocês. E concorda comigo que meus melhores amigos não deveriam estar na casa dos setenta?

Ibrahim assente.

— Concordo — responde ele. — Um, talvez, tudo bem, mas quatro já é um pouco demais.

— A única pessoa da minha idade que eu conheci aqui e de quem de fato gosto é Connie Johnson, e ela é traficante de drogas. Mas aposto que sai para dançar.

— E certamente se droga, imagino — diz Ibrahim.

Donna sorri mais uma vez. Seus olhos continuam fechados. Isso acalma, isso ajuda. Só falar as coisas em voz alta, pura e simplesmente. Isso que é terapia? Não parece. A sensação é de finalmente estar dizendo a verdade a alguém.

— Abra os olhos agora, Donna. Quero falar com você de uma forma diferente. — Donna obedece e Ibrahim a encara fixamente. — Você sabe que o tempo não para, não é? Amigas, liberdade, possibilidades?

— Era para você estar me animando — diz ela.

Ibrahim assente.

— Desapegue-se. Lembre-se daquela fase como uma boa época. Você estava no topo da montanha e agora está num vale. Isso vai acontecer várias vezes durante a sua vida.

— E o que eu faço agora?

— Agora você precisa escalar a próxima montanha, é claro.

— Ah, sim, claro — diz Donna. Tão simples. — E o que tem no topo da próxima montanha?

— Bem, isso a gente não sabe, não é? A montanha é sua. Ninguém a escalou ainda.

— E se eu não quiser? E se eu só quiser ir para casa e chorar todas as noites e fingir para os outros que está tudo bem?

— Então faça isso. Continue assustada, continue solitária. E passe os próximos vinte anos vindo me ver e eu continuarei a dizer a mesma coisa. Calce as botas e escale a próxima montanha.

Veja o que tem lá em cima. Amigas, promoções, bebês. A montanha é sua.

— E depois dessa montanha, vai haver outras?

— Vai.

— Nesse caso, posso deixar os bebês para depois da próxima montanha?

Ibrahim sorri.

— Faça o que quiser. Mas olhe sempre para a frente, não para trás. E eu estarei aqui vendo você escalar. Essa poltrona é sua sempre que precisar.

Donna olha para o teto, expira e pestaneja. As lágrimas ameaçam surgir.

— Obrigada. Tenho me sentido meio boba ultimamente.

— Solidão é difícil, Donna. É um problema dos grandes.

— Você devia trabalhar com isso, sabia?

— Você só está um pouco perdida, Donna. E quem nunca se perdeu nesta vida é porque nunca viajou para nenhum lugar interessante.

— E você? — pergunta Donna. — Você parece triste.

— Estou um pouco triste, sim — responde Ibrahim. — Estou assustado e não consigo encontrar uma saída para essa situação.

— Eu te aconselharia a escalar a próxima montanha — diz Donna.

— Não sei se tenho energia para isso. — Agora são os olhos de Ibrahim que começam a se encher de lágrimas. — Minhas costelas doem e a sensação é de que o coração também dói.

— Vou estar aqui vendo você escalar — diz Donna, segurando sua mão. Ela nunca tinha visto Ibrahim chorar, e espera jamais ver de novo.

— Não conte para os outros — pede Ibrahim.

— Eles já sabem — afirma Donna, e Ibrahim assente.

— Até Ron sabe — concorda ele.

Donna aperta a mão dele.

— E se você mencionar uma só palavra desta conversa eu vou atrás de você com uma arma de choque.

— Pode deixar — diz Ibrahim. — Agora vamos solucionar um crime?

— Sim, vamos — concorda Donna.

Ibrahim faz um sinal indicando que seus olhos estão borrados e ela vai ao banheiro retocar a maquiagem. Quando retorna, ele já carregou no próprio computador as imagens trazidas por ela. Quem seria a pessoa misteriosa com roupa de couro de motociclista?

Donna se senta na ponta da cadeira e Ibrahim aperta o play.

58

Elizabeth leu e releu a carta várias vezes. O que Douglas estaria tentando dizer? Se a pista não estava no guarda-volumes nem na carta, onde estaria? No medalhão? Ela verificou novamente, e nada.

— Você checou a cabana em Rye? — pergunta Sue Reardon, com a carta à sua frente.

— Foi a primeira coisa que fiz — diz Elizabeth. — E você reparou nos dois primeiros parágrafos?

— "Esperta" — responde Sue. — A cara do Douglas.

Elizabeth demorara bem mais para perceber a charada. Sue Reardon era rápida. Por isso havia recorrido a ela, é claro.

Elas estão tendo um almoço cedo no Le Pont Noir. Elizabeth tinha se visto num beco sem saída e lhe ocorrera que talvez fosse hora de mostrar a carta a Sue. As duas pensavam parecido. Sue reclamara um pouco quanto a Elizabeth ter guardado a carta para si, mas não reagira tão mal quanto poderia. Não ter criado caso lhes poupou tempo. Sue contou um pouco do que sabia. Um chefe da máfia estava prestes a chegar, ou para recuperar seus diamantes ou para matar Lomax. Pura diversão. Elizabeth estava contente por estar de novo nessa vida. Uma última farra.

— Algum covil antigo que ele pode ter mencionado? — pergunta Sue. — Está bem evidente que ele quer que você encontre os diamantes. O amor da vida dele, coisa e tal. Algo que fosse um segredo só de vocês, talvez?

— Não me vem nada à mente. Mas fazia vinte anos que não nos víamos — diz Elizabeth.

— Sortuda — comenta Sue.

— Pelo jeito, você também teve algumas questões com ele.

— É um homem de uma determinada geração, não é? — diz Sue. — Fico feliz de você ter me mostrado esta carta, Elizabeth. Teria sido terrivelmente antiprofissional da sua parte não ter feito isso, mas agradeço mesmo assim.

— Às vezes temos que unir forças, não é? — diz Elizabeth. — Estou aprendendo, à medida que os anos passam, a confiar um pouco mais.

— Bem, espero que essa reviravolta me alcance um dia — declara Sue. — Mas eu confio em você, seja lá o que isso signifique. Não acho nada impossível encontrarmos os diamantes juntas.

— Farinha do mesmo saco — comenta Elizabeth.

Sue ergue sua taça.

— Um brinde a isso.

59

— Pronta para o show? — pergunta Ibrahim.

— Estou no melhor lugar da casa — diz Donna, enlaçando os ombros do amigo.

A gravação inicia alguns minutos antes de o guarda-volumes ser aberto. É possível ver a nuca da jovem recepcionista e algumas pessoas cruzando a tela apressadamente à frente dela. Um homem careca de uniforme da Costa Coffee se aproxima usando óculos escuros. Algumas palavras são ditas, principalmente pela recepcionista, e ele então se afasta, parecendo desanimado. Passam-se cerca de vinte segundos, e é quando o motociclista surge na tela. Mesma roupa de couro, mesmo capacete, a mesma pessoa que aparecera à procura dos diamantes.

Não há som, mas a sequência de acontecimentos é evidente. A pessoa sai de quadro, rumo ao guarda-volumes, e é chamada de volta pela recepcionista. Procura alguma coisa no bolso e então mostra à recepcionista, sendo em seguida solicitada a retirar o capacete. O rosto é perfeitamente visível e nenhum dos dois tem a menor dúvida.

Também não sabem explicar o que veem, mas não há nenhuma dúvida.

É Siobhan.

É a mãe de Poppy, abrindo um guarda-volumes em busca de diamantes na véspera do assassinato da filha.

A pulseira da amizade de Joyce fica visível quando Siobhan põe o capacete de volta e ruma em direção ao guarda-volumes.

— Acho que a gente precisa ligar para Elizabeth — diz Ibrahim.

60

O tempo está passando do lado de fora do Tribunal Real de Maidstone. As batatas fritas de Ron acabaram faz tempo e Chris começa a ficar preocupado. Como é possível que o caso ainda não esteja encerrado?

O celular vibra. Mensagem de Donna. Ela estava de folga, mas não quisera acompanhá-lo. Deve estar fazendo uma aula de kickboxing ou lavando o quintal.

Chris está prestes a abrir a mensagem quando vê o advogado de Ryan Baird caminhar na direção deles. Está de terno novo, bem elegante até. Mais um triunfo das dicas de moda de Donna. Ao chegar à mesa, ele balança a cabeça, contrariado.

— Sinto muito.

— Sente muito pelo quê? — pergunta Chris, já à espera da má notícia.

— Nem sinal dele. Celular desligado. Seu pessoal esteve no apartamento e nada.

— Ele se mandou ? — pergunta Ron.

— Sim — diz Chris.

— Ou talvez esteja ferido em algum lugar — diz o advogado. Ao ver a expressão interrogativa de Chris, acrescenta: — Sou o advogado dele, me dá essa colher de chá. Bem, vou me inspirar em vocês e dar um pulo no McDonald's.

— Avisa a gente se ele entrar em contato — pede Chris. — Nem que seja do hospital.

O advogado dá de ombros como quem pede desculpas e se afasta para comer seus nuggets de frango com o terno novo.

— Deus do céu — diz Chris. — O que vamos falar para o Ibrahim?

— Nada — responde Ron. — Até você pegá-lo.

— Não quero decepcionar você, Ron — diz Chris. — Mas não vamos pegá-lo. Já deve ter ido para o Norte ou para Londres. Para algum lugar onde possa ficar na dele até a poeira baixar.

— Mas não vai baixar — responde Ron. — Vai? Eu já fiz a minha parte. Entrei no apartamento de alguém, plantei cocaína na caixa da descarga. Agora faça a sua.

— Vou fazer tudo que for possível, Ron. Você sabe disso.

— O Chris acha ele — comenta Bogdan, dirigindo-se a Ron. — E a gente dá um jeito de parar a Connie Johnson para o Chris. Somos homens inteligentes.

— E se a gente não conseguir? — pergunta Chris.

— A gente dá um jeito — responde Bogdan. — Eu garanto.

— Então, quem está a fim de um McDonald's? — pergunta Ron.

— Você acabou de comer lá — diz Chris.

— Aquilo foi café da manhã — diz Ron.

O celular de Chris vibra outra vez. A mensagem de Donna.

Venha o mais rápido que puder para Coopers Chase. Uma coisa bem estranha. Espero que tenham trancado Ryan Baird e jogado a chave fora.

— Alguém interessado em alguma coisa bem estranha em Coopers Chase? — pergunta Chris.

Sim. Todos estão.

61

Havia dois lagos em Coopers Chase. Um artificial, cavado pela equipe de operários de Tony Curran na primeira fase da construção do empreendimento. Ron adorava esse lago. Era extremamente bem cuidado, todo cercado por um belo caminho asfaltado. Um local adorado pelos peixes, pelos cisnes e por Ron. Era de um azul cintilante por causa de um composto químico que jogavam na água uma vez por semana. Exatamente como um lago deveria ser.

Era preciso dar o braço a torcer a Tony Curran, que Deus o tenha. Foi um ser humano terrível, e provavelmente havia toneladas de cocaína debaixo daquele solo. Mas sabia construir um lago.

O outro lago existia havia séculos. Juncos e flores silvestres por toda a sua extensão, vitórias-régias e algas recobrindo a superfície. Sua cor era, na melhor das hipóteses, um marrom-esverdeado. Os insetos o adoravam, e Ron não via sentido em sua existência.

Colin Clemence, de Ruskin Court, costumava cruzá-lo a nado todas as manhãs. Era apaixonado pelo lugar até pegar a doença de Lyme. Precisaram colocar placas proibindo o banho.

Uma das placas estava logo adiante. O encontro poderia ter ocorrido a portas fechadas, mas Ron queria que Ibrahim caminhasse e tomasse um ar. Se não saía de Coopers Chase, ao menos que saísse do apartamento. Por isso, Ron sugeriu que se encontrassem à beira do lago. Tinha pensado no outro lago, claro, mas Ibrahim parecia feliz, então Ron não tinha por que reclamar.

O grupo ocupa dois bancos. Todos contemplam a natureza decepcionantemente selvagem do local.

— Que lindo — diz Sue Reardon. Havia almoçado com Elizabeth e nenhuma das duas comentou sobre o que conversaram.

— Não é mesmo? — concorda Joyce. — Tão selvagem!

Mas até Joyce gosta deste maldito lago de verdade?

Ibrahim entrega a todos cópias da imagem do circuito interno de câmeras. Siobhan, sem capacete, cabelo solto, as lantejoulas da pulseira brilhando sob as luzes.

— Siobhan! — exclama Joyce.

— Siobhan — reitera Elizabeth.

— Pois é — diz Sue Reardon.

Para variar, pensa Ron. É só eu me interessar por alguém.

— Eu sei que não é a hora nem o momento — diz Joyce. — Mas que fofo da parte dela usar a pulseira.

Todos continuam a encarar a imagem, incrédulos, tentando compreender o que teria acontecido.

— É essa a mulher que foi à sua casa, Joyce? — pergunta Chris Hudson. Ele e Donna estão no terceiro banco.

— Sim, a mãe da Poppy — diz Joyce. Ela dá um tapa no pescoço, matando um carrapato.

E aí, Joycezinha, ainda está gostando do lago?

— A imagem é da véspera do assassinato de Douglas e Poppy — acrescenta Donna.

— A noite anterior — confirma Elizabeth. — Antes dos tiros e antes de qualquer um de nós saber onde os diamantes estariam supostamente escondidos.

— Como Siobhan soube do guarda-volumes antes de nós? — questiona Joyce. — Isso não faz o menor sentido.

Sue Reardon pega a foto de Siobhan.

— Elizabeth, talvez você esteja pensando o que eu estou pensando. Que só uma pessoa poderia ter contado a ela.

— Só pode ter sido a Poppy — responde Elizabeth.

Sue assente.

— Mas o Douglas teria mesmo contado a ela? Disso eu duvido.

— Também duvido — diz Elizabeth.

— Talvez estivessem mancomunados — sugere Ron. — Os dois estavam presentes no roubo na casa do Lomax, não estavam?

Donna concorda.

— Douglas sabe que ainda vai continuar preso por um tempo, por isso conta a Poppy sobre o guarda-volumes. Poppy manda a mãe em seu lugar para resgatar os diamantes.

— Donna, consegue identificar a pequena falha nesse raciocínio? — pergunta Elizabeth.

— Douglas não havia colocado os diamantes no guarda-volumes — diz Ibrahim. — Se os dois estão mancomunados, para que mandar Siobhan à toa?

— Mas se Douglas não contou a Poppy sobre o guarda-volumes, como diabos ela poderia ter descoberto? — questiona Sue. — A única referência está na carta.

O silêncio se instaura. Todos tentam imaginar uma possível solução para o enigma. Donna percebe que só uma pessoa não está imersa nos próprios pensamentos. Joyce. Ela apenas olha para Elizabeth com um sorriso gentil no rosto. Como se estivesse à espera de algo. Mas Ron é o primeiro a romper o silêncio.

— Tá — diz ele. — Já saquei. Já li que a máfia faz escutas com equipamentos que apontam para lâmpadas, existe algum método científico nisso, não me perguntem qual, dá para achar no Google, mas o vidro vibra e eles conseguem ouvir o que se diz em qualquer ambiente. Outro dia apareceu no TalkSport. Então a máfia veio, provavelmente em um carro alugado e...

— Ah, pelo amor de Deus — interrompe Joyce.

Ron se cala e todos os olhos se voltam para Joyce.

— Temos duas espiãs presentes, e nenhuma consegue descobrir? Dois policiais, um psiquiatra... e nenhum de vocês percebeu ainda?

— Você se esqueceu de mim — diz Ron.

— Bom, pelo menos você tentou — responde Joyce.

— Quer dizer então que você já desvendou tudo? — pergunta Elizabeth.

— Elizabeth — diz Joyce, balançando a cabeça, com delicadeza. — Considerando que você é a pessoa mais inteligente que eu conheço, às vezes também é bem tapada.

62

Ryan Baird é pura e simplesmente um gênio. O julgamento era uma armação, estava mais do que na cara. Alguém estava atrás dele. Quem, ninguém saberia. E não importava. Isso só provava que Ryan era alguém que tinha inimigos. E o que seria de um vilão sem inimigos? Nada.

Ele está sentado no apartamento de seu primo Dean. Estão na Escócia. Em que lugar da Escócia exatamente ele não se lembra, mas é uma cidade perto de Glasgow. Começa com C. Pegara o trem na véspera da audiência, sem passagem nem nada. Quem é Ryan Baird, quem é alguém, quem tem inimigos, não precisa pagar a passagem do trem. Tinha sido pego pelo bilheteiro se escondendo no banheiro e o jogaram para fora em um lugar chamado Doncaster. Mas entrara no trem seguinte, apenas para ser expulso em Newcastle, onde tivera que passar a noite porque não havia mais trens naquele dia. Mas conseguira chegar à Escócia, e seu primo o apanhara na estação. Ryan Baird 1 × 0 sistema ferroviário.

Sua mãe lhe dissera anos atrás que quem aprende um ofício nunca fica sem trabalho, e ela estava coberta de razão. Duas horas depois de chegar ali, já estava traficando papelotes de cocaína.

Agora está relaxando, jogando *FIFA* com Dean, desfrutando um baseado caprichado, KFC já devidamente digerido. Gênio.

Quem pensaria em procurá-lo na Escócia? Ninguém. Ficava a muitos quilômetros de distância. Talvez o procurassem em Londres. No máximo em Luton, mas ele duvida. Ryan nunca tinha ido à Escócia até então, e não vê motivo para que a polícia vá atrás dele lá.

Por desencargo de consciência, está usando o nome Kirk, de que sempre gostou. Ainda que a polícia se despenque até ali e faça perguntas, ninguém saberá quem é Ryan Baird. Disfarce perfeito.

É verdade que ainda hoje ele já disse se chamar Ryan umas três ou quatro vezes, mas só depois de beber algumas com os amigos de Dean, e todos eles parecem ser gente fina.

Mais cedo ligara no noticiário local para ver se falavam dele. Traficante de Kent em fuga. "A polícia diz que Ryan Baird é perigoso e deve-se manter distância." Mas o noticiário local de lá falava apenas sobre a Escócia. Quem se importa com a Escócia? Alguém colocara fogo num centro de lazer, mas essa tinha sido a única coisa interessante.

Conseguira um trabalho, um teto onde se abrigar e um novo nome, tudo em um só dia. Assistira a um programa no YouTube sobre Pablo Escobar e era exatamente o que ele teria feito. Aliás: Pablo! Esse é um nome muito melhor! Esquece isso de Kirk, do dia seguinte em diante ele seria Pablo, primo do Steven.

Pablo Escobar, claro, terminou sendo morto a tiros. Mas foi porque se descuidou. Com Ryan não há esse risco.

Escócia! Tinham que tirar o chapéu para ele.

63

Todos os olhos estão voltados para Joyce. Ela permanece em silêncio por um momento, como a apresentadora esperando para anunciar os resultados no *X Factor*. Um silêncio pontuado pelo zumbido dos insetos na vegetação à beira do lago. Donna sente que Joyce está gostando de ser o centro das atenções. Bom para ela.

— Ah, Joyce, pelo amor de Deus! — exaspera-se Elizabeth. — Fala logo!

— Só estava dando a todos vocês mais alguns segundos para ver se descobriam por conta própria — diz Joyce. Ela aproveita e toma um gole de chá da garrafa térmica.

— Estou adorando isso — comenta Ron.

— O que você deduziu, Joyce? — pergunta Donna.

— Apenas isto — começa ela. — Elizabeth, aquela caminhada que você fez no bosque com o Douglas. O mesmo percurso que nós fizemos algumas noites atrás.

— Continue — diz Elizabeth.

— Quando Douglas contou para você que havia roubado os diamantes e fez questão de falar da árvore. O ponto de entrega.

— Sinto que isso está se encaminhando para culpar a Elizabeth — comenta Ron, satisfeito.

— Bem, a Poppy estava com vocês, não estava?

— Mas com fones nos ouvidos, Joyce.

— E quem mais nós conhecemos recentemente que usava fones de ouvido? Aquela moça adorável na estação. E o que ela estava escutando?

— Nada — responde Elizabeth.

— Nada. Quem garante, então, que Poppy estivesse escutando qualquer coisa nos fones? Quem garante que ela não ouviu absolutamente tudo?

— Genial — diz Ron.

— Então ela ouviu a confissão do Douglas e a parte sobre o velho ponto de entrega — conclui Ibrahim.

— E somou dois mais dois, como vocês acabaram de fazer — acrescenta Joyce.

— Então subiu a colina de novo, encontrou a carta, leu e guardou de volta — diz Sue.

— E contou à mãe onde estavam os diamantes — completa Ron.

Todos agora encaram Elizabeth. Donna vê quão absorta em seus pensamentos ela está. Ergue os olhos, afinal, e encara Joyce.

— Ah, Joyce, você às vezes é tão inteligente que chega a ser irritante.

Joyce fica feliz da vida.

— Parece que Poppy era mais esperta do que demonstrava — comenta Elizabeth. — Poetisa, uma ova.

— E aonde isso nos leva? — pergunta Sue. — Poppy encontra a carta e contata a mãe. Siobhan vai até lá e não acha diamante algum.

— E no dia seguinte Poppy é assassinada — acrescenta Chris.

— Desculpe, você eu não sei quem é — diz Sue. Volta então o olhar para Donna. — Nem você.

— Inspetor-chefe Chris Hudson, da polícia de Kent — responde Chris. — E esta é a policial Donna de Freitas.

Sue assente e olha para Elizabeth.

— Esses dois conseguem guardar segredo?

Elizabeth faz que sim.

— Conseguem, para ser justa.

— Que honra — declara Chris.

— Acho que eu já sei — retoma Joyce. — Já sei o que aconteceu.

— Hoje você está com a corda toda — comenta Ibrahim.

— É simples. Siobhan não encontra os diamantes e conta à filha. Poppy, é claro, fica frustrada e vai desabafar com Douglas. Cadê os diamantes, eu sei que você está com eles e tal. Douglas fica furioso. Poppy encontrou a carta, contou tudo para a mãe, para quem mais ela vai falar? Precisa se livrar dela. Ele mata a Poppy, forja a própria morte, nós entramos na casa e vemos os dois enquanto ele pega um táxi para o lugar onde os diamantes realmente estão.

— Ah, Joyce... — diz Elizabeth.

— O quê? — pergunta a outra.

— Esse foi um exemplo perfeito da necessidade de saber parar quando se está ganhando.

— Ah... — diz Joyce.

Elizabeth puxa o celular e examina as fotos da casa em Hove.

— Eu sabia que tinha algo de esquisito na cena do crime.

— Ah, encontrou o celular? — diz Sue.

Elizabeth dá de ombros como quem não está nem aí.

— Atrás do sofá. Tudo parecia encenado demais. Perfeito demais. Por isso eu achei que o Douglas havia armado tudo. Matado a Poppy, forjado a própria morte deixando um cadáver lá como se fosse o dele.

— E agora? — questiona Donna.

— Bem, agora começo a me perguntar se não foi o oposto. E se foi a Poppy quem forjou a própria morte?

— Ah, ela não — diz Joyce.

— Quem nos disse que o corpo no necrotério era da Poppy? — pergunta Elizabeth.

Todos sabem a resposta, mas Sue é a primeira a falar.

— Siobhan.

E tudo se encaixa. Para as espiãs, para os policiais, para o psiquiatra e para a enfermeira. Até para Ron. A mãe, a filha e os diamantes. O que realmente sabiam a respeito de Poppy? O que realmente sabiam a respeito de Siobhan? Nada. Não sabiam absolutamente nada.

PARTE TRÊS

São tantos passeios para fazer

64

Joyce

Pois bem, adivinhem quem acaba de chegar do EuroStar. Eu mesma, Joyce Meadowcroft.

Tentei convencer Ibrahim a nos levar à estação internacional de Ashford, mas ele se recusou. Disse que é por causa das costelas, mas dá para ver que já melhoraram muito. Ontem eu o vi pegar um bule de chá de uma prateleira alta. Vou convencê-lo alguma hora, ah, mas vou.

Há uma teoria circulando, teoria de Elizabeth, mas todos parecem concordar com ela, de que Poppy está por trás dos assassinatos. Ela teria descoberto que Douglas roubara os diamantes e os queria para si. E teria, portanto, bolado um plano mirabolante, um pouco mirabolante demais se querem minha opinião, para botar as mãos neles.

Não me parece fazer sentido. Poppy era tão gentil! Será que eu me enganei? É possível. Eu confio demais nas pessoas. Uma enfermeira de um hospital onde trabalhei vivia roubando morfina. E era a pessoa mais reservada possível. Tem também um ator em *Emmerdale* que eu adoro. Eu o sigo no Instagram, vive postando fotos da esposa, do bebê e do cachorro e sempre dou like. Mas Jason participou do *Celebrity Tipping Point* com ele e diz que o sujeito era desprezível. Não entrou em detalhes, mas disse que conhecia o tipo e nunca se enganava. Como Jason realmente entende das coisas, acredito na palavra dele. Ainda sigo o ator no Instagram, só que não é mais a mesma coisa. Embora a cozinha dele seja linda.

Talvez eu tenha me enganado sobre Poppy também. Pode ter sido ela. Afinal, vinte milhões de libras é muito dinheiro.

A teoria é que ela teria envolvido Siobhan. Teria feito a mãe identificar o cadáver errado e assim nos enganar. O que é possível. Se Joanna me pedisse para identificar um cadáver como sendo o dela, eu provavelmente o faria. Quando se é mãe, a gente age primeiro e faz as perguntas depois, não é? Uma vez, ela pediu que eu dissesse a um namorado que ela havia se mudado para uma ilha longínqua, então eu tenho alguma experiência nisso. Ele era um dos meus favoritos. Eu o sigo no Instagram agora; tem dois filhos lindos com uma médica. Acho que moram em Norwich, mas não tenho certeza. E não digam a Joanna que eu o sigo.

Onde eu estava?

EuroStar! Sim. Os assentos são muito confortáveis, o chá é gratuito e tem tomada para celular. Quando estávamos no túnel sob o Canal da Mancha, mandei uma mensagem para Joanna dizendo "Adivinha onde sua mãe está?", mas ela só foi responder hoje à noite, quando eu já estava na estação de Robertsbridge, pegando um táxi de volta para casa.

Já foram à Antuérpia? Duvido, mas nunca se sabe. É muito agradável. Tem uma catedral e acho que passamos por oito ou nove Starbucks. Tínhamos um encontro às duas com um homem chamado Franco, um negociante de diamantes. Ele trabalha numa longa fileira de casas ao lado de um canal, com degraus que levam a elas. Em cada uma há uma plaquinha de bronze na porta. Imaginei que fosse haver displays infinitos de diamantes à mostra, mas nada. Numa delas havia um gato, mas nada mais empolgante do que isso.

Franco era lindo. Eu não fazia ideia de como seria a aparência dos belgas, mas, se forem todos como ele, vou passar a prestar mais atenção. Cabelo branco, pele bronzeada, olhos azuis e óculos meia-lua. Perguntei se a esposa trabalhava com ele, mas é viúvo. Segurei a sua mão, só para confortá-lo, e Elizabeth revirou os olhos.

Talvez Poppy tenha sido assassinada, talvez Douglas tenha sido assassinado, ou quem sabe os dois foram? Ninguém sabe ao certo, e esse é o problema. Entretanto, se quisesse trocar os diamantes por dinheiro, era ali que o assassino teria ido. Teria que recorrer a Franco ou a alguém que Franco conhecesse.

Ele nos ofereceu dois copos de leite. Aceitei, pois nem lembro quando foi a última vez que tomei um copo de leite. Vocês se lembram? Enquanto bebia, fiquei pensando que talvez este venha a ser meu último copo de leite, não é mesmo? Não consigo sequer cogitar outra situação em que venham a me oferecer um. A não ser que eu termine me casando com um belga bonitão. Possibilidade que me recuso a descartar.

Imaginem só se eu me casasse com o Franco. Imaginem o anel! Imaginem a cara da Joanna. Atualmente ela namora o dirigente de um clube de futebol. Ele vive na academia e ela está toda feliz. Eu iria a pé ao mercado comprar comida para acompanhar o chá. Franco estaria sentado com seu copo de leite na mão e eu perguntaria quantos diamantes ele tinha vendido naquele dia (ou algo mais técnico, tão logo me acostumasse com os termos) e ele me encararia por sobre os óculos e diria algo em belga. Que vontade. Não me importaria nem um pouco.

Ainda bem que usei meu casaco verde novo da ASOS.

Estou tagarelando, não é? Mas vocês também estariam se o tivessem conhecido. Elizabeth perguntou se Douglas lhe fizera alguma visita e Franco respondeu que, um mês antes, recebera um telefonema no qual Douglas havia anunciado que em breve iria até a loja, mas nenhum outro contato ocorrera desde então. Obviamente são velhos conhecidos e já aprontaram algumas.

Elizabeth perguntou então se mais alguém viera visitá-lo com diamantes no valor de vinte milhões de libras. Novamente ele negou.

Só para garantir, descrevemos todos que nos vieram à mente. Poppy, Siobhan, Sue e Lance, Martin Lomax, mencionamos a máfia e o cartel colombiano, mas nada. Ninguém com aqueles perfis estivera ali nas últimas duas semanas.

Eu tomei mais um copo de leite só para prolongar nosso tempo juntos ali, mas acabamos tendo que nos despedir. Franco me beijou três vezes e pensei "opa, isso vai dar caldo", mas aí ele também beijou Elizabeth três vezes. Deve ser o costume dos belgas.

Tivemos de voltar à estação, mas, no caminho, comprei chocolate para Ibrahim e cerveja para Ron. O vendedor até fez uns embrulhos bonitinhos.

Achei que fôssemos dormir no trem na volta, mas conversamos o caminho inteiro. Se Poppy era o cérebro por trás de tudo, teria procurado Franco. Há bem poucos lugares na Europa onde se pode entrar com diamantes numa das mãos e sair com vinte milhões de libras na outra sem ninguém fazer perguntas. Se Poppy está com os diamantes, então quem sabe está esperando a poeira baixar? E se não está com eles, continua a procurá-los. Mas onde estariam? A resposta estava em algum lugar na carta de Douglas. Mas nós a lemos, e Poppy a leu. Quem vai desvendar o mistério primeiro?

A viagem de volta foi muito longa. Em algum ponto do norte da França, abri os chocolates de Ibrahim e os comemos. E então abri as cervejas de Ron e as bebemos.

Portanto, precisamos achar Poppy antes que ela encontre os diamantes. Elizabeth diz ter um plano para fazê-la sair do esconderijo.

Vejo ao longe que a sua luz ainda está acesa. Ou seja, está pensando em Poppy.

Que a sua luz continue sempre acesa, minha cara Elizabeth.

Por ora, não vamos falar para Ibrahim que Ryan Baird desapareceu. Diremos apenas que o julgamento foi adiado. Odeio ter que mentir, mas é a melhor opção.

Ron diz que Chris está apaixonado por Patrice. Bem, eu também acho. Sinto que essa história terá final feliz.

Vou dormir agora. Sei que deveria estar pensando em Poppy e nos diamantes. Mas prefiro pensar numa casa grande à beira do canal com degraus de pedra e placas de bronze na porta.

É preciso continuar a sonhar. Elizabeth sabe. Douglas também sabia. Ibrahim se esqueceu. Mas estou aqui para lembrá-lo quando for a hora.

65

Acabou a partida de xadrez. Começou o verdadeiro trabalho da noite.

Elizabeth ainda se sente um pouco tonta por causa das cervejas belgas que beberam no trem. E da taça de vinho na estação enquanto esperavam o táxi. E do gim-tônica que Bogdan tinha deixado preparado para quando ela chegasse em casa. E do segundo gim-tônica que está bebendo no momento.

A duras penas, Bogdan e Stephen concordaram que foi empate. Bogdan xingara Stephen de todos os nomes possíveis, mas este apenas sorriu e disse: "Pode extravasar, garoto, pode extravasar."

Os três agora estão sentados na sala. Elizabeth e Stephen no sofá, de mãos dadas, e Bogdan na poltrona, de pernas abertas. É uma da manhã, mas ninguém está se importando. Bogdan está bebendo Red Bull, e Elizabeth, mais uma vez, se pergunta em que horário ele costuma ir dormir.

Bogdan a inteirou das notícias do julgamento. Ryan Baird tomou um chá de sumiço. Não contamos a Ibrahim. Mas logo ele vai ser encontrado, eles ainda têm o arquivo montado por Poppy.

Poppy. O que tinha acontecido ali, exatamente? Que sinais Elizabeth teria deixado passar?

Todo mundo é capaz de roubar. Ela chegara a conhecer um pároco que roubara e derretera um crucifixo da própria igreja porque perdera dinheiro apostando em corrida de cavalos. Mas nem todo mundo é capaz de matar. Poppy seria? Parecia improvável, mas Elizabeth já fora enganada antes. Não era comum, mas acontecia. Ela olha para Bogdan, servindo-se de mais um energético, o retrato perfeito da inocência.

E Poppy havia matado Andrew Hastings. Sim, ficara tremendo de nervoso depois, mas isso qualquer um consegue fingir. Elizabeth começa a tremer involuntariamente.

— Está com frio, querida? — pergunta Stephen.

Olha só como é fácil. Stephen a enlaça com o braço e ela descansa a cabeça em seu ombro. Que homem. Outra coisa: a geração de Poppy se acostumou a gerar emoções falsas, não é mesmo? Toda uma geração que se escandaliza por qualquer coisa, sensível a qualquer criticazinha de nada, sinceramente, o que aconteceu com... mas espera um pouco. Ela se dá conta de que não acredita de verdade nisso, apenas leu um *Daily Express* que alguém havia esquecido no trem. A maioria dos jovens era como Donna e estava engajada em novas lutas. Boa sorte para eles.

Ela se aninha ainda mais no ombro de Stephen. O pensamento cruza sua mente por um instante: e se *nenhum* dos dois estiver morto? E se forem cúmplices nisso tudo?

E se Poppy e Douglas forem amantes?

Conhecendo Douglas, Elizabeth não se espantaria. Nada o atraía mais do que uma mulher que não pudesse ter. Ou que não devesse. Ele faria o possível e o impossível para ficar com ela, prometeria o mundo.

Mas Poppy? Para ser sincera, achava mais provável Poppy ter matado Douglas do que se apaixonado por ele. No entanto, era uma linha tênue às vezes, não é mesmo? Ainda mais com Douglas.

Bogdan acaba de matar mais um Red Bull.

— Então Poppy disse "Eu te mato, Douglas, se não disser onde os diamantes realmente estão".

— Que audácia — diz Stephen.

— Humm — faz Elizabeth. Está sonolenta e confortável. Impossível Poppy e Douglas terem sido amantes.

Bogdan continua a teoria.

— Aí o Douglas disse "Eu enterrei debaixo de uma árvore perto de uma cerca, não me mata", mas ela o mata mesmo assim.

— E a Joyce, vai ou não comprar o tal cachorro? — pergunta Stephen.

— Como, meu amor? — pergunta Elizabeth.

— Sua amiga, Joyce. Não estava querendo comprar um cachorro?

Stephen se lembra de cada coisa.

— Não, querido, isso ficou para depois de pararem de atirar em todo mundo, imagino.

— Tudo tem seu tempo — concorda Stephen.

— Douglas mentiria, é claro — diz Elizabeth. — Não contaria a Poppy onde estão os diamantes nem que a vaca tossisse.

— Duvido que contaria — reforça Stephen. — Apontar um revólver para a cara dele e perguntar sobre os diamantes? Que abuso da garota.

— Então Poppy ainda está por aí — diz Bogdan. — Atrás dos diamantes.

— Furiosa, sem dúvida — comenta Stephen. — Alguém quer jantar, aliás? Tem lasanha, não tem?

— Quem sabe mais tarde, agora não — responde Bogdan.

— O que você faria, então, se fosse Poppy? — pergunta Stephen. — Quais são as opções?

— É óbvio — diz Bogdan.

— Ah, ótimo — diz Elizabeth, concluindo que provavelmente deveria se levantar do conforto do ombro de Stephen. Havia trabalho a ser feito.

— Eu ficaria de olho na Elizabeth — declara Bogdan. — Cedo ou tarde você encontra os diamantes, e ela sabe disso.

— Ah, Elizabeth vai encontrar, com certeza — garante Stephen. — Vai entrar dançando pela porta com os diamantes tilintando no bolso.

— E quando Elizabeth os encontrar, Poppy vai vigiar e esperar — completa Bogdan.

— Então, para encontrar Poppy, antes eu preciso encontrar os diamantes? — pergunta Elizabeth. — Parece impossível.

— Nada é impossível, meu amor — diz Stephen. — Vai haver em algum lugar uma pista que você deixou passar. Leia a carta novamente.

— Não está na carta — afirma Elizabeth. — Já a viramos de cabeça para baixo.

— Você vai descobrir — incentiva Stephen. — Vai ser alguma peça idiota daquele seu ex-marido.

— A gente só precisa de uma armadilha — diz Bogdan.

— Usando os diamantes como isca — sugere Stephen. — Coloque essa cabeça para funcionar, minha cara.

— Sinto muito, mas meu cérebro já trabalhou demais por hoje — diz Elizabeth.

Havia sido um longo dia de raciocínio, uma longa vida cheia daquilo. Tanto tempo raciocinando para descobrir que tudo o que sempre procurou estava ali. Um polonês grande demais para a poltrona onde está sentado e um homem adorável de cabelo branco que achou que conseguiria explorar Veneza sem um mapa.

Elizabeth repousa novamente a cabeça no ombro de Stephen e fecha os olhos. A última coisa que vê antes de fechá-los é o espelho na parede do outro lado da sala. Quem é aquela velha que a encara de volta? Sortuda, quem quer que seja. Ela vê o reflexo do marido, ainda de gravata e calçando sapatos elegantes, e o de Bogdan, cabeça raspada, musculoso e com o logo da NIKE na camiseta. No espelho, lê-se EKIN.

Ela abre outra vez os olhos.

66

— O que vai acontecer é que ele vai me matar — conclui Martin Lomax, como se falasse com uma idiota. — Decepar minhas pernas. Sabe como funciona a máfia.

— Concordo — diz Sue Reardon. — É por isso que estamos aqui. Para proteger você.

— Boa sorte — rebate Lomax. Então se vira para Lance James, que, próximo à janela, contempla os jardins. — Boa sorte, não é, Lance?

— Se eles quiserem te matar, vão te matar — diz Lance. — O que podemos conseguir é atrasá-los um pouco. Mas sabe como funciona a máfia.

— E como sei — responde Lomax. — Nem tiram os sapatos antes de entrar.

Lance dera para visitar Martin Lomax todos os dias, por volta das onze da manhã. Ficar de tocaia era entediante, em especial porque Lomax jamais saía de casa. Então chegaram a um acordo.

Lomax deixa que ele carregue o celular e use o wi-fi. Em troca, Lance responde suas perguntas sobre o Serviço de Bote Especial.

Nada confidencial, óbvio. Mas Lomax é viciado em histórias militares e Lance tem vários casos interessantes para compartilhar. Lance passara quinze anos na base naval de Poole a serviço do SBE, participara de operações de que todos tinham ouvido falar e de outras das quais ninguém jamais ouviria. Certamente não da boca dele.

— Frank Andrade vai chegar segunda-feira num jatinho particular no campo de pouso de Farnborough — informa Sue. — Imagino que venha direto para cá.

— A que horas ele vai pousar? — pergunta Lomax.

— Às onze e vinte e cinco da manhã — responde Lance.

— Bem, vai pegar trânsito — diz Lomax. — A A3 vai estar toda engarrafada.

Boa parte do trabalho do Serviço de Bote Especial vinha por intermédio do Serviço de Segurança, ou do Serviço Especial de Inteligência, o MI5 e o MI6. Com a idade, o trabalho de Lance passara a ser menos correr atrás da Al-Qaeda e mais ficar atrás de uma mesa. Ia a Londres de vez em quando para dar briefings. Atuava como consultor de operações. Não demorara muito para que o chamassem e pedissem que entrasse para o MI5 em caráter definitivo. Continuando nas operações, é claro. Supervisionar a batida na casa de Martin Lomax, por exemplo, esse tipo de coisa. Lance era capaz de invadir qualquer lugar e de matar qualquer um. O empreiteiro que trepou com sua ex não sabia quanto fora sortudo.

— Vamos mandar uma equipe nossa aqui na segunda logo cedo — afirma Sue. — Com Lance no comando.

— Do SBE? — pergunta Lomax.

— Não posso dizer — diz Sue.

— Mas é, sim — confirma Lance.

Ele sabe que ainda é visto como um simples peão. Desprezado pelo pessoal bem-nascido. E sabe que corre o risco de empacar na carreira, a não ser que consiga fazer a diferença de alguma forma.

Este caso seria uma boa forma de começar. Um belo cartão de visitas.

— Não precisaríamos dessa confusão toda se vocês simplesmente encontrassem os diamantes — diz Lomax.

— Garanto que o plano é esse — rebate Sue.

— É, mas só restam alguns dias agora — argumenta Lomax.

— Estou confiante de que vamos encontrar os diamantes — reforça Sue.

Lance já não tem tanta certeza. Talvez Elizabeth Best os encontre. É a única esperança. Mas, de uma forma ou de outra,

Martin Lomax jamais os verá de novo. A coisa não funciona assim.

E como funciona? Pelo jeito, Lance terá que esperar para ver. Mas Martin Lomax está com os dias contados.

67

Elizabeth e Joyce estão no micro-ônibus a caminho de Fairhaven. Joyce traz biscoitos de aveia, Elizabeth traz notícias. Joyce pretende compartilhar os biscoitos, mas Elizabeth está guardando as notícias para si.

— Me conta logo — pede Joyce.

— Quando chegar a hora — diz Elizabeth.

— Você adora sentir que tem poder — comenta Joyce.

— Que bobagem — diz Elizabeth. — Você vai ou não adotar um cachorro, afinal? Stephen queria saber.

— Não interessa — responde Joyce. Ela começa a cogitar a hipótese de não oferecer um biscoito a Elizabeth, mas os assou com óleo de coco e quer muito que alguém os experimente. Um dilema e tanto.

Elizabeth lhe enviara uma mensagem logo cedo.

Vamos a Fairhaven agora. Vista algo que combine com diamantes.

E parou por aí. Joyce está usando outro cardigã novo. Azul-marinho. Tomara que não seja à toa.

— O que vamos fazer em relação a Ryan Baird? — pergunta Elizabeth.

— Me diga você — responde Joyce. — Já que sempre tem resposta para tudo.

— Vamos brigar agora, Joyce? — pergunta Elizabeth. — Que coisa estranha.

— Amigos não guardam segredos uns dos outros — diz Joyce.

— Mas é um bom segredo, não precisa ficar rabugenta — responde Elizabeth. — Só quero fazer uma surpresa para você.

O micro-ônibus para na porta da loja Robert Dyas em Fairhaven e Carlito se despede de todos. Ele fuma um cigarro eletrônico e Elizabeth lhe diz que deveria parar com isso e acender um de verdade.

— E então, para onde estamos indo? — pergunta Joyce.

— Você sabe — responde Elizabeth, indo em direção à beira-mar.

— Você é irritante demais — diz Joyce, seguindo-a.

— Eu sei — concorda Elizabeth. — Não consigo fazer diferente. Já tentei.

As lojas começam a escassear e elas percorrem um caminho familiar. Passam pelas fileiras de garagens-depósito. Passam pelo Le Pont Noir. Elizabeth a passos largos, Joyce fazendo esforço para acompanhar seu ritmo.

— Vamos voltar à estação de trem? — pergunta Joyce.

— Ah, minha nossa, você adivinhou, finalmente — responde Elizabeth.

— Mas por quê? — Elizabeth, porém, já está bem na frente.

A caminhada continua até chegarem ao interior da estação de trem de Fairhaven. Desta vez, não há necessidade de procurar as placas. Param na recepção da sala do guarda-volumes e a recepcionista tira os fones de ouvido e sorri.

— Bem-vindas de volta!

— Obrigada — diz Elizabeth.

— Precisam de alguma coisa?

— Não, obrigada, meu bem — responde Elizabeth, erguendo a chave do armário 531.

As duas entram na área dos guarda-volumes e Elizabeth para na frente da primeira fileira.

Tira então algo da bolsa de mão e entrega a Joyce. O medalhão que Douglas lhe deu.

— Encontrou alguma coisa no medalhão? — pergunta Joyce. — É por isso que voltamos aqui?

Elizabeth ergue o indicador.

— Joyce, você matou essa charada para mim.
— Ah, que bom — diz Joyce.
— Bem, você e Bogdan.
— Não me importo em dividir o mérito com Bogdan — afirma Joyce.
— Você deduziu que Poppy escutou minha conversa com Douglas. E isso me fez pensar a fundo sobre a conversa. Eu já te disse, com Douglas nenhuma palavra é por acaso. Ele é meticuloso. Até nos nossos votos de casamento, reparei que ele pôs um discreto ponto de interrogação depois do "aceito".
— Nossa — reage Joyce.
— Quando estávamos perto da árvore, ele me lembrou de um ponto de entrega que nós tínhamos em Berlim Oriental, só que, veja bem, na verdade era em Berlim Ocidental. Na hora achei que era coisa da idade. Os homens sofrem mais com isso, como sabemos.
— Mas não era, então?
— Quando abre o medalhão, o que você vê?
Joyce o abre.
— Nada, só o espelho.
— Exatamente, só o espelho. O espelho vagabundo que Douglas tanto queria me dar. Mas o que um espelho faz? Ele transforma Berlim Oriental em Berlim Ocidental. E NIKE em EKIN. E...? — Elizabeth ergue a chave.
Joyce quase dá um gritinho.
— Transforma 531 em 135!
Elizabeth assente e aponta para a fileira de armários.
— Quer fazer as honras?
Joyce a segue.
— Não, faz você.
Chegam ao guarda-volumes 135 e Elizabeth enfia a chave na fechadura. Ela entra com facilidade. Gira-a e a porta se abre na hora. Dentro do compartimento, há um saco de veludo azul com um cor-

dão na boca. Elizabeth sinaliza para que Joyce o pegue. Joyce ergue o saco e puxa o cordão.

Diamantes cintilam em seu interior. Trinta, mais ou menos. Dos grandes.

Havia escolhido o cardigã perfeito.

— Joyce, você está segurando vinte milhões de libras — diz Elizabeth. — Põe na bolsa, por favor? E me promete que não vai deixar ninguém te assaltar no caminho de volta para o ônibus.

Elizabeth põe a mão de novo dentro do guarda-volumes e puxa de lá um bilhete. É de Douglas. Ela o lê e então mostra para Joyce.

Querida Elizabeth,

Encontrou-os, então? Desculpe pelas pistas falsas, mas foi divertido, não? Você descobriu por causa de Berlim Oriental ou foi preciso recorrer ao espelho? Seguro morreu de velho, sabe como é. Não quis que fosse fácil demais, mas queria me certificar de que, no fim, você descobrisse. Espero que não tenha ido à cabana em Rye. Fizeram um desvio na estrada anos atrás que passa por onde ela existia.

Meus parabéns, assim mesmo. Não são lindos? O que vai fazer com eles? Devia de verdade ficar com eles. Vamos lá, você sabe que quer.

Agora falando sobre coisas um pouco menos alegres, nem é preciso dizer que, se encontrou este bilhete, é porque estou morto. Ganham-se umas, perdem-se outras. Se bem que na vida é sempre assim, ganham-se umas, perdem-se outras. Por que seria diferente na morte?

Será que vou lá para o andar de cima? Duvido, não acha?

Te amarei sempre,

Douglas

Joyce devolve a carta para Elizabeth, que a dobra e põe de volta no guarda-volumes. Joyce espia os diamantes dentro da bolsa. Escondidinhos debaixo de um livro de Kate Atkinson.

— E agora, o que fazemos com os diamantes? — pergunta ela. — Imagino que não possamos simplesmente ficar com eles, certo?

Elizabeth enlaça o braço da amiga.

— Vamos usá-los como isca para capturar Poppy e Siobhan.

Joyce assente.

— Vai ser bom reencontrar Poppy, mesmo que ela tenha matado Douglas.

— E talvez como isca para mais algumas pessoas que também merecem ser pegas — acrescenta Elizabeth.

— Será que podemos ficar com um ou dois deles? — pergunta Joyce. — Acho que ninguém repararia.

— Sabe o que eu acho? Precisamos convocar uma sessão emergencial do Clube do Crime das Quintas-Feiras.

— Ótimo. Desculpe pela minha raiva agora há pouco.

— Esquece isso — afirma Elizabeth. — Eu sei ser chata.

Joyce sorri.

— Sabe mesmo. Quer um biscoito de aveia?

— Até que enfim — diz Elizabeth.

68

Donna está bebendo uísque no sofá de Chris. Estavam assistindo a *Succession*, a série favorita dela. Bilhões de libras, dramas familiares, gente entrando e saindo de helicópteros a cada cinco minutos. Uma vida dessas não cairia nada mal. Chris nunca havia assistido, pois já tem quase cinquenta e dois anos e nunca vê nada novo, a não ser que seja forçado a isso. Ela sabe que, por ele, assistiria reprise atrás de reprise de *The Inbetweeners* e *Pesadelo na Cozinha* até morrer.

Mas neste momento Chris está no FaceTime com a mãe dela.

— Queria que você estivesse aqui, Patsy — diz ele.

Patsy? Deus me livre. E outra coisa: "Queria que você estivesse aqui"? Então a minha companhia não basta?

Patrice responde.

— Domingo estarei aí, meu ursão!

Donna não consegue reprimir um sorriso. Deixa os dois se divertirem. A conversa com Ibrahim lhe fizera bem. A vida não estava lhe escapando. Era o contrário, ela que estava fugindo da vida. Altos e baixos e toda aquela baboseira.

A campainha da casa da mãe toca.

— Um segundo, bonitão, vou ver quem é — diz ela.

— Não atende — diz Chris, de súbito.

Donna ergue os olhos. Ele parece estranho. Mas Patrice o ignora, é claro. É de família.

— Como assim, não atende? — pergunta Donna.

Chris faz um gesto para que ela não dê muita atenção a isso.

— Eu estava gostando do papo, só isso. — Ele olha novamente para a tela, onde Patrice ainda não reapareceu.

Donna inclina a cabeça.

— Tem alguma coisa errada?

— Para de pensar como policial o tempo todo, Donna — diz Chris.

— Mas que grande mentor — responde ela. — Aprendo mais todos os dias.

Patrice ainda não voltou. Chris começa a assoviar. Mas não para de sacudir a perna, cada vez mais rápido. Alguma coisa não cheira bem.

— E então, você gostou de *Succession*? — pergunta Donna.

— Gostei, gostei — responde ele sem tirar os olhos da tela, onde aparecem apenas o alto do sofá, uma planta murcha num vaso e uma antiga foto de Donna, dos tempos de colégio, em que ela está banguela.

— Você prefere olhar para uma tela vazia do que olhar para mim?

— Desculpa — diz Chris, olhando bem rápido para Donna e voltando a dedicar toda a atenção à tela do computador. O que está havendo? Ele estaria apaixonado, talvez? É melhor que esteja mesmo.

— Você não está me esconden...

Donna é interrompida pelo retorno de Patrice.

— Desculpa, querido, era um pessoal do Partido Liberal. Tive que dar uma situada neles sobre mensalidades escolares.

A perna de Chris já parou de balançar. E ele voltou a se empertigar para esconder a barriga.

O celular de Donna vibra. Uma mensagem de Elizabeth.

Você está cordialmente convidada para uma reunião do Clube do Crime das Quintas-Feiras, amanhã, às onze, na Sala de Quebra-Cabeças. Recomendo que compareça.

69

Chris bem poderia passar sem essa. Dois espiões haviam sido mortos a tiros. Ou um espião havia matado o outro. Ou será que nenhum espião teria tomado tiro algum e tudo não passava de um grande truque de mágica? Qualquer que fosse a situação, não era um assunto com o qual pudesse se envolver. Mesmo que ele mesmo pegasse e algemasse o assassino, ninguém jamais ouviria falar disso, pois era assunto do Serviço de Segurança.

Claro, era interessante. Assassinatos, diamantes. E, num outro momento, talvez ele pudesse se divertir mais. Mas não consegue parar de pensar em Connie Johnson. Em Connie Johnson e Patrice. Na noite anterior, quando a campainha de Patrice tocou, temeu o pior. E escondera muito mal de Donna. Será que Ron e Bogdan conseguiriam fazer um milagre?

De qualquer forma, agora estava na reunião. Uma questão de cortesia. Na Sala de Quebra-Cabeças com o Clube do Crime das Quintas-Feiras no auge da agitação.

Três enormes tabuleiros preenchem a sala, cada um coberto por uma chapa de acrílico. Por baixo delas, repousam quebra-cabeças incompletos do quadro *The Haywain*, da Ópera de Sydney ao pôr do sol e um de duas mil peças do casamento do príncipe Charles com Lady Diana. Deste, por ora, só as bordas e os olhos do casal feliz já haviam sido montados. No início da reunião, quando todos ainda trocavam amenidades, Chris ficara observando os olhos de Diana. O futuro estava ali, para quem quisesse ver. Pobre Diana, pensou. Espero que ao menos tenha se divertido um pouco.

Mas então Elizabeth jogou a bomba e conquistou a plena atenção de Chris.

— Você está em posse de diamantes no valor de vinte milhões de libras? — pergunta Chris Hudson.

— Sim, por aí — responde Elizabeth.

— E onde estão? — pergunta Donna.

— Isso não importa — diz Elizabeth.

— Na minha chaleira — diz Joyce.

— Seus amigos espiões sabem que você está com eles? — pergunta Chris.

— Ainda não — responde Elizabeth. — Vou contar, mas antes preciso de um plano. Pensei que vocês talvez pudessem me ajudar.

— Se ajudarmos, posso ver os diamantes? — pergunta Donna.

— Claro, meu bem, eu não sou um monstro — declara Elizabeth.

— O que é para mim e Donna fazermos? — pergunta Chris.

— Para *eu* e Donna fazermos — corrige Elizabeth. — Se eu contar, promete não ficar bravo?

— Ai, lá vamos nós de novo... — diz ele.

— Quero marcar um encontro com a máfia. Em Fairhaven.

— Ah, claro — diz Chris. — Algum motivo especial? Ou cancelaram a partida de bridge e você ficou com um espaço vago na agenda?

— Você sabe que eu não gosto de piadas, Chris — diz Elizabeth.

— Nós queremos atrair a Poppy — explica Joyce. — Fazer com que ela se revele.

— Ela ainda deve estar à caça dos diamantes — completa Elizabeth. — Então provavelmente está acompanhando os meus passos de alguma forma. Ou da Sue Reardon e do Martin Lomax. Por isso, quero que estejamos todos juntos no mesmo lugar com os diamantes. Pode ser na segunda à tarde, por volta das três?

— Não entendi o que você quer de Donna e eu — diz Chris.

— Nesse caso, seria "de Donna e de mim" — responde Elizabeth. — Preciso de vocês do lado de fora, com esses olhos atentos de vocês, ligados na Poppy.

— Nada disso é assunto meu, Elizabeth — afirma Chris. — Não posso me envolver nisso assim do nada. Donna, me ajuda aqui. Esse caso não é nosso.

Donna concorda.

— O caso dos assassinatos não é nosso, o caso do Martin Lomax não é nosso, o caso da máfia não é nosso. Infelizmente, adoraria que o da máfia fosse.

— Mesmo que a gente fosse até lá — acrescenta Chris —, qual seria o seu plano enquanto a gente espera do lado de fora? Entregar um monte de diamantes à máfia?

— Essa parte eu não defini ainda — responde Elizabeth. — Mas eu chego lá.

— Ah, ela chega, pode ter certeza — afirma Ibrahim.

— Desculpem — diz Chris. — Já fiz muito por vocês e sempre me perguntei qual seria meu limite. E acho que talvez seja este, ficar de guarda enquanto vocês entregam vinte milhões de libras para o maior sindicato do crime do mundo.

O grupo vive um impasse. Até Ron pigarrear.

— Tenho uma sugestão. É boa, caso alguém esteja interessado.

— Ron, eu te amo de paixão — diz Elizabeth. — Mas tem *certeza* de que é boa?

— Só estava pensando aqui — continua Ron. — Como esse caso não é do Chris, por que a gente não faz com que *passe a ser* do Chris?

— Essa ideia até que parece promissora — diz Joyce a Elizabeth.

— Chris, você e Donna estão atrás daquela traficante, não é? Daquela mulher? — pergunta Ron.

— Connie Johnson? — diz Donna.

— É esse o nome? Não sei nada sobre ela — diz Ron. — Esse caso é de vocês, certo?

— Sim — responde Chris.

— E se a gente colocar essa mulher na jogada? Dizemos que somos uma quadrilha importante de Londres. Que temos um encontro com a máfia para repassar diamantes. Tivemos uma reunião com alguém das redondezas, ouvimos falar bem dela... Será que ela gostaria de entrar na história?

Chris poderia dar um beijo em Ron neste momento. Não vai fazer isso, mas poderia.

— Dessa forma, a Sue e o Lance e aquele pessoal podem capturar o Lomax e o mafioso lá. E você e a Donna pegam a mulher. Qual o nome dela mesmo?

— Connie Johnson, Ron — diz Chris. Vai beijá-lo, sim. Na primeira oportunidade.

— Se você está dizendo — comenta Ron. — Então, o que acham?

Chris olha para Donna.

— Se alguém nos informasse que Connie Johnson estaria negociando algo, com lugar e hora, nós teríamos que investigar, não é?

— Imagino que faríamos uma visita — responde Donna.

— Ron — diz Elizabeth. — A ideia não é nada má. Mas como vamos convencer Connie Johnson de que somos uma gangue importante de Londres?

Ron aponta para si próprio, ofendido.

— Basta eu aparecer, não é? Chego de terno, charmoso, digo que sou Billy Baxter ou Jimmy Jackson, de Camden. Exibo minhas tatuagens, os diamantes...

— Hummm — faz Elizabeth.

— Não estou muito certa de que gângsteres tenham tatuagens do camarada Mao — opina Joyce.

— Tudo bem, eu levo o Bogdan comigo — afirma Ron.

— Bem, agora isso está mais parecido com um plano — diz Elizabeth. — Segunda-feira de manhã vamos ao aeroporto de Farnborough receber o Frank Andrade, dar-lhe as boas notícias, estamos com os diamantes, venha com a gente. A gente fala ao Lance para levar o Lomax com ele. Reunimos todos para se encontrarem com a Connie Johnson. Sue vai estar numa van ouvindo tudo e, sem dúvida, Poppy vai ficar ciscando por perto. Vai todo mundo preso, todos nós ganhamos medalhas e chegamos em casa a tempo de assistir a *Eggheads* na TV. Onde marcamos esse encontro? Precisa ser um espaço sobre o qual a gente tenha controle. Um lugar sem rotas de fuga.

— Tem um escritório em cima do fliperama no fim do píer. Tive que ir lá uma vez porque havia menores de idade jogando. O gerente tentou me subornar com mil pratas em moedas de dez pence — sugere Donna.

— O fim do píer me parece perfeito — diz Elizabeth. — Ah, Ibrahim, e nós vamos precisar que você nos leve de carro a Farnborough e nos traga de volta.

— Segunda-feira, não — diz Ibrahim, balançando a cabeça. — Minhas costelas, minha vista. Talvez daqui a algumas semanas. Adoraria, mas sinto muito, não tem como.

Donna olha para Ibrahim.

— Acho que provavelmente tem como, sim. Não acha? Não é só uma montanhazinha de nada?

Ibrahim pensa. E então balança a cabeça e balbucia um "desculpe". Chris olha para Donna. Que *diabo* foi isso?

— Esplêndido — diz Elizabeth. — Todo mundo vai ter alguma função.

— Exceto a Joyce — comenta Ibrahim.

Joyce sorri.

— Ah, eu tenho uma função, sim. Mas por enquanto é segredo. Ron, será que você poderia me acompanhar até em casa depois? Tenho uma ideia para você. E Donna, por que não vem junto? Assim eu posso te mostrar os diamantes antes de você ir.

70

Joyce

Não queria dizer na frente de todo mundo que encontrei Ryan Baird. Muito menos na frente de Ibrahim, que nem sabe que ele está desaparecido.

Eu tinha o arquivo que Poppy nos dera com todas as informações sobre Ryan Baird, com uma foto grande e um monte de detalhes, e o vasculhei em busca de alguma pista.

A propósito, queria dizer uma coisa. Poppy colocou na capa do arquivo um post-it com um beijo e uma carinha sorridente. E eu fico só pensando: isso é o tipo de coisa que uma assassina faria?

Quem sabe possam existir por aí um monte de assassinos frios e calculistas que ficam desenhando carinhas sorridentes em post-its. Ia comentar que não tenho como dizer, pois não conheço assassinos, mas hoje em dia isso não é mais verdade, claro.

Eu sei, qualquer um pode fingir tudo. Gerry uma vez fingiu ser holandês quando estávamos acampando na Dordonha. Com sotaque, inclusive. Mas foi só brincadeira, para me fazer rir, ele não tinha planos de atirar em ninguém.

Eu *acho* que podemos dar como certo que Poppy encontrou a carta na árvore. É a única coisa que faz sentido. E eu sei, sem sombra de dúvida, que a mãe dela abriu o compartimento 531 do guarda-volumes e que, no dia seguinte, alguém matou alguém a tiros no esconderijo da avenida St. Albans. Todas as evidências apontam para Poppy.

Mas ainda assim fico pensando na carinha sorridente e no beijo no post-it.

Ah, sim, o arquivo.

Eu já tinha procurado o nome Ryan Baird no Instagram, é claro. Tinha uns doze, mas apenas um em Kent. BigBairdWolf2006. Mas era uma conta fechada, e como não sou hacker nem conheço nenhum, deixei por isso mesmo. Semana passada veio uma moça da BT consertar a minha banda larga e perguntei se ela sabia hackear contas fechadas no Instagram. Não sabia.

Até hoje não sei acessar as mensagens privadas da minha conta @GreatJoy69. Já tem mais de mil. É muito frustrante.

Foi quando tive uma ideia genial, sem querer me gabar. No arquivo da Poppy, há uma lista de amigos e parentes do Ryan Baird, então fui procurá-los no Instagram. Pensei: "Bem, em *algum* lugar ele precisa estar!" Se eu fosse uma fugitiva, provavelmente teria ido ao encontro de uma mulher com quem eu trabalhava — acho que o nome dela era Sandra Nugent — que se aposentou e foi morar na Ilha de Wight. Segundo ela, é no meio do nada, mas o supermercado entrega lá. Para mim estaria perfeito. Sandra às vezes dá um pouco nos nervos, mas quem está fugindo não pode se dar ao luxo de escolher.

A mãe do Ryan Baird mora em Littlehampton, mas não consegui encontrá-la no Instagram. Ela não estava nem no Facebook. Capaz de ter morrido. Ele tem uma irmã mais velha, Leanne, e eu acho que a encontrei, mas ela nunca posta nada, a não ser arco-íris em prol de um monte de causas diferentes. Que bom para ela, mas não me ajuda em nada.

Daí passei para os primos, que são muitos. A propósito, tudo isso levou tempo. Estou falando como se tivesse sido rápido, mas não foi. Havia muita gente para checar, e toda hora alguém que eu conheço postava alguma coisa nova e me distraía. Vi Joe Wicks fazer uma nova série de exercícios, por exemplo.

O arquivo chegou em Steven Baird. Nascido em Paisley, que eu sei que fica na Escócia, e por isso dei busca e achei um monte de Bairds por lá e um monte de Stevens também. Dei uma olhada em alguns. E aí me deparei com @StevieBlunterRangers4Eva.

Ele tinha um certo jeito de Ryan Baird, uns olhos meio estranhos. Achei que poderia ser interessante analisá-lo mais de perto. Não demorou muito. Dois dias antes, StevieBlunter havia postado fotos de uma festa. Era um apartamento pequeno, uma bagunça. Só de olhar para as fotografias já se imaginava o barulho.

Foi quando encontrei a foto que procurava. A legenda dizia:

Dando um 2 co primo Pablo

Não entendi bulhufas, mas na foto Steven Baird estava abraçando Ryan Baird, os dois fumando cigarros enrolados à mão. Não tinha como ser outra pessoa. É lá que ele está. Na Escócia.

Após a reunião do Clube do Crime das Quintas-Feiras, convidei Donna e Ron para darem um pulo aqui em casa.

Primeiro, o mais importante: mostrei a Donna os diamantes. Ela pôs o maior no dedo e desfilou como se fosse uma modelo. Convenceu Ron a fazer o mesmo e os dois começaram a rir. Aproveitei que a chaleira estava vazia e fiz chá para todos.

Mostrei aos dois a foto e ambos disseram que eu fiz um excelente trabalho. Ron me abraçou. Preciso reconhecer: mesmo não fazendo o meu tipo, ele é bom de abraço. Um dia será um excelente marido para uma mulher de tipo bem específico.

Que pena essa história da Siobhan, porque ela poderia ter sido essa mulher. Fico imaginando quem ela será de fato.

Donna traduziu para mim a legenda da foto do Instagram. Era "fumando maconha com o meu primo Pablo". Pablo deve ser o apelido de Ryan Baird.

Donna disse que contataria de imediato a polícia de Strathclyde para que ele fosse localizado e preso. Foi quando contei que tinha um plano diferente. Ela e Ron me escutaram e concordaram que minha ideia era mais divertida.

Os dois foram embora e os diamantes voltaram para a chaleira, que é o lugar deles.

Ron vai visitar Connie Johnson amanhã. Queria ser uma mosquinha, de verdade. Dá para ver que está superconfiante e tenho total fé nele.

Ainda estou pensando naquele post-it. A carinha sorridente de Poppy. Eu não sei, não sei mesmo.

Quem sabe ela aparece segunda-feira no píer de Fairhaven. Ou quem sabe está realmente morta e entendemos tudo errado.

Mas suspeito que numa coisa Elizabeth esteja certa. Se conseguirmos juntar todo mundo no fim do píer, com os diamantes à mostra, com certeza descobriremos exatamente quem matou quem e por quê.

71

Connie Johnson já trocou de roupa três vezes esta manhã. O vestido curto deixava tudo muito na cara. O macacão, não o suficiente. A calça que comprara na Whistles era perfeita, mas não dava para esconder a arma com segurança.

Finalmente teve um estalo, e está usando uma roupa de lycra de fazer exercício. Com ela, pode passar uma série de recados cruciais. Em primeiro lugar, "essa reunião não é importante para mim, arranjei uma horinha para vocês antes de ir à academia". Mas também, e isso é o mais relevante, "aqui, Bogdan, eis o que eu tenho a oferecer", mas de forma equilibrada, sem ser muito oferecida, o que é perfeito.

E a arma está bem à mão, numa pochete.

Há um grande pacote de ecstasy em cima da mesa. Ela dá um jeito de enfiá-lo em uma gaveta e checa o relógio. Devem chegar a qualquer momento. Bogdan deslizara uma carta — uma carta, ai, que homem — para ela por baixo da porta. Levaria um homem chamado Vic Vincent, que tinha alguma proposta de negócio. Esse Vincent seria um figurão de Londres.

Obviamente ela entrara no Google e buscara "Vic Vincent" e, como não apareceu nada, ficou tranquila. Estaria lidando com um profissional.

Há um bastão de beisebol recoberto de arame farpado encostado na máquina de xerox. Connie o empurra para fora do campo de visão. Checa novamente como está seu cabelo. Será que Bogdan vai estar de regata? Aqueles braços maravilhosos cheios de músculos, prontos para...

Batidas fortes na porta de metal. É agora, Connie. Ao alcançar a porta, ela repara em uma grande mancha de sangue sob um dos ganchos para pendurar casacos. Agora não dá mais tempo de limpar, vão ter que lidar com isso e pronto.

Abre a porta e Bogdan e Vic Vincent entram. Cumprimentam-se. Bogdan não está de regata, mas está de óculos escuros e já é bom o suficiente. Vic Vincent lhe parece familiar, mas ela não consegue identificar o motivo. Já teriam se encontrado antes? Ele parece um gângster, o rosto todo ferrado, mas o terno está um pouco apertado e... aquilo é uma gravata do West Ham United?

Ninguém quer café — "não se deve tomar café antes de fazer exercício", diz Bogdan, e é óbvio que ela deveria ter pensado naquilo. Eles se sentam.

— Ouvi falar bem de você, Connie — diz Vic Vincent. — Pelo meu amigo Bogdan.

Ouviu falar bem dela pelo Bogdan. Bogdan tem falado sobre ela.

— Certo. E Bogdan trabalha para você?

Vic Vincent ri.

— Bogdan não trabalha para ninguém. Mas de vez em quando peço uma ajuda a ele, que dá conta do recado sem maiores problemas. Entende?

— Entendo — diz Connie. Ela desvia o olhar para Bogdan, sentado em silêncio com seus óculos escuros, como se fosse o Sr. Darcy de *Orgulho e preconceito*. Deve dar conta do recado sem maiores problemas, sem a menor dúvida.

— Talvez você possa me ajudar com uma situação. Tem interesse em diamantes? — pergunta Vic Vincent.

De onde ela o conhece?

— Não particularmente — responde Connie. — Tenho interesse em dinheiro. Isso estaria na mesa também?

Vic Vincent assente. Bogdan percorre o ambiente com o olhar. Ainda bem que ela guardou o pacote de ecstasy e o bastão de beisebol. Dá para notar que ele gosta de uma casa arrumada.

— Já fez negócios com a máfia? — pergunta Vic.

Máfia? Olha só, a coisa estava ficando interessante.

Connie balança a cabeça em negativa.

— O mais perto que cheguei disso foi quando tentei cancelar a assinatura do Sky Sports.

— Uma pessoa chega segunda-feira a Fairhaven. O nome é Frank Andrade. Quero alguém que possa encontrar com ele. Nós temos um local no fim do píer. Um escritório.

Connie assente. Conhece bem aquela sala. Uma vez ameaçara botar fogo no fliperama. Será que Bogdan vai estar na reunião? Com que roupa ela vai? A máfia *e* Bogdan?

— Preciso de alguém de confiança, e Bogdan diz ser o seu caso, para entregar isto aqui ao Sr. Andrade.

Vic Vincent lhe entrega um saco de veludo azul. Ela abre o laço. Diamantes. Estava falando sério mesmo.

— Quanto valem? — pergunta Connie.

— Digamos, por ora, que valem um trabalho bem-feito — diz Vic Vincent. Dá para ver pelos botões como a blusa dele está apertada. Aquele rosto lhe é tão familiar... O que é que está acontecendo?

— E por que vocês mesmos não podem fazer a entrega?

— A gente não se dá bem. Eu matei o irmão dele.

Connie assente.

— Sei como é. E por que no fim do píer?

— Muita gente quer esses diamantes. Não posso dizer o motivo, mas é verdade. Precisamos de um lugar onde possamos ficar de olho em quem chega e quem sai.

— E o que eu ganho com isso? — pergunta Connie.

— Vai estar lá um outro sujeito. O nome é Lomax, e o Andrade confia nele. Vende muita cocaína no sul de Londres e está procurando um novo atacadista.

— O que aconteceu com o antigo?

— Um acidente com um misturador de cimento — diz Vic.

— Que descuidado — comenta Connie.

— Eu disse a ele para dar uma olhada em você. Comprar cinquenta mil do seu produto, checar a qualidade, ver se talvez não seria você a pessoa que ele procura.

Connie assente.

— E, em troca dessa ponte, você entrega os diamantes ao Andrade para mim. Parece justo?

Vic Vincent lhe oferece um sorriso discreto. Connie conhece esse cara, pode jurar. Conhece essa cara. O negócio parece bom demais para ser verdade. Seria uma armação daquele policial, Chris Hudson?

Connie mexe na pochete por um instante e então saca a arma. Aponta-a direto para Vic Vincent. Se é que é esse mesmo o nome dele. Vic e Bogdan erguem ligeiramente as sobrancelhas.

— Desculpe, cara, sem ofensa, mas eu te conheço. Eu já te vi antes. — Ela mantém a arma apontada diretamente para o espaço entre os olhos de Vic Vincent. Ele coça uma tatuagem no braço. "Kendrick", está escrito. Sem desviar os olhos dele, dirige-se a Bogdan. — Quem é ele, Bogdan? Me conta. É só me contar e vocês dois saem daqui sem o menor problema e esquecemos o assunto. — Será que daria para ela matar Vic Vincent e ainda assim sair para tomar alguma coisa com Bogdan? Pouco provável, mas não custa nada tentar.

— O nome dele é Vic Vincent — diz Bogdan. — Já trabalhei para ele algumas vezes e jamais tive problemas.

— Continue — fala Connie. Vic Vincent parece impassível. Mas uma gota de suor desce pelo seu pescoço e percorre uma tatuagem esmaecida do West Ham.

— Ele me ligou algumas semanas atrás — explica Bogdan — para saber se eu conhecia alguém confiável. Eu disse o seu nome porque confio em você.

Nossa, assim fica difícil, pensa Connie. Mas é preciso ter foco.

— Ele me perguntou se você vendia cocaína e eu disse que sim, todo mundo vende. Aí ele disse para comprar cocaína de você porque queria ver.

— Aqueles dez mil do outro dia? — pergunta ela.

— Era dinheiro do Vic.

Connie começa a rir, guarda a arma e abraça Vic Vincent. Está mais suado do que ela esperava.

— É daí que eu te conheço! Sempre mando seguir todo mundo que sai daqui. Para ver se não são da polícia, da concorrência, o que for. Tirar fotos. Bogdan encontrou você no píer para entregar a cocaína.

Connie abre uma gaveta e remexe algumas fotos. Tira do bolo uma na qual aparecem Ron e Bogdan no píer de Fairhaven.

— Roupa de encanador, curti. Sabia que eu conhecia sua cara. Desculpe, Sr. Vincent, não foi minha intenção apontar a arma para o senhor.

— Sem problemas — diz Vic Vincent, coçando novamente a tatuagem com o nome Kendrick. — E, só para garantir, leva essa arma com você na segunda-feira.

— Fechado — declara Connie. — Cinquenta mil de cocaína e os diamantes.

— Segunda, três da tarde — diz Vic Vincent.

Connie se vira para Bogdan.

— Você vai estar lá?

Bogdan tira os óculos escuros e olha fixo para ela.

— Sim, eu vou fazer isso tudo com você.

Minha Nossa Senhora, que olhar intenso.

— Podemos sair para tomar alguma coisa, nós todos?

— Você vai para a academia — diz Bogdan, recolocando os óculos escuros.

Merda.

— Preciso de mais um favor, Connie — retoma Vic Vincent. — Se não se importar. Não é nada complicado.

— Pode falar — diz Connie.

— A sobrinha da minha esposa mora por aqui e o filho dela está buscando uma oportunidade. Estava pensando que você talvez precise de um motorista no dia e, quem sabe, não poderia dar uma chance a ele?

— Já tenho motorista — diz ela.

— Eu preferiria alguém em quem saiba que posso confiar também — responde Vic Vincent. — É família. Pelo que ouvi falar, ele já trabalhou antes para você. E depois pode levar nós três para jantar. Se você quiser.

Ah, Connie quer.

— Claro. Qual o nome dele?

— Ryan Baird — diz Vic Vincent, entregando a Connie um pedaço de papel. — No momento ele está na Escócia, nesse endereço. Consegue mandar alguém até lá para buscá-lo até segunda-feira?

— Sem problemas — assente Connie, pensando que restaurante escolher.

Segunda-feira no píer vai ser uma delícia.

72

Elizabeth explicara repetidas vezes a Joyce que Farnborough não era um aeroporto como os de Heathrow e Gatwick e que não haveria lojas. Nem por isso a amiga está menos decepcionada.

— Nossa, nem uma WHSmith — diz Joyce, observando o terminal de chegada.

— Mas o que você queria comprar? — pergunta Elizabeth. São nove e meia da manhã e Frank Andrade deve cruzar o portão de desembarque a qualquer instante.

— Nada. É só uma questão de hábito — responde Joyce. — Depois de ir ao banheiro não se tem mais nada para fazer.

— Sinto muito se trazer você para conhecer um chefe da máfia e levá-lo até uma reunião de receptação de diamantes para conseguirmos capturar uma assassina é tão sem graça assim, Joyce.

— Só estou falando — comenta Joyce, acomodando-se numa cadeira.

Elizabeth não conseguira convencer Ibrahim a levá-las de carro até Farnborough. Mark, amigo de Ron, as levara de táxi. Com Ibrahim teria sido mais divertido, mas, considerando que era um amigo de Ron, Mark até que era boa companhia. Ela ficara preocupada com a estação de rádio que ele ouviria, mas era a Radio 2. Até que ela saíra no lucro.

Joyce está de mau humor. Elizabeth sabe o que pode animá-la.

— Aquela ideia foi mesmo fantástica. Ryan Baird como motorista. E só o fato de tê-lo encontrado, bem, isso foi impressionante.

— Para de tentar me animar — pede Joyce. — Queria estar vendo artigos de banheiro na Boots.

— Tá bem, então — diz Elizabeth.

Tudo estava se arranjando. O píer estaria fechado para manutenção na hora da reunião. Chris e sua equipe estariam lá. Haviam recebido uma denúncia de que Connie Johnson estaria no fim do píer às três da tarde, armada e com um carregamento de cocaína.

Um grupo de executivos japoneses passou por elas, com um motorista levando a bagagem num carrinho. Elizabeth adoraria abrir cada item de bagagem que chegava a este aeroporto. Aviões particulares vindos de toda parte. Ela chegara a trabalhar por um breve período como carregadora no Heathrow, colocando mecanismos de rastreamento nas malas dos integrantes de delegações comerciais.

Sue também estaria lá naquela tarde. Aquela fora uma conversa complicada. Sim, Elizabeth encontrara os diamantes, não, não estavam com ela naquele momento, sim, uma grande traficante de drogas da Costa Sul estava com eles, sim, ela compreendia que não era a situação ideal. Onde os encontrara? Bem, essa história ficaria para outro dia. A conversa se estendera, com ameaças e xingamentos. Achei que tínhamos um acordo. Por que as pessoas sempre ficavam com tanta raiva? Todos vamos morrer um dia.

Sue acabara por se acalmar e, no fim das contas, estará escondida em algum canto, vendo e ouvindo tudo.

Lance também estará por lá. Como está de tocaia na casa de Martin Lomax, é ele quem vai levá-lo à reunião. Aquilo estava perfeitamente de acordo com o plano.

— Posso dizer uma coisa? — sugere Joyce.

— Se for sobre aqui não ter lojas, não — responde Elizabeth.

— Não quero que você se irrite comigo — começa Joyce. — É só que... é só que não estou muito convicta de que a Poppy esteja por trás disso. Eu sei que tenho um fraco por ela. Estou ciente disso. Desde que ela confiou em mim para passar o número da mãe dela, me senti muito protetora. Besteira minha, talvez.

— Estava para te perguntar, ela te olhou nos olhos quando pôs o número no seu casaco? — pergunta Elizabeth. — Fez cara de inocente? De coitadinha?

— Não, só o encontrei quando voltei. Mas tem outra coisa que não mencionei. É sobre a carinha sorridente no post-it...

As portas da área de desembarque se abriram em frente a elas e de lá surgiu um homem vestido como alguém que está a caminho de uma partida de golfe. Camisa polo, calça bege, óculos escuros no alto da cabeça. Talvez na casa dos quarenta e cinco. Com uma mala pequena e sem ninguém a acompanhá-lo. Está à procura do balcão da companhia de aluguel de carros quando Elizabeth e Joyce o alcançam e se põem uma de cada lado seu.

— O senhor deve ser o Sr. Andrade — diz Elizabeth.

Andrade para e olha para Elizabeth.

— Não — responde ele.

— Meu nome é Joyce — intercede a própria. — E esta é Elizabeth.

— Que ótimo para vocês — diz Frank Andrade. — Agora, se me dão licença.

Ele aperta o passo outra vez, com Elizabeth acompanhando-o e Joyce fazendo o maior esforço para não ficar para trás.

— O senhor não vai precisar de um carro, Sr. Andrade — informa Elizabeth.

— Sinto em discordar — responde ele.

— Mark, da cooperativa de táxi Robertsbridge, vai nos levar — diz Joyce. — Até ficamos preocupadas com sua bagagem não caber no porta-malas, mas olha só, o senhor trouxe apenas uma mala. O carro é um Toyota Avensis.

Andrade para novamente.

— Senhoras, me perdoem, mas não sei quem são vocês. Não me importo, também. Tenho um lugar para ir e alguém para encontrar.

— Nós sabemos — diz Elizabeth. — Estamos aqui para ajudar. Você vai se encontrar com Martin Lomax.

Andrade encara Elizabeth de forma dura.

— Por causa dos seus diamantes — completa Joyce.

Andrade olha ainda mais duro para ela. Elizabeth percebe que Joyce corou. Pelo amor de Deus, será que existe *alguém* que ela não ache atraente?

— Está bem, senhoras, meu voo foi bem longo. Só quero entrar no meu carro, encontrar Martin Lomax, conseguir o que eu vim obter, voltar direto para cá e voar para casa.

— Acontece que seus diamantes não estão com Martin Lomax. Estão comigo.

— Você está com os meus diamantes?

— Sim, *estou* com os seus diamantes — afirma Elizabeth.

— Ok — diz Frank Andrade. — E você acha que, por ser velha, eu não vou matá-la?

— Ah, com toda a certeza mataria, Frank — responde Elizabeth. — Não tenho dúvida alguma. Mas eu mataria você sem pensar duas vezes, da mesma forma. Então que tal a gente parar com o drama e ir ao que interessa?

Frank Andrade ri.

— Você me mataria?

— Sim — confirma Joyce. — Não acho que ela vá matar você, mas mataria.

— Ok — diz Andrade. — E onde estão os meus diamantes?

— Em Fairhaven — responde Elizabeth. — No fim do píer.

— E onde fica Fairhaven? — pergunta ele.

— Pois é, está vendo como nós podemos ser úteis? — pergunta Elizabeth.

Elizabeth vê que Mark já deu a volta até a frente do terminal. Ele dá um leve toque na buzina. Não é aconselhável buzinar para a máfia, mas ela imagina que não tem como Mark saber disso.

— Venha com a gente, faça as pazes com Martin Lomax e minha representante vai lhe entregar os diamantes. E nós o traremos de volta até aqui, no mais tardar, às nove da noite — diz Elizabeth.

— Com os meus diamantes? — pergunta Andrade.

— Com os seus diamantes — confirma Elizabeth, e aponta para o carro. — Vamos?

— E por que estou confiando em vocês?

— Bem, é uma questão de bom senso — diz Elizabeth. — E olhe a cara da Joyce. Quem não confiaria?

Joyce sorri.

— Se quiser, pode se sentar na frente. Eu vim na frente até aqui, mas não me importo de voltar no banco de trás. Devo tirar um cochilo, de qualquer forma.

Mark já desceu do carro e abriu o porta-malas. Estende a mão para Frank Andrade.

— Só essa bagagem? Sou Mark, prazer em conhecê-lo. Você é mesmo da máfia?

Frank Andrade lhe entrega a mala.

— Ahn, sim. — Olha para o carro e para as três pessoas que lhe farão companhia.

— Agora — diz Joyce —, são pelo menos umas duas horas de viagem. Precisa ir ao banheiro antes de partirmos?

73

Donna e Chris estão estacionados numa rua lateral, em frente a uma loja que vende algodão-doce, miniaturas da Tower Bridge e cartões telefônicos internacionais. Encontram-se de frente para o mar, tão cinzento e sombrio quanto o céu, e têm uma visão totalmente desimpedida da entrada do píer de Fairhaven, bem à esquerda.

Donna está tomando sorvete. Oferece um pouco a Chris, que recusa e baixa o olhar para seu saco de sementes de girassol.

Connie Johnson é a primeira a chegar. Seu Range Rover para em cima do amplo calçadão diante do píer, ela salta e observa os arredores. Traz consigo uma grande bolsa de mão e Donna torce para que lá dentro haja cinco quilos de cocaína. Os mesmos cinco quilos de cocaína que, espera-se, farão Connie ser presa antes do fim da tarde.

O vidro do carro tem insulfilm e Donna não consegue enxergar o motorista, mas está ansiosa para prender Ryan Baird de novo. Tinha que dar o braço a torcer a Joyce.

De repente, surge Bogdan, embora Donna não consiga entender exatamente de onde. Já fazia meia hora que vigiavam o píer e não haviam avistado nenhum sinal do grandalhão. O homem grande e taciturno de olhos azuis penetrantes. Donna jura que seu sorvete começou a derreter mais rápido. Ela o observa caminhando píer adentro com Connie Johnson, carregando a bolsa de cocaína para ela como um cavalheiro.

— Ele é gente boa — diz Chris.

— Uhum — concorda Donna.

O próximo carro a parar é um Lotus preto, modelo esportivo, de onde saltam dois homens, um mais velho e o outro mais novo. Donna observa Chris, que olha para uma foto em seu celular.

— Aquele é Martin Lomax — avisa Chris. — O outro, imagino que seja o espião.

— Lance — revela Donna. Joyce dissera a Donna que talvez gostasse de Lance, mas é velho demais. E aquele cabelo? Mas boa tentativa, Joyce. Quem sabe dez anos atrás.

Lance James e Martin Lomax começam a descer o píer, deixando o carro ali mesmo. Donna pensa como deve ser bom trabalhar no MI5 e poder estacionar em qualquer lugar. Certa vez, em Streatham, tivera que se engalfinhar com um homem que brandia uma espada em pleno supermercado, só para descobrir, ao sair, que seu carro havia sido enganchado por estar ocupando duas vagas.

Faltam cinco para as três. Parece que diamantes e cocaína em jogo incentivam a pontualidade nas pessoas. Chega um Toyota Avensis com a inscrição "Robertsbridge Taxis" aplicada à porta do motorista, e o carro é estacionado logo atrás do Lotus.

O motorista, que Donna não reconhece, salta e se encaminha para o porta-malas. Do assento do carona emerge um homem que só pode ser Frank Andrade Jr.

Martin Lomax e Frank Andrade Jr. não são problema de Chris e Donna hoje, mas é interessante observá-los mesmo assim. Eles são da alçada do MI5, ao passo que Connie Johnson e Ryan Baird são encargo do Departamento de Polícia de Kent. E ninguém de qualquer dos lados pode questionar. Foi o acordo negociado por Elizabeth.

Por falar no diabo, olha ela aí. Elizabeth e Joyce saltam do banco traseiro. Joyce, com cara de quem acabou de acordar.

O motorista entrega a Frank Andrade uma maleta e os dois apertam as mãos.

De volta, Bogdan faz sinal para Frank Andrade acompanhá-lo. Andrade olha para Elizabeth, que assente. Elizabeth não aperta a mão de Andrade, nem Joyce. O que é bem pouco característico das duas.

Bogdan sorri discretamente para Frank Andrade. Donna pensa se alguma vez já o vira sorrir antes. Acha que não, mas gostaria de ver de novo. Ibrahim lhe dissera: "Escale a próxima montanha." Ao observá-lo percorrer o píer ao lado de Frank Andrade Jr., Donna se pega imaginando como seria escalar Bogdan. Come o pedaço de chocolate no alto da bola de sorvete quase que de uma dentada só e começa a mordiscar a casquinha.

— Bem, todo mundo está aqui — diz Chris. — Pronta?

— Pronta — responde Donna.

Donna avista Elizabeth caminhando pelo calçadão. Joyce vai atrás, tentando ajeitar a saia amarrotada pela viagem de carro. Passam pelo Lotus e pelo Range Rover: Joyce olha ao redor, avista-os e acena animadamente. Ainda vai demorar até ela aprender a agir como uma agente infiltrada. Donna acena de volta e Joyce parece entusiasmada.

Joyce e Elizabeth chegam a uma van branca comum estacionada junto à grade do passeio público e cercada por uma fita de segurança. Na lateral da van está escrito "T.H. Hargreaves — Grades. Fazemos qualquer serviço".

Elizabeth passa por cima da fita e Joyce a segue. Alguém dentro da van abre as portas traseiras e as duas entram.

74

O escritório é bem agradável para um homem sozinho supervisionar as atividades diárias de um fliperama localizado num píer tão celebrado.

Neste momento, contudo, a atmosfera é um tanto claustrofóbica. Connie Johnson está sentada atrás de uma escrivaninha, com Martin Lomax à sua frente. Frank Andrade Jr. se ajeita no parapeito da janela. Lance James está encostado numa parede, e Bogdan, parado em frente à porta.

As apresentações haviam sido rápidas. Basicamente alguns "Quem é você?" seguidos de "Não te interessa". Frank Andrade Jr., contudo, apertara a mão de Martin Lomax. "Pelo jeito, eu não vou precisar te matar hoje, Martin!" "Parece que não, Frank, e como vai a esposa? Os muffins que eu mandei chegaram?"

Ninguém sabe ao certo como começar. Afinal, a reunião não havia sido organizada por nenhum dos presentes, mas por uma mulher de setenta e seis anos que, no momento, está escutando tudo de dentro de uma van branca localizada a quatrocentos metros dali.

Cabe, portanto, ao alfa presente na sala dar início aos trabalhos.

— Tá certo, então — diz Bogdan. — Vamos começar.

— *Tá certo, então* — diz Bogdan. — *Vamos começar.*

Dentro da van branca, Sue Reardon usa fones de ouvido e observa os monitores que transmitem imagens das câmeras instaladas no escritório por sua equipe ao longo do fim de semana.

Elizabeth e Joyce precisam compartilhar um fone de ouvido, uma orelha para cada. Tempos de corte de orçamento.

— Tem certeza de que os diamantes ainda estão com ela? — pergunta Sue.

— Encarreguei Bogdan disso — responde Elizabeth. — Portanto, sim, tenho certeza.

— E que diabos tem dentro daquela bolsa de mão que ela trouxe? — pergunta Sue.

Elizabeth dá de ombros. As drogas são para Chris e Donna, Sue não precisa ser informada sobre essa questão. Ela volta a prestar atenção na sala lotada, na tela. A definição das imagens é bem mais alta do que na sua época.

Frank Andrade, sentado no peitoril da janela, se dirige a Connie Johnson.

— *Meus diamantes estão com você, então?*

— *Eu estou com diamantes* — responde Connie. — *Se são seus ou não, vou ter que acreditar na sua palavra.*

— *Como você os conseguiu?* — pergunta Andrade.

— *Vieram de brinde na caixinha de cereal* — diz Connie. — *Você é mesmo da máfia?*

— *Ele é empresário* — observa Martin Lomax. — *Muito respeitado.*

— *Sim, eu sou da máfia* — diz Andrade. — *Agora quero ver os diamantes.*

Bem, chegou a hora, pensa Elizabeth. Eles *não* vão gostar do que vem por aí. Boa sorte a todos.

Connie enfia a mão na bolsa. Quando vão começar a falar sobre as drogas? Ela quer os cinquenta mil e quer fazer mais negócios com essa gente. Andara preocupada com toda essa história, precisa admitir. Desconfiada. Mas tudo estava ocorrendo exatamente como haviam lhe dito que seria. Do jeito que Vic Vincent explicara. Havia um sujeito da máfia, havia um cara mais velho, grã-fino — sempre tem um desses —, e Bogdan. Tudo correndo bem, e ela quer causar uma boa impressão. Há outro cara também, um careca entediado, mas deve ser só segurança de alguém. Bogdan o conhecia e, para ela, é o que basta.

Ela deposita o saco de veludo azul na mesa à sua frente.

— Aahh, aleluia — diz o velho grã-fino.

— Mostre — ordena Andrade. — Pode espalhar os diamantes na mesa. Sem deixar nada se esparramar.

Sem deixar nada se esparramar? Jeito meio bizarro de falar, pensa Connie, mas o sujeito é americano e essa gente diz coisas bizarras.

Ela afrouxa o cordão e despeja com cuidado os diamantes na mesa.

— Aí está — diz Connie. — Nada esparramado. Estão aí os dois, sãos e salvos.

Silêncio total. Andrade, o velho grã-fino e até mesmo o segurança estão de olhos fixos nos diamantes despejados na mesa. Connie percebe que o clima mudou de repente.

— Você está com dois diamantes? — pergunta Andrade.

— Sim — responde Connie. — Os diamantes são estes. O que você estava esperando?

— *O que você estava esperando?* — diz Connie Johnson.

— Cadê o resto dos diamantes? — pergunta Sue Reardon, lançando um olhar nervoso para Elizabeth.

— Ah, eu só dei dois a ela — explica Elizabeth. — Apenas o suficiente para atrair o assassino e agitar um pouco as coisas. Alguma notícia do seu pessoal? Alguém já avistou a Poppy?

— Jesus amado — reage Sue. — Você nunca pode jogar conforme as regras?

— Só quando é vantajoso para mim — responde Elizabeth. — E não foi o caso hoje.

— Onde estão os diamantes? — pergunta Sue.

— Em um lugar seguro — diz Elizabeth.

Foram transferidos para o micro-ondas de Joyce, pois ela o utiliza bem menos do que a chaleira.

Na tela, Frank Andrade puxa a arma.

— Meu Deus! — exclama Sue. — Que diabos você fez, Elizabeth?

Lance vê Frank Andrade puxar a arma e faz o mesmo. Andrade aponta a sua para Connie Johnson. Lance, para Andrade.

— Cadê meus diamantes? — pergunta Frank Andrade. — Todos eles. — Sua voz está calma, mas não sua expressão, calcula Lance. E ele não o culpa. O que exatamente está acontecendo aqui?

— Seus diamantes estão aqui — diz Connie Johnson. — Larga essa arma, exagerado.

— Cadê o *resto*? — diz Andrade. Já não soa mais calmo.

— O resto? — pergunta Connie. — Só me deram isso aí.

— Me deram — repete Andrade. — "Me deram", quem?

— Foi um velho, Vic Vincent — diz Connie. — Nem ouse pensar em atirar em mim por causa disso. Esse sujeito me entregou os diamantes, disse que um grã-fino queria cinco quilos de cocaína e que eu me encontrasse com vocês no píer. Isso é entre você e ele.

— Que cocaína? — pergunta Frank Andrade. — E quem é Vic Vincent?

— Esta cocaína — diz Connie, enfiando a mão na bolsa. Mas, em vez de tirar a cocaína, pega a arma. Aponta-a para Andrade.

— Um monte de armas numa sala tão pequena... — diz Bogdan, suspirando.

— Que arma mais inglesa — comenta Andrade. — Como era a aparência dele? Desse tal de Vic Vincent?

— Velho, jeito de boxeador, algo assim — diz Connie. — Todo tatuado, tatuagens do West Ham, todo tipo.

Martin Lomax dá um soco na mesa.

— Eu sei quem é ele — revela Lomax.

— Aposto que sabe — diz Andrade, apontando a arma para Lomax. — O que você está armando aqui?

Bem, não é isso o que todo mundo quer saber?, pensa Lance. Connie Johnson tem sua arma apontada para Andrade. Este aponta a sua para Lomax. Lance imagina que, até por uma questão de equilíbrio, deveria apontar a sua para Connie Johnson. E agora, o que vem em seguida? Vai acabar mal para alguém. Só precisa se certificar de que não seja ele. Que lugar para se morrer. As gaivotas a piar no céu e as máquinas caça-níqueis vazias a apitar no andar de baixo. Ao menos, se levar um tiro, não terá que lidar com a parede da cozinha do seu apartamento. Mesmo assim, Lance, melhor não tomar um tiro.

— Estou tão perplexo quanto você, Frank — diz Lomax. — Chocado de verdade. Mas deve haver alguma explicação perfeitamente...

— Chega — diz Frank Andrade. Ele puxa o gatilho e atira no peito de Martin Lomax. Este se dobra para a frente em sua cadeira enquanto o sangue se espalha pelo terno. Andrade então aponta a arma para Connie Johnson, apesar de ter sido criado para atirar primeiro nos homens. Mas é tarde demais. Connie Johnson dispara um único tiro, que atravessa o corpo de Frank Andrade e a janela na direção do mar cinzento.

Martin Lomax ergue os olhos como se fosse comentar sobre o ruído. Mas, se tinha algum comentário a fazer, ninguém saberá. Ele se curva para a esquerda e tomba no chão.

Frank Andrade desliza pelo parapeito da janela e deixa um rastro de sangue espesso e escuro a descer pelo radiador de plástico. Seus pés se alojam na curvatura do braço de Martin Lomax. Dois homens adormecidos. Sonhando com armas, com drogas e dinheiro, sonhando em sempre tomar e nunca ceder.

E agora?, pensa Lance. Há dois cadáveres no chão, dois diamantes em cima de uma mesa e uma bolsa cheia de cocaína embaixo da escrivaninha. Ele e Connie apontam as armas um para o outro, nenhum dos dois muito certo do que fazer.

Bogdan se interpõe entre as duas armas.

— Connie, você não tem nenhum problema com esse cara nem ele com você. Ele está aqui por causa de homens mortos e diamantes. Pega a sua bolsa e se manda.

Lá fora, no píer, há membros do Serviço de Bote Especial procurando pela possível presença de Poppy. Eles sabem que não devem abordar Connie Johnson. Suas ordens são explícitas. Ela chegará ao carro.

Connie pega a bolsa, passa-a por cima da escrivaninha e se dirige à porta. Bogdan a abre para ela, que aproxima o rosto do dele e o beija.

— Me liga, tá? — diz ela, saindo rápido com a bolsa de mão carregada de cocaína balançando a tiracolo.

Lance avalia a cena. O grandalhão polonês ao lado dele está corado. O sangue dos dois cadáveres no chão já começa a se misturar.

Sue saíra correndo da van assim que os dois tiros tinham sido disparados. Elizabeth não vira razão para segui-la e, portanto, Joyce também permanecera onde estava.

— Mas quem diria — diz Joyce.

— Não gosto que alguém tenha que morrer se puder ser evitado — comenta Elizabeth. — Mas não foram grandes perdas.

Joyce reflete a respeito. A partir do momento em que Elizabeth decidira dar apenas dois diamantes a Connie Johnson, era inevitável que algo assim ocorresse. Elizabeth às vezes podia ser brutal. Era péssimo tê-la como inimiga.

O mundo estava melhor sem Frank Andrade Jr., disso não havia dúvida. Mark, da Robertsbridge Taxis, quisera conversar com ele sobre beisebol e ouvira de volta um "cala a porcaria dessa boca", só que com outra palavra no lugar de "porcaria". Mafioso ou não, que homem desagradável e inconveniente é Frank Andrade Jr.

Ou era.

E Martin Lomax? Com sua casa, seus milhões e seu trabalho. As coisas que havia ajudado a financiar. As armas, as gangues, os traficantes. O cheiro de madressilva disfarçando o fedor. Ela se lembra do seu cheque para a Vivendo com Demência. Cinco libras. Olha para a tela, vê seu cadáver e nada sente.

Ao longo dos anos, Joyce vira morrer muita gente boa, inocente, desafortunada. Às vezes, ao voltar para casa, chorava e Gerry a abraçava, sabendo que não havia o que pudesse dizer para confortá-la.

Mas por esses dois não valia a pena gastar suas lágrimas. "Já foram tarde", diria Gerry, e Joyce bem que concorda. Ainda assim: *provocar* suas mortes, como Elizabeth acabara de fazer? Seria pior? Ou apenas mais honesto? Uma pergunta a ser respondida por alguma pessoa mais perspicaz. Ela perguntaria a Ibrahim.

Joyce observa os monitores, vendo Lance se aproximar de uma câmera por vez e desligá-las. A última coisa que nota, em cada uma, é sua pulseira da amizade. A tela então fica preta de vez.

— E agora? — pergunta ela a Elizabeth. — Pelo jeito não encontraram a Poppy.

— Ah, Joyce, a Poppy morreu — diz Elizabeth. — Matei toda a charada no carro, a caminho daqui. Me veio o clique enquanto vocês escutavam o programa do Jeremy Vine.

— Nossa. Mas e agora?

— Bem — responde Elizabeth, olhando para o relógio. — Vamos dar mais uma meia hora, mas depois disso, espero, estaremos voltando para Godalming na van do legista com a pessoa que matou Douglas e Poppy.

Connie está correndo a toda pelo píer. Matou um chefe da máfia, beijou Bogdan e a cocaína continua em suas mãos, então fica difícil saber se saiu ganhando ou perdendo. Ela precisa voltar ao escritório. Recompor-se. Honestamente, tem a sensação de que talvez saia até bem da situação. Confia em Bogdan, e o outro sujeito não parecia ter o menor interesse nela.

O Range Rover está logo adiante. O motorista, Ryan Baird, era um zero à esquerda. Ela se lembrava de que ele já lhe havia prestado alguns serviços, e não muito bem. Fedia a maconha e não sabia como ligar o aquecimento do assento. E tentara bater papo, o que era imperdoável. Quando encontrar Vic Vincent de novo, vai ter que lhe dar um sermão sobre este sobrinho, não importa se é família ou não.

Connie arrisca uma olhada para trás, mas ninguém está em seu encalço. Ninguém nem sequer olha em sua direção, o que é estranho. Uma loura de tailleur correndo píer abaixo com uma bolsa de mão? Era de imaginar que alguém virasse a cabeça. Mas o píer estava quieto, só alguns poucos casais com roupas escuras andando de braços dados.

Ela chega à porta do Range Rover, abre-a com violência e se atira para dentro. Direto no colo do inspetor-chefe Chris Hudson. Está algemada antes de conseguir abrir a boca.

— Oi, Connie — diz Chris. — Você está presa. Tem o direito de permanecer em silêncio etc.

Olhando para a frente, Connie vê Ryan Baird algemado no carona. Ao volante está Donna de Freitas. Ela se vira para Connie.

— Nunca dirigi um Range Rover antes, Connie, me perdoe se for meio aos trancos e barrancos. De qualquer forma, coloquei a delegacia de Fairhaven no GPS, então não vai ser tão ruim. Que perfume é esse? É maravilhoso.

— Nós só precisamos de uma palavra diferente para cavalo — diz Ibrahim, com as palavras cruzadas apoiadas no laptop.

— Cavalinho? — sugere Kendrick, se balançando e, assim, sumindo e aparecendo de novo na tela do FaceTime.

— Letras demais — diz Ibrahim.

— Mas acho que é a única — rebate Kendrick. — Será que erraram?

Ibrahim assente.

— Talvez tenham errado.

Ele deveria ter ido hoje. Deveria ter levado Joyce e Elizabeth ao aeroporto. E ao píer. Deveria estar lá naquele momento. Ron mandara mensagem. Tinham morrido mais duas pessoas, mas as pessoas certas. Todos pareciam contentes.

Mark, da companhia de táxi, está trazendo Ron para casa, e ele comprou gurjão de peixe com batata. Para Elizabeth e Joyce, a noite ainda será longa.

— Ainda dói? — pergunta Kendrick.

— Sim — responde Ibrahim. — Mas não quando converso com seu avô nem quando converso com você.

Pelo para-brisa do Range Rover, Donna observa Elizabeth e Joyce saltarem da traseira da van branca. Elizabeth vê Donna ao volante e lança a ela um olhar esperançoso. Donna reage com um sinal de positivo, Elizabeth assente e diz, em silêncio, "muito bem".

Agora é Ron quem surge na janela aberta do lado do motorista.

— Ih, veio todo mundo hoje — comenta Donna. — Passeio dos aposentados?

— Esse é o Vic Vincent — diz Connie, projetando-se o máximo para a frente que suas mãos algemadas lhe permitem. — As drogas são dele. Prendam ele.

Ron olha para Connie.

— Nunca ouvi falar dele, querida. Parece barra-pesada. — Ele então olha para Chris. — O que essa aí fez?

— Assassinato — afirma Chris. — Tudo registrado em vídeo. Além de uma sacola enorme de cocaína.

— Essa está encaminhada então, né? — diz Ron. Depois, olha para Ryan Baird. — Tá tudo bem por aí, Ryan?

Ryan Baird chora em silêncio.

— Pode chorar bastante — diz Ron. — E eu vou te contar uma história. Algumas semanas atrás, você roubou o celular de um cara. Mais ou menos da minha idade, o sujeito, mas parece mais velho, já está perdendo cabelo. Você deu um pontapé feio na nuca dele, está lembrado? Sem motivo nenhum. Eu o vi chorar também, desde que você fez isso, e não gostei, Ryan. Sei que você não dá a mínima, moleque, mas esse cara é meu melhor amigo. Quero que você se lembre do nome dele por mim. Consegue? Ibrahim Arif. Lembre-se desse nome cada noite que passar no xadrez. Ninguém mexe com Ibrahim Arif.

Connie se inclina novamente para a frente, chegando o mais perto de Ron que lhe é fisicamente possível.

— Quando eu sair, você morre — sussurra.

Ron a encara de volta.

— Bem, estou com setenta e cinco anos e você vai passar trinta em cana, de forma que, beleza, estamos de acordo.

Donna vê Bogdan se aproximar. Ai, meu Deus. Ele vem por trás de Ron e o puxa para longe da janela.

— Hora de ir — anuncia Bogdan. Ron assente, olhando uma última vez para Ryan Baird e suas lamúrias.

— Ibrahim Arif — diz Ron. — Não se esqueça, Ryan.

Bogdan olha para Donna.

— Você é a Donna?

— Sim — confirma ela.

— Eu sou o Bogdan — diz ele.

— Eu sei — responde Donna.

Bogdan assente.

— Tá. — Ele olha para o banco de trás. — Olá, Connie.

— Vocês todos vão morrer — diz Connie. — Cada um de vocês.

— Um dia todos nós vamos morrer, claro — concorda Bogdan.

Donna o observa se afastar, envolvendo Ron com o braço.

75

Elizabeth foi estúpida, mas ao menos sabe por quê.

No fundo, tudo tinha sido culpa de Marcus Carmichael.

Desde o início de toda aquela história. O morto que jamais morrera no rio Tâmisa. O corpo de um mendigo, retirado de um hospital de Londres e disfarçado pela equipe dela. Aquela lembrança de como o seu ofício era capaz de criar ilusões. Levar as pessoas a acreditar exatamente no que você queria que acreditassem. Tornar tudo *complicado*. Esforçar-se.

Elizabeth fora mestra naquilo. Douglas também havia sido. Em alguma gaveta há uma fotografia do dia em que se casaram. Elizabeth e Douglas com sorrisos tão grandes que qualquer um juraria ter sido o dia mais feliz de suas vidas.

Nada jamais havia sido como parecia.

Só que, e Elizabeth agora percebe, às vezes as coisas são exatamente do jeito que parecem ser. Ao menos foi assim desta vez.

Ela ocupa um banco na traseira da van do legista. Estão a caminho do necrotério em Godalming. Aquele mesmo necrotério onde haviam sido identificados o corpo de Douglas e o de Poppy.

Joyce está a seu lado, fazendo caça-palavras no celular. Elizabeth sabe que deveria dar mais ouvidos a ela. É claro que não havia sido Poppy. Não fora ela quem matara Douglas e em seguida alguma pobre mulher para forjar a própria morte.

Poppy não engendrara um plano em conjunto com a mãe para conseguir roubar aqueles diamantes. Havia outra explicação para Siobhan. Quem poderia pensar que havia sido Poppy? Só alguém muito estúpido. Ou alguém muito cheio de si.

Elizabeth começa a compreender que talvez, pelo menos algumas vezes, as coisas sejam exatamente o que parecem. Quando Ron a abraça, quando Joyce lhe assa um bolo, quando Ibrahim plastifica um documento para ela, nada daquilo é um jogo para nenhum deles. Não querem nada em troca a não ser a sua felicidade e a sua amizade. Eles simplesmente *gostam* dela. Elizabeth levou um longo tempo para aceitar essa verdade.

No banco à sua frente está Sue Reardon, que pensava exatamente como ela. As duas tinham rido ao falar sobre isso. Farinha do mesmo saco. Elizabeth não sabia da missa a metade.

Entre os dois bancos, ocupando toda a extensão da van, está o corpo de Martin Lomax. O de Frank Andrade está a cargo do MI6. Em outra van, cruzando outra rodovia.

Tanto Poppy quanto Douglas haviam sido mortos a tiros. Não havia cadáveres falsos, não havia um esquema mirabolante de disfarce. Os dois haviam sido mortos a tiros por Sue Reardon. Por uma razão muito óbvia. E Sue Reardon havia jogado para Elizabeth uma isca à qual sabia que ela não conseguiria resistir. Mas como provar?

Elizabeth volta a observar Joyce, de língua de fora, fazendo círculos ao redor de palavras com o dedo. Sonsa que só ela. Está gravando tudo com o celular. Exatamente como lhe fora pedido.

Na primeira parte da jornada viera a já esperada torrente de perguntas de Sue a respeito dos diamantes, e quem diabos era Connie Johnson, e por que ela aparecera com uma bolsa cheia de cocaína? Elizabeth se submetera ao inquérito com a maior educação possível. Mas agora era a sua vez de fazer perguntas.

— Mas, então — começa, inclinando-se para a frente e sorrindo para Sue por sobre o corpo coberto de Martin Lomax —, não encontramos a Poppy.

— Não — diz Sue. — Nem sinal dela.

— Que curioso — comenta Elizabeth. — Talvez esteja mesmo morta. O que acha, Sue?

— Talvez — diz Sue. — Mas, ainda assim, não se explica por que a mãe dela foi atrás dos diamantes.

— Você quase me pegou, sabia? — provoca Elizabeth.

— Não faço ideia do que você quer dizer — responde Sue.

— Você matou Douglas e Poppy. Sabia onde eles estavam, entrou na casa, matou os dois e foi embora.

— Parece muito simples — diz Sue.

— Porque foi simples. Mas você sabia que, para mim, o simples não seria interessante. Por isso, sugeriu todo tipo de teorias maravilhosas para me conduzir. Só para ganhar algum tempo e conseguir os diamantes. Ou para que eu encontrasse os diamantes para você. Me manteve interessada.

— Bom, agora o que você está falando já deixou de fazer sentido — diz Sue. — Que imaginação e tanto, Elizabeth!

Elizabeth balança a cabeça.

— Minha imaginação foi o que me levou pelo caminho errado, pelo jeito. Quando percebi que foi você quem colocou o número do telefone da Siobhan no bolso da Joyce, tudo ficou claro.

— Ah, eu estava curiosa sobre o motivo de você ter perguntado isso! — diz Joyce.

O celular de Sue Reardon vibra. Ela abre uma mensagem e sorri.

— Olha só, falando no diabo... é a mãe da Poppy. Com boas notícias.

— Compartilhe com a gente — pede Elizabeth.

— Parece que encontramos os diamantes. Bem no micro-ondas da Joyce. Que coisa mais adoravelmente suburbana. Mas, pelo jeito, não precisamos mais ficar fingindo.

Sue Reardon aperta o botão do intercomunicador e se dirige ao motorista.

— Mudança de planos. Vamos para o Retiro de Aposentados de Coopers Chase. Não é longe daqui.

A resposta vem com um eco eletrônico.

— Qual é o CEP?

Sue pensa por um momento, pega uma arma e a aponta para Joyce.

— Joyce, qual é o CEP?

76

Chris Hudson mastiga um palito de cenoura. Depois que você se acostuma, não é tão ruim assim. Bem, para ser honesto, é ruim, mas passa a importar menos. Connie Johnson está presa. Seu depoimento terminara rápido. Consistira quase inteiramente em ameaças de morte a ele, Donna, Bogdan e a quem quer que ela imaginasse que Ron fosse. Com Bogdan, ela pegara particularmente pesado. No entanto, nenhuma menção a Patrice. Essa ameaça específica fora esquecida. Ele jamais mencionará isso a Patrice nem a Donna. E sabe que Ron e Bogdan também não.

O depoimento de Ryan Baird fora bem menos agitado. Oito minutos de um choro silencioso, cheio de soluços, até o advogado sugerir que seria melhor tentar de novo na manhã seguinte.

O advogado de Ryan Baird, impossível não reparar, estava mais bem-vestido, o cabelo tinha um corte melhor, e ele até havia perdido algum peso. O cheiro de desodorante barato empesteava o ambiente, mas, como Chris bem sabe, não dá para mudar tudo de uma tacada só. Após o depoimento, o advogado chamara Donna num canto e a convidara para tomar uma bebida. A aliança sem dúvida escondida no bolso. Donna responderа que adoraria, mas seria melhor esperar para não comprometer a investigação em curso. Mesmo ao fim de um longo dia, Donna pensava rápido.

A mente de Chris retorna à mesa do lado de fora do Tribunal Real de Maidstone. Às promessas que Ron e Bogdan lhe haviam feito. E cumprido. Obrigado, senhores. No domingo, Patrice virá a Fairhaven de novo, e, desta vez, Chris lhe dirá que a ama. Às vezes, o Universo conspira a seu favor. Ele espera que Elizabeth e Joyce também tenham conseguido o que queriam de hoje.

Um homem comendo palitos de cenoura por vontade própria. Esse era alguém que valia a pena ser.

77

Agora é Elizabeth quem encara o cano da arma de Sue Reardon. Quantas vezes já passara por essa situação em sua carreira? Vinte? Trinta? Até agora não morrera.

A regra básica é: se alguém não mata imediatamente, é porque não vai fazer isso. Sempre há exceções, mas não faz sentido ficar pensando nelas agora.

A van do legista se encaminha para Coopers Chase. Como Siobhan havia achado os diamantes na casa de Joyce? Alguém lhe dissera exatamente onde estavam. Ibrahim? Stephen? Teriam sido *forçados* a dizer? Por favor, não. É preciso manter a calma.

— Posso dizer o que acho que aconteceu? — pergunta Elizabeth. — Só para passar o tempo. Ou isso é meio James Bond demais para você?

— Fique à vontade — diz Sue. — Você não imagina como fiquei exultante em enganar você.

— Poppy encontrou a carta — começa Elizabeth. — Exatamente como Joyce disse. Mas ela não foi atrás dos diamantes, nem deu a carta para a mãe. Deu para você, pois é isso o que a Poppy faria. Fez o trabalho dela. Então você leu a carta, viu a confissão do Douglas. Mas a parte da confissão não era novidade, você já sabia o tempo todo. Você e o Douglas planejaram tudo juntos. Não é?

— Sim, um pequeno plano de aposentadoria — concorda Sue.

— Por um breve momento, tive o pensamento horrível de que o Douglas tinha um caso com a Poppy — diz Elizabeth. — Mas estava errada, não é mesmo? Você e Douglas, sim, eram amantes.

— Aaah, sim — comenta Joyce. — Faz sentido.

— Acertei? — pergunta Elizabeth.

— Sim — diz Sue.

Joyce olha para as duas.

— Ele tinha um tipo, hein?

— Eu entendo a atração, juro — afirma Elizabeth. — Eu era quase dez anos mais velha do que ele, você dez anos mais nova. Ele cobriu direitinho nossas gerações, não é?

— Ele era muito bonito — diz Joyce. — Certamente não fazia o meu tipo, sem ofensa a nenhuma de vocês, mas era muito bonito.

Elizabeth olha diretamente nos olhos de Sue.

— Então você leu a carta, viu a chave, o número do guarda-volumes e tudo o mais. Suponho que ele não contou onde havia escondido os diamantes.

— Só disse que estavam em segurança — responde Sue.

Elizabeth assente.

— Era uma informação interessante para você, então. No mínimo, lucrativa. Mas a grande notícia estava mais embaixo na carta, não é? Quando ele disse que ainda me amava. Que esperaria por mim se necessário. Deve ter sido quando você se deu conta de que não estavam jogando no mesmo time. Que você e Douglas não iriam partir rumo ao pôr do sol com os vinte milhões. Foi esse o momento em que se deu conta de que precisaria matá-lo.

Sue dá de ombros e o cano da arma acompanha o movimento.

— Ele queria ficar com tudo — continua Elizabeth. — Ou pior, queria para ele e para mim. Mas você é esperta o suficiente para saber que isso nunca aconteceria. De início, vocês dois iriam esperar a investigação acabar, deixar que não desse em nada e aí faturar. E agora você precisava de uma mudança de planos.

— Até aqui, perfeito — diz Sue. — Tarde demais, mas perfeito.

— Então decidiu que queria o dinheiro todo para você — diz Elizabeth.

— Não a culpo, nem um pouco — comenta Joyce.

Joyce continua a jogar caça-palavras. Era preciso tirar o chapéu para ela às vezes. Mesmo com uma arma apontada para a melhor amiga. Joyce confia que ela conseguirá tirar as duas daquela situação. E Elizabeth, confia em si própria? Ótima pergunta. O que estará aguardando as duas em Coopers Chase? Stephen estaria em segurança? Ibrahim estaria em segurança?

Elizabeth continua a pensar enquanto fala.

— Mas como matá-lo? Bem, a primeira tentativa foi informar ao Martin Lomax onde Douglas estava, o equivalente a assinar a sentença de morte dele. Covardia, mas você precisava tirá-lo do caminho se quisesse escapar sozinha com o dinheiro, e estava com raiva. Lomax manda o capanga dele, Andrew Hastings, para matar Douglas, mas a coitada da Poppy se mete no meio e atira no Hastings. Douglas ainda vivinho, um percalço no caminho, mas tudo bem. Você continua determinada, é compreensível. Todos nós, um dia, perdemos o amor por alguém, não é?

— Com toda a certeza — diz Sue.

— Eu, não — retruca Joyce.

— Deixa de besteira, Joyce, você se apaixona e se desapaixona todo mês — rebate Elizabeth, voltando a encarar a arma de Sue Reardon. — Você ainda tem que tirar o Douglas da jogada e percebe que vai precisar sujar as próprias mãos. Sabe que dá para transferi-lo com Poppy para Hove. Para uma casa que vocês já usaram antes, e à qual você tem total acesso. Assim, matá-lo sozinha seria fácil. Mas como se safar depois? Essa devia ser a sua grande dúvida.

— Sim — concorda Sue Reardon. — Não que eu precisasse me safar por muito tempo. Só até encontrar os diamantes.

— E, talvez — continua Elizabeth —, você temesse que eu descobrisse tudo?

— Sim — diz Sue. — Eu só precisava que você encontrasse os diamantes antes de deduzir que eu era a assassina. E você não me decepcionou.

— Ela acabou deduzindo, para ser justa — comenta Joyce.

— Mas ainda assim vou ficar com os diamantes — diz Sue. — Assim que estiver com eles nas mãos, vou me mandar. Como você sabe, Elizabeth, posso desaparecer facilmente. E é isso o que farei. Fique à vontade para contar para todo mundo o que fiz. Não vão me encontrar mesmo.

— Você não vai nos matar, então? — pergunta Joyce.

— Se vocês se comportarem, não — responde Sue.

— Nosso histórico não é exatamente exemplar — rebate Joyce.

— Sabia que você não resistiria a um bom mistério, Elizabeth — diz Sue. — Sabia que ficaria dando voltas em torno do próprio rabo. Você almoçou com a assassina, compartilhou táticas e não fazia nem ideia. Não é o máximo?

Elizabeth assente.

— Seu plano está delineado e você percebe que vai precisar de ajuda. Aí liga para a Siobhan. Esse é o ponto que ainda está nebuloso para mim. Quem é ela, exatamente? Uma velha amiga, imagino? Uma colega dos velhos tempos que te devia um favor?

— Tenta de novo — sugere Sue Reardon.

— Não importa — diz Elizabeth. — Ela concorda com quaisquer que sejam os termos que você propõe. Ajudar com um assassinato duplo e... o quê?

— Um milhão de libras — responde Sue Reardon.

— É, daria para o gasto — diz Elizabeth. — Você vai a Coopers Chase retirar de lá o corpo do Andrew Hastings e, no caminho, coloca o bilhete no cardigã da Joyce, um bilhete que diz apenas "liga para a minha mãe", com o número do telefone da Siobhan.

— Espera aí — diz Joyce. — Siobhan não é mãe da Poppy?

— Acorda, Joyce! — exclama Sue.

— Não fale assim com ela — avisa Elizabeth.

— Ah, não me importo — diz Joyce.

A van faz uma curva acentuada para a esquerda e diminui a velocidade. O veículo cruza um mata-burro. Estão em Coopers Chase.

— Você manda Siobhan ir aos guarda-volumes atrás dos diamantes. Suponho que você já tivesse ido lá antes para se garantir quanto à existência de câmeras de segurança.

— Sim — confirma Sue.

— Sabendo que eu iria checar as gravações em algum momento. E isso me levaria a Siobhan. E me faria somar dois mais dois.

— Exatamente como aconteceu — diz Sue. — Sabia que você não resistiria à ideia de Poppy ter forjado tudo. Muito improvável. Sabia que você era inteligente o bastante para cair nessa.

Sirenes passam pelo veículo em alta velocidade. Sue para de falar, mas logo depois relaxa. São ambulâncias, não a polícia. Elizabeth sente o sangue gelar. As ambulâncias estão saindo a toda de Coopers Chase. Quem estão levando? Stephen?

— No início, você chegou mesmo a pensar que Douglas é quem tinha forjado tudo, não foi? — pergunta Sue, abrindo um sorriso. — Aquela foi uma surpresa ótima. Não era o meu plano, de maneira alguma, mas adorei ir nessa onda por alguns dias. Você, Elizabeth, foi a minha idiota útil, se não se importa que eu diga.

Elizabeth tenta afastar as ambulâncias da mente, as sirenes já sumindo a distância.

— Siobhan retorna de mãos vazias. No dia seguinte, você vai ao esconderijo na avenida St. Albans. Imagino que tenha atirado primeiro na Poppy.

— Correto — diz Sue. — Uma pena, mas às vezes é necessário. Ela viu a carta.

— E isso encorajaria Douglas a te contar onde estavam os diamantes. O que ele disse antes de você atirar? Obviamente não foi a verdade.

— Ele se limitou a dizer "fique perto da Elizabeth, ela vai encontrá-los". Achei justo e, como não iria obter mais nada dele mesmo, atirei.

— E você de fato ficou perto de mim, verdade seja dita.

— E você encontrou mesmo os diamantes. Obrigada — diz Sue. — Como eu já disse, uma idiota útil. Não vai demorar até você ficar livre de mim, prometo.

A van estaciona. Sue põe a mão com o revólver na bolsa, mas continua a apontá-lo para Elizabeth. O motorista abre as portas traseiras.

— Senhoras, por favor — diz Sue, e o motorista ajuda Elizabeth e Joyce a saltarem. Sue desce em seguida, sem precisar de auxílio.

— Não vamos demorar — avisa Sue ao motorista. — Só preciso fazer uma parada rápida.

São cinco da tarde. O céu está escurecendo e as luzes começam a se acender ao longo de Coopers Chase. Um dia normal transcorrendo de forma normal. Programas de perguntas e respostas na TV, livros sendo lidos, netos ao telefone, uns poucos pássaros voltando para os viveiros. Elizabeth vê Colin Clemence retirar de seu pátio uma cadeira de jardim. Miranda Scott, de Wordsworth Court, está postando uma carta. Ela participa de concursos e ano passado ganhou um suprimento de sabão em pó para a vida toda. A diretoria do fabricante deve ter esfregado as mãos com gosto ao descobrir que ela estava com noventa e dois anos.

Tudo está em paz neste lugar feliz. Mais um dia que se foi, a família em segurança, cortinas fechadas e aquecimento ligado. Nada que vá virar notícia, mas algo em que se deveria prestar mais atenção, o mero e suave murmúrio da satisfação.

Dê uma olhada pela janela e não há nada a ser visto, a não ser duas senhoras idosas fazendo uma caminhada noturna juntas. São Joyce e Elizabeth, não são? Unha e carne, essas duas. Uma mulher mais jovem vem alguns passos atrás. Estão a caminho da casa da Joyce, acho.

— Logo que o tiroteio no píer acabou, peguei o telefone — continua Sue. — Três homens que Martin Lomax me apresentou um tempo atrás. Homens capazes de fazer alguns trabalhos por baixo dos panos, com passagem pelas forças especiais, armados até os dentes. Estavam de prontidão e os mandei direto para cá com a Siobhan. Era certo que alguém saberia onde estavam os diamantes. Seu amigo das costelas quebradas ou aquele seu marido, Elizabeth. Se bem que, pelo que eu li, você poderia contar qualquer coisa para ele que ele não se lembraria. Coitado.

Ela percebe que Elizabeth ficou tensa à sua frente e sorri.

— Meu Deus, isso foi mais complicado do que era para ser. Douglas havia falado em um "crime perfeito", sem vítimas. Quantas mortes já foram? Cinco? E com as ambulâncias que escutamos, quem sabe? Talvez mais umas duas?

O celular de Elizabeth começa a tocar na bolsa.

— Nem pense — diz Sue.

Elizabeth obedece. Não que seja necessário. Ela reconhece o toque personalizado.

Chegam à porta da frente do prédio de Joyce. Elizabeth observa a janela da casa da melhor amiga. Cortinas fechadas. Não estavam assim quando ela pegou Joyce pela manhã. Joyce digita o código de segurança e as três entram no prédio.

Elas param em frente ao elevador. Elizabeth aperta o botão e as portas se abrem. Sue Reardon sorri.

— Se tentar qualquer coisa nesse elevador, há três homens armados lá em cima.

— Nós desistimos, Sue — diz Elizabeth. — Não percebeu? Pega os seus diamantes e vai embora.

Elas entram, as portas se fecham e o elevador sobe. Sue se coloca atrás de Joyce e de Elizabeth com a arma apontada para as costas delas. Quando as portas se abrem no primeiro andar, sua visão está obstruída.

— Joyce, pro chão! — grita Elizabeth.

Elizabeth e Joyce se jogam no chão, limpando o terreno para o tiro de Bogdan. Ele atinge Sue exatamente onde mirara, atravessando o ombro. Ela deixa cair a bolsa e a arma, olhos arregalados de surpresa.

Bogdan chuta para longe a arma de Sue e ajuda Joyce e Elizabeth a se levantarem.

— Podem entrar — diz ele. — Já liguei a chaleira.

78

— Você nunca viu nada parecido — diz Stephen, sentado no sofá de Joyce. — Eu estava tirando um cochilo na minha cadeira quando ouvi um ruído. Abri os olhos. Três sujeitos estavam apontando armas para mim. Espera aí, gente, eu disse, que história é essa? Suponho que estejam procurando pela Elizabeth. Sabe como é, vestidos de preto, armados, o diabo a quatro. Mas o cara do meio disse que não era nada disso e queria que eu dissesse onde estavam os diamantes.

Um gemido baixo o interrompe. Joyce dá atenção ao ombro de Sue Reardon, que está sentada numa cadeira da cozinha.

— Para de reclamar, bebezona — diz Joyce, apertando o curativo.

— Fiquei só me fazendo de bobo, "mas que diamantes?", essa lenga-lenga toda, e eles não gostaram nem um pouco. Foi quando a senhora aqui... — Stephen indica com a cabeça uma outra cadeira da cozinha, onde Siobhan está sentada com as mãos atadas nas costas — ... entrou toda amigável, conta pra gente, Stephen, conta e a gente vai embora. Enfim, dei uma enrolada um pouco, não lembrava aonde você tinha ido, Elizabeth, mas talvez não demorasse a voltar. Então mandei ver um "ah, não sei nada sobre diamantes, sinto muito, mas não é a minha área, vocês têm que falar com a patroa, ela já volta", e essa senhora aqui, me desculpe, eu esqueci seu nome...

— Siobhan — diz a própria.

— Lindo nome. Ela me dizia que Elizabeth não voltaria tão cedo, e se nós não pegássemos esses diamantes não iria voltar jamais. Bem, pensei, então vocês realmente não conhecem Elizabeth como eu conheço. Se há algo a respeito dela pelo que se pode pôr a mão no fogo é que ela sempre vai voltar. Nunca me deixou na mão.

— E nunca deixarei, meu bem — diz Elizabeth.

— As coisas começaram a ficar tensas. "Cadê os diamantes?" "Que diamantes?" Dois dos sujeitos começaram a pôr a casa de pernas para o ar. Isso tem acontecido bastante, hein, meu amor?

— Nem tem valido a pena arrumar as gavetas ultimamente — concorda Elizabeth.

— Foi quando ouvi uma chave na porta e pensei, bem, ela chegou, mas a porta se abriu e era o homem em pessoa. — Stephen faz um sinal indicando a silhueta no canto do aposento.

— Ron foi para casa assistir sinuca e achei que Stephen ia gostar de saber dos tiros — diz Bogdan.

— Em segundos, estavam os três sujeitos apontando armas para o pobre do Bogdan, e eu pensando, quero ver você sair dessa agora.

Bogdan pega a deixa.

— Stephen disse que os caras estavam atrás dos diamantes e eu falei, bom, sou a pessoa certa, só vir comigo, estão na Joyce. Eu mostro para vocês e fico com um deles. Eles olharam para Siobhan e ela disse tudo bem, certo. Então venham comigo, mas guardem as armas lá fora para não assustar os velhos. Eles resmungaram, resmungaram, mas tá bem, vamos lá.

— Na mesma hora, ouvi o ruído mais impressionante — continua Stephen. — Não levou mais do que vinte segundos. E entra o Bogdan aqui de novo, me pedindo ajuda para limpar tudo.

— Por isso as ambulâncias? — perguntou Elizabeth.

— É, eram os três caras — explica Bogdan. — Aí eu disse para Siobhan, diz quem está por trás disso, e ela só olhando para os caras no chão com as armas e achando que talvez devesse dizer a verdade. Ela disse que trabalha com a Sue, tá, entendi. Aí eu disse para mandar mensagem para a Sue, dizendo que estava com os diamantes. Onde é para eu dizer que eles estão?, perguntou ela. E eu não sei, aí olhei para o Stephen.

— E eu disse para dizer a verdade, não há razão para o contrário. Estão dentro do micro-ondas da Joyce.

Elizabeth olha para Sue.

— Espero que esteja sofrendo muito com isso, meu bem.

— Nos divertimos com isso, não foi, Elizabeth? — continua Stephen. — Ela teve que mudar de lugar porque vivia se esquecendo e fazendo chá.

— Ah, agora estão encarnando em mim? — diz Joyce. Mas está sorrindo.

— Vieram as ambulâncias e fizeram várias perguntas, dá para entender por quê.

— Eu pedi para falarem com o Chris Hudson — diz Bogdan. — Ele me deve um favor.

— Ah, é? — diz Elizabeth.

— E aí viemos até a casa da Joyce para esperar vocês.

— Eu vi vocês de trás da cortina — conta Bogdan. — Liguei para você saber que eu estava aqui. E aí atirei na Sue.

— E é essa a história — diz Stephen.

Elizabeth vai até o micro-ondas de Joyce e puxa para fora um saco verde de feltro. Dentro dele geralmente há peças de Palavras Cruzadas, mas agora está cheio de diamantes. Ela os despeja na mesa da cozinha na frente de Sue Reardon.

— Olha, Sue. Foi tudo por causa disso. Poppy, Douglas, Andrew Hastings, Lomax, Frank Andrade. E isso é o mais perto que você vai chegar deles.

— Para ser justa — diz Joyce, sentada no sofá —, Martin Lomax e Frank Andrade não foram culpa da Sue. Esses estão na sua conta.

Elizabeth assente, reconhecendo a validade do argumento. Vira-se para Siobhan.

— E como você veio parar no meio disso, Siobhan? Qual é a conexão?

— É fácil me convencer — responde Siobhan. — Sempre foi. E meu nome não é Siobhan, na verdade. É Sally. Sally Montague, se lembra desse nome?

As três ex de Douglas. Reunidas.

Sue Reardon grunhe novamente, um grito gutural.

— Por favor, preciso ir para um hospital.

— Acho que Bogdan pode ter requisitado todas as ambulâncias — diz Elizabeth.

— Vamos esperar mais umas duas horas — afirma Joyce. — Pode deixar comigo, vou garantir que não morra. Mandar você para a prisão vai ser muito mais divertido. Quer analgésicos?

— Sim, por favor — diz Sue, a agonia estampada em seu rosto.

— Que pena — comenta Joyce. — Estou sem.

79

Patrice checa o relógio, suspira e enche mais uma taça de vinho.

São nove e meia da noite, já está escuro lá fora e ela está só na metade da correção do dever de casa sobre Jane Austen. Pensa em Chris. Pensa cada vez mais nele ultimamente. Patrice já se apaixonara antes, e todos os sinais começam a se manifestar. Mas pode ser apenas o vinho e Jane Austen.

Sempre se preocupara com o trabalho de Donna. Agora tem Chris com quem se preocupar também. Era algo com que conseguiria lidar? Ao menos os dois estão em Fairhaven. Parece mais seguro do que Londres. Que tipo de problemas mais sérios poderia haver em Fairhaven?

Havia escolas por lá, não havia? Claro que sim, Patrice, sua idiota, escola tem em toda parte. Por que está pensando nisso? Não é como se estivesse prestes a se mudar para lá ou algo assim.

Sentira-se feliz e segura nas férias de meio período. Segura com Chris, e com Donna por perto. Feliz com Chris, e com Donna por perto. Neste exato momento, sentada sozinha em casa, os dois parecem tão longe... Mas no fim de semana? No fim de semana ela vai pegar o carro e ir visitá-los.

Pensa em telefonar para Chris. Contar quanto tem pensado nele, talvez. Talvez. Ou, quem sabe, deixar isso para amanhã. Quando não terá bebido tanto. Sim. Não é fácil recuar depois de certas decisões. É preciso tomá-las com cuidado. Para não acabar quebrando a cara.

Patrice sorri. Quebrar a cara com Chris? Como isso seria possível? Vai ligar para ele. Vai corrigir mais três redações e então se recompensar com o telefonema. Vai estar enrolando um pouco a língua, mas quem faz isso ao falar com um homem tem salvo-conduto para dizer qualquer coisa. Talvez mencione Jane Austen e veja onde isso vai dar. Vai ser bom escutar a voz dele. Tem jogos de dardos passando na televisão na segunda-feira? Se tiver, ela tem certeza de que é a isso que ele está assistindo.

Ela ouve um barulho do lado de fora, na rua. Raposas, provavelmente.

Pega a redação seguinte na pilha. Ben Adams. Patrice suspeita que Ben não leu uma linha de *Razão e sensibilidade*. Suspeita também que o que ele fez foi assistir ao filme, principalmente porque, em determinado momento, chamou Elinor Dashwood acidentalmente de "Emma Thompson". Boa tentativa, moleque. Deus do céu, isso vai levar a noite toda.

Patrice já cansou de repetir: corrigir provas ainda vai acabar com ela.

Ao pegar a redação seguinte, ouve batidas na porta. Nova olhada para o relógio. Está tarde.

Patrice sabe que o melhor seria ignorar. Mas talvez um vizinho esteja precisando de algo. E ela faria qualquer coisa para parar de corrigir redações por um minuto.

Patrice cruza o corredor, taça de vinho ainda na mão. Donna lhe disse umas cem vezes para instalar trancas, olho mágico, "nunca abrir a porta para estranhos, mãe". Que idade ela achava que Patrice tinha? Isso de olho mágico e trancas vai ficar para quando ela for mais velha. Não tem nem cinquenta anos e se recusa a ter medo na própria casa. Ótimo que Donna se importa, mas Patrice pode tomar conta de si mesma muito bem, obrigada. Deveria ligar para Donna também. Ela anda meio para baixo. Então, ligar para Chris e depois para sua filhota? Ou ligar primeiro para sua filhota?

Patrice pousa a taça na mesa da entrada e ajeita rapidamente o cabelo. Com um gesto de cabeça, manifesta sua aprovação. A aparência sempre conta, não importa quem seja a pessoa à porta.

Voltam a bater, agora de forma mais insistente. Já vai, já vai. Patrice alcança o trinco e abre.

E fica de queixo caído, redações esquecidas, vinho esquecido, cabelo esquecido.

Não é um vizinho. Ela tenta entender, mas lhe falta tempo.

— Olha só — diz Chris, parado à porta com flores nas mãos e lágrimas no rosto. — Eu sei que está tarde, mas não deu para esperar até amanhã. Não deu para aguentar um minuto a mais sem dizer que estou apaixonado por você. Desculpa se for estupidez.

Patrice tenta pensar em algo para dizer. Ainda bem que ajeitara o cabelo. O que Jane Austen diria?

— Posso entrar? — pergunta Chris.

— Sim, querido. Sim, pode entrar — diz ela. Patrice pega a taça da mesa e estende a mão, guiando Chris para dentro.

Assim está bom demais.

80

— Só quis dar uma passada, ajudar um pouco — declara Joyce. — Posso passar o aspirador na casa, talvez um produto de limpeza. Não vou nem chegar perto das suas tralhas.

— Obrigado, Joyce — diz Ibrahim, bebericando seu chá. — Sinto muito por ter perdido toda a diversão de ontem.

— Pode deixar que eu te conto tudo.

— Ron está possesso por ter perdido — comenta Ibrahim. — Ainda mais porque Siobhan estava lá.

— Não faria mal ao Ron segurar o facho por enquanto — diz Joyce, espanando a poeira do aparador. — Como você está se sentindo? Aí dentro?

Ibrahim se acomoda outra vez na poltrona. Sorri timidamente e dá de ombros.

Joyce assente e começa a arrumar.

— Preciso da sua ajuda hoje.

— Desculpe, Joyce, mas não posso. Hoje, não.

— Você ainda nem sabe o que vou pedir.

Ibrahim ri.

— Claro que sei. É o primeiro dia de paz que nós temos em semanas, Joyce. Você quer que eu a leve de carro até o centro de resgate de animais. Para escolher seu cachorro, não é?

— Sim, é exatamente isso que quero. Por que você não termina seu chá e a gente vai? Vai ser um passeio tão agradável!

— Sinto muito, mas não.

— Você acha mesmo que vou aceitar um não? — pergunta Joyce. — Há quanto tempo você me conhece?

Ibrahim se inclina para a frente e repousa a xícara na mesinha de centro.

— Joyce, olha para mim.

Joyce larga o espanador e o encara.

— Eu sei o que você está tentando fazer e fico comovido por tentar. Você sabe que estou assustado, sabe que não quero sair deste apartamento, e muito menos quero sair aqui do vilarejo. Você sabe que isso não é saudável e quer cuidar de mim. Você é inteligente demais para vir aqui e me dizer para tomar jeito. Sabe que estou um caco e não tem como me consertar. Por isso, está usando uma tática diferente, mais inteligente. "Ibrahim, por favor, me ajude" é a sua tática. "Ibrahim, preciso de você." Mas, Joyce, você não precisa ir hoje ao centro de resgate de animais. Alan não vai a lugar algum. Eu vi a foto, você é a única pessoa do mundo que o escolheria. E, quando tiver que ir até o centro de resgate de animais, não precisa de mim para isso. É só pegar um táxi, ou outra pessoa leva você. Gordon Playfair tem um Land Rover, é o carro perfeito para transportar um cachorro. Sua gentileza é bem-vinda, mas ficou muito na cara. Não vou mais sair deste vilarejo. Já tomei a decisão e estou tranquilo em relação a isso.

Joyce assente.

— Você é ótima em ler as pessoas, Joyce, não pense que não reparo. Também sei como você faz, coerção pela gentileza. Mas entenda uma coisa: atrás de mim, nestas fichas, há gente que não consegui ajudar, gente fora de alcance, problemas que não consegui sanar, não importa de quantas maneiras tentasse. Você também gosta de dar jeito nas coisas, Joyce. Não suporta quando vê algo fora do lugar. Aí você chega sorrindo, com um carinho por mim que sei que é genuíno, e pede que eu a leve ao centro de resgate de animais. E como eu poderia dizer não? Quando me desse conta, estaria de novo ao volante daquele carro, fora do vilarejo, e logo estaria cercado por cachorros vira-latas perdidos e, embora não goste de cachorros, pelo contrário até, certamente me identificaria com aqueles animais sem dono e sozinhos. Perdidos, sozinhos, à espera da Joyce para dar um jeito nas coisas. É um plano muito bem bolado, você é uma ótima amiga e muito inteligente. Mas, e preciso que escute o que vou dizer, não vai funcionar. Estou assustado demais. Há momentos em que é sábio da parte de um homem aceitar a derrota, e espero que você concorde que sou um homem sábio. Certificados não me faltam. Portanto, obrigado, do fundo do meu coração, mas, uma vez na vida, Joyce, você se deparou com um problema que não é capaz de solucionar.

Ibrahim se recosta novamente na poltrona.

— Eu entendo — diz Joyce, assentindo e colocando o espanador sobre o ombro. — Mas deixa eu dizer só uma coisa...

Cerca de quarenta e cinco minutos depois, Joyce avista a primeira placa do centro de resgate de animais e Ibrahim pega a entrada.

— Adoro ver cavalos no campo — diz Joyce. — Dá para ver que eles estão felizes. A razão de ser da vida é a felicidade, não acha?

Ibrahim balança a cabeça em negativa.

— Discordo. O segredo da vida é a morte. Veja, a morte é a base de tudo.

— Bem, ultimamente tem sido assim, de fato — concorda Joyce. — Mas de tudo? Aí também não. Não parece um pouco demais?

— Na essência — começa Ibrahim —, nossa existência só faz sentido por causa dela. É o que dá significado à nossa narrativa. O caminho da nossa jornada é sempre ao encontro dela. Pautamos nosso comportamento pelo medo dela ou por tentarmos negar este medo. Poderíamos passar por este lugar uma vez por ano, todo ano, e nem nós nem o cavalo estaríamos mais jovens. Tudo é morte.

— Bem, essa é uma maneira de se encarar as coisas, imagino — diz Joyce.

— É a única maneira — completa Ibrahim. — Esse centro de resgate tem banheiro?

— Acredito que sim — responde Joyce. — E, se não tiver, terá o dos funcionários.

— Ah, não posso usar o banheiro dos funcionários — comenta Ibrahim. — Sempre acho que não mereço.

— Se a morte tudo envolve, então também podemos dizer que *nada* envolve a morte? — questiona Joyce ao retocar o batom.

— Como assim? — pergunta Ibrahim.

— Bem, digamos que fosse tudo azul. Eu, você, Alan, tudo.

— Certo.

— Bem, se *tudo* fosse azul, não precisaríamos da palavra "azul", precisaríamos?

— Aceito o argumento — diz Ibrahim.

— E, se não tivéssemos a palavra "azul", então nada seria azul, não é mesmo?

— Bem, a morte é um acontecimento, portanto... — começa Ibrahim, que então vê a entrada do centro de resgate à sua esquerda. — Chegamos!

E que alívio, pois o argumento de Joyce até faz sentido.

Talvez nem tudo tenha a ver com a morte, então? Que momento para descobrir.

81

Bogdan encara o tabuleiro de xadrez, mas nada parece fazer sentido. Acabou de cometer um erro fatal, algo que ele nunca faz.

Os lábios de Stephen estão crispados. Ele percebeu o erro. E olha para Bogdan.

— Meu Deus — diz ele. — Você não é disso. Você não é disso.

Stephen move seu bispo para tirar vantagem do erro. Bogdan está perdido. Ele olha de novo para o tabuleiro, mas as peças começam a dançar, não se comportam. Tenta piscar repetidas vezes para restituir a ordem das coisas, colocar tudo de volta no lugar.

— Tem alguma coisa perturbando você? — pergunta Stephen.

— Nada — responde Bogdan. Geralmente é verdade. Mas não hoje.

— Se você diz, quem sou eu para questionar? — diz Stephen. — Matou mais alguém, talvez?

Bogdan olha para o tabuleiro. Olha para as peças. Não acha uma saída. Stephen vai ganhar.

— Você ama a Elizabeth? — pergunta Bogdan.

— Essa palavra é pequena demais — diz Stephen. — Mas sim. Onde ela está, por sinal? Ela me falou.

— Na Antuérpia — responde Bogdan.

— Bem a cara dela — diz Stephen. — Continue.

— Quando você soube que amava? — pergunta Bogdan. — Demorou muito tempo?

— Talvez vinte segundos — afirma Stephen. — Percebi no momento em que a conheci. Pensei na hora: "Ah, você chegou... eu estava te esperando."

Bogdan assente.

— Você está a fim de alguém? — pergunta Stephen. — É isso? Pode desistir do jogo, aliás, se quiser. Agora já não tem mais volta.

Bogdan olha para o tabuleiro. Talvez não tenha mesmo. Mas ainda não é hora de desistir.

— Como a gente sabe se alguém gosta da gente? — questiona Bogdan.

— Ah, Bogdan, todo mundo gosta de você — diz Stephen. — Mas imagino que você queira dizer no sentido romântico.

Bogdan confirma e volta a olhar para o tabuleiro, na busca desesperada por uma saída.

— Um rapaz ou uma moça? — pergunta Stephen. — Nunca cheguei a perguntar.

— Uma moça — diz Bogdan.

— Bem, então devo vinte libras a Elizabeth — comenta Stephen. — O melhor a fazer é simplesmente perguntar. Que tal convidá-la para sair e beber? Se ela aceitar, você terá a sua resposta.

— Mas e se ela disser não?

— Se ela disser não, então é isso. Sacode a poeira, tem muito peixe no mar.

Bogdan volta a pensar no parapeito da ponte. As pedras e o rio embaixo. O suéter amarelo feito pela mãe. Olha para o tabuleiro, balança a cabeça. Às vezes as peças não estão onde deveriam. Às vezes não se tem controle. E quem sabe isso não seja bom? Vai chamá-la para sair. Se não rolar, não rolou.

Bogdan estende a mão para Stephen.

— Desisto.

— Bom garoto. Quem é ela?

— Se chama Donna — responde Bogdan. — Policial.

— Bem do que você precisa. Vai te manter na linha. Chama logo ela para sair, seu bobo.

Bogdan ouve a porta da frente se abrir. Elizabeth está de volta. Ela entra com uma bolsa cheia de arquivos.

— Oi, meu bem — diz Stephen. — Onde você esteve?

— Antuérpia, querido — declara Elizabeth, beijando-o no topo da cabeça.

— Bem a sua cara — diz Stephen.

— E vocês, rapazes, se divertindo?

— Bogdan quis saber quando eu soube que estava apaixonado por você.

— Ah, é mesmo? E quando foi?

— Situação ainda indefinida, foi o que eu respondi. Por ora, estou dando o benefício da dúvida a ela.

— E de onde veio esse papo sobre amor?

— Meu bem, Bogdan e eu precisamos ter nossos segredos, não é mesmo?

— Precisam, sim — concorda Elizabeth.

Bogdan olha para a papelada que se projeta para fora da bolsa de Elizabeth.

— Como foi na Antuérpia? Tudo certo?

— Tudo certo, sim — diz Elizabeth. — Tudo encaminhado.

82

Joyce

Semana que vem, o Alan vai estar comigo!

O centro de resgate precisa fazer uma visita ao apartamento só para ter certeza de que estou apta à adoção. Certamente acho que estou, mas vai ser bom ter alguém para confirmar.

Ainda bem que não vieram na semana passada. Sue sangrou na cozinha inteira, em cima da mesa havia diamantes que valiam milhões de libras e Bogdan havia guardado três armas debaixo da colcha do quarto de hóspedes. Não sei quais seriam as regras para determinar quem é uma "pessoa apta", mas imagino que eu estaria quebrando algumas naquelas circunstâncias.

Por sinal, sim, vai ser Alan mesmo, não Rusty. Eles nos deixam levá-lo para passear pelo terreno e Ibrahim me disse poucas e boas. Para ser sincera, o nome realmente combina com ele.

A gente se deu bem demais. Ibrahim tentou fazê-lo se sentar, mas Alan não quis nem saber e continuou a perseguir o próprio rabo. Um cachorro exatamente como eu.

Tirei uma foto dele enquanto estávamos lá para mostrar a Elizabeth e Ron. Os dois disseram que tinha jeito de levado e sei que, vindo deles, isso é um grande elogio.

Enfim, esta agora é a foto de perfil do Instagram de @GreatJoy69, e quem quiser pode tirar as próprias conclusões sobre o Alan. Por falar nisso, Joanna solucionou o mistério das minhas mensagens privadas. Acessou minha conta e deu busca em todas elas para mim. Ela disse que, se eu não quiser receber uma sucessão sem-fim de fotos de órgãos genitais de homens, seria melhor mudar meu nome de usuário.

Nem precisa dizer que não mudei nada.

Eu sei, eu disse que queria que algo acontecesse. Lembram? E, no geral, foi divertido.

Exceto pela Poppy.

Conhecemos ontem a verdadeira mãe dela, que realmente se chama Siobhan, e creio que isso fizesse parte do plano. Elizabeth e eu nos sentamos com ela e conversamos sobre Poppy e nós duas choramos. Ela precisou identificar o corpo, que já havia sido identificado. As cicatrizes na panturrilha eram, na verdade, de um acidente de carro quando ela era bem nova. Siobhan tinha um monte de fotografias, e nós as olhamos juntas.

Elizabeth entregou a Siobhan o livro de poesias que havia estado na mesinha de cabeceira de Poppy em Hove. O marcador continuava no lugar onde ela o deixara, num poema intitulado "Uma tumba de Arundel".

Arundel não é muito longe de Brighton. Gerry e eu a visitamos certa vez atrás de antiguidades. Não havia Starbucks na época, mas conhecemos uma ótima casa de chá.

O funeral da Poppy é semana que vem, e vamos todos. Ron vai levar flores para a verdadeira Siobhan. Sempre otimista. Ibrahim é quem vai dirigir.

Elizabeth ficou um pouco chateada por Douglas ter dito a Sue para ficar em sua cola se quisesse encontrar os diamantes. Não que fosse grande coisa, disse ela, mas ainda assim se sentiu meio traída. Eu ri e lhe perguntei se ainda não tinha entendido tudo. Douglas disse a Sue para ficar na cola dela porque sabia que Elizabeth acabaria por capturá-la. Ela entendeu meu argumento e se animou um pouco.

Talvez um pouco de paz e sossego caia bem agora. Um pouquinho só, quem sabe? Joanna deve me visitar no fim de semana. Vai trazer junto o dirigente do clube de futebol e eu farei o almoço. Convidei Ron também, pois ele saberá sobre o que conversar.

Perguntei a Ron o que dirigentes de clubes de futebol comem e ele respondeu bacon, ovos e batatas fritas. Por sorte, conheço Ron bem o suficiente para saber quando está brincando, então vou fazer um assado.

Vou lhes contar tudo o que andou acontecendo, menos o destino dos diamantes. Isto fica entre mim, Elizabeth, Ibrahim e Ron. Decidimos juntos, é nosso segredinho. Todos precisamos de segredos, não é mesmo?

Por falar nisso, tenho mais um segredo e vocês não podem contar para ninguém. Nem para Elizabeth eu contei. Quarta-feira passada fui a Fairhaven, e há um lugarzinho próximo ao píer. Devíamos estar ali perto quando todo mundo estava atirando em todo mundo. Marquei um horário. Nem sabia se era necessário, especialmente numa quarta-feira.

A moça levou algumas horas e ainda dói um pouco, mas valeu a pena. Como nunca uso vestidos sem manga — com estes braços, de jeito nenhum —, ninguém vai ver. A não ser que eu dê sorte com algum homem. É no alto do meu braço esquerdo, e é linda.

Só uma tatuagenzinha de uma papoula.

83

Lance James guardara o folheto que Joyce lhe enviara. Era muito caro, mas sempre se pode sonhar, não é? Ainda bem que ficara com ele e, tão logo o dinheiro dos diamantes batera na conta, ele marcou uma visita.

Seus olhos percorrem a sala, maior do que o seu apartamento inteiro. Paredes revestidas em madeira. Carpete de verdade. Dois janelões com vista para a baía de Dublin.

Que caos havia sido aquele dia no fim do píer. Escrever o relatório levara tempo. Quem atirou em quem e por quê. Deixar uma ou outra coisa de fora, inventar uma coisa ou outra que talvez não tivesse acontecido. As imagens dos monitores haviam desaparecido e só restava a palavra de Lance, Bogdan e Connie. Lance e Bogdan haviam tomado umas cervejas juntos, combinado a história e tudo bem. No fim das contas, o relatório até que continha muitas verdades. Ele já havia escrito piores.

O principal item que deixara de fora, claro, havia sido a existência dos dois diamantes. Estavam ali em cima da mesa, pelo amor de Deus, cintilando como moedas numa fonte. Ele os guardara no bolso. Qual era a alternativa, afinal? Para onde teriam ido, caso contrário?

Havia sido a primeira vez que Lance fizera algo ilegal e seria a última. Ah, sim, e houvera aquela vez em que saíra de férias com Ruth em um carro alugado sem seguro. Mas só isso.

Se é para cometer um grande crime na vida, pondera Lance, por que não roubar diamantes da máfia?

Conseguira alguns dias de folga depois do tiroteio no píer. Disseram a ele que usasse o tempo para relaxar. Relaxar? Num apartamento

mento mínimo que nem sequer é próprio? Com a parede da cozinha semidemolida? E o empreiteiro nunca voltou para terminar o serviço, não que isso tenha sido uma grande surpresa.

Lance preferira pegar a barca até Zeebrugge, depois um trem para a Antuérpia e um táxi até o distrito das joalherias, em busca do endereço que lhe fora dado por um traficante de armas que lhe devia um favor.

Os diamantes valiam vinte milhões no total, isso ele sabia. Quanto valeriam, então, os dois que surrupiara? Um milhão? Dois ou três, será que dava para sonhar com isso? Passara o caminho inteiro checando o aplicativo da imobiliária.

Sue Reardon lhe contara tudo sobre Elizabeth Best logo no início daquela história toda. Sua reputação, sua coragem, sua astúcia. Uma lenda do Serviço. Ele esperara e, em retrospecto, Sue certamente deve ter esperado também, que seus talentos tivessem se esvanecido. Sue devia ter achado que Elizabeth Best não seria grande ameaça.

Sue teria agora um longo tempo para lamentar quanto subestimara Elizabeth.

Lance, portanto, já deveria saber quando estava a bordo do trem, checando todas aquelas casas milionárias.

O joalheiro examinara as pedras, assentindo e sorrindo.

— Muito boas, muito boas mesmo — repetira várias vezes. Onde Lance as conseguira?

Lance disse que por meio de uma morte na família.

— Você tem documentos?

— Puxa, não tenho.

O joalheiro dera de ombros. Sem problemas. E então abaixara o monóculo.

— De fato, muito boas. Posso lhe oferecer trinta mil.

O choque de Lance deve ter transparecido em sua expressão, pois o joalheiro imediatamente disse "ok, ok, trinta e cinco".

Sim, óbvio, Lance já deveria saber. Deveria saber que Elizabeth não teria deixado um milhão, ou dois ou três, nas mãos de Connie

Johnson ou quem quer que fosse acabar ficando com os diamantes em meio à confusão. Dera a Connie a raspa do tacho. Trinta mil libras de um total de vinte milhões. Lance começara a rir. Nem conseguiria gastar um milhão, em todo caso. O Serviço faz auditorias anuais, verifica gastos incomuns, extravagâncias. Só para se certificar de que ninguém esteja na folha de pagamento de russos ou sauditas. Ou de que ninguém tenha acabado de roubar alguns diamantes da máfia. Teria sido quase impossível gastar três milhões.

Mas gastar trinta e cinco mil fora moleza. Comprara a parte de Ruth do apartamento. Claro que ela não se dera ao trabalho de perguntar de onde viera o dinheiro, pois, para Ruth, vinte e cinco mil libras não eram nada.

E as outras dez mil? Bem, era o motivo de ele estar ali, naquela sala suntuosa em Dublin com seus painéis de madeira e belas janelas. Com a mesinha de centro cheia de revistas intocadas enquanto aguarda.

Ele gosta de imaginar o que aconteceu com o resto dos vinte milhões. O que Elizabeth fizera com o dinheiro? Teria ficado com ele para si? Quem sabe Sue tivesse conseguido suborná-la no fim das contas? Lance duvida muito. Pensa se um dia será possível perguntar a ela. Espera que sim, pois gostaria de reencontrá-la.

Lance escolhe a revista do *Sunday Telegraph*. A imagem da capa lhe é familiar. "Tesouro escondido — Seria este o mais belo jardim da Inglaterra?" Tesouro escondido mesmo, ele pensa, e imagina o que os futuros novos donos da casa de Martin Lomax não acabariam por desencavar na propriedade.

Ao virar as páginas para ler a matéria, o homem bem-vestido atrás da escrivaninha no canto lhe diz:

— O Dr. Morris vai recebê-lo agora.

Lance se levanta e, uma vez na vida, passa os dedos pelo cabelo. Será bom lembrar como era a sensação antes do transplante.

— Obrigado — diz Lance.

84

Sylvia Finch retira os mocassins, ainda molhados das poças, e se senta à mesa vazia.

Ela vem dois dias por semana e tem sido assim por cerca de dez anos. Desde que se aposentou.

De vez em quando, tira uma semana de folga, geralmente quando os filhos e netos vêm visitá-la. Nem sequer tem mesa própria, é encaixada onde houver espaço. Falta espaço, falta dinheiro e Sylvia não se importa de ficar espremida com as outras pessoas. Feliz em ajudar quem a ajudou.

Onde quer que a acomodem, ela pega a foto de Dennis e a encosta no computador. Para lembrá-la do motivo de estar ali.

Ela entra no site do banco. Hoje a tarefa se resume a verificar as contas. Certificar-se de que as doações tenham entrado e de que nenhuma transferência não autorizada tenha sido feita. É comum haver uma anomalia ou outra, uma transferência que não se concretizou ou um funcionário pagando o almoço com o cartão de crédito errado. Nunca nada realmente sinistro, mas sempre é bom checar.

Hoje, porém, quando Sylvia acessa a conta principal, percebe imediatamente um erro. Um erro divertido, acima de tudo, o tipo de coisa que ela contaria a Dennis ao chegar em casa numa época mais feliz.

Sylvia telefona para o banco e informa os seus dados. Repassa o erro em que reparou, mas é certificada de que não houve engano. O que é impossível. Ela pede com toda a delicadeza à senhora do outro lado da linha, Lisa, para checar mais uma vez, e ela o faz. Não há erro. Neste caso, ela pede mais alguns detalhes.

Sylvia agradece a Lisa e encerra a ligação.

Os peixes grandes estão todos em reunião. São oito, ao redor de uma mesa pequena demais. A parte de baixo do vidro da sala de reuniões é fosca, mas no painel de cima, que é transparente, dá para ver o topo da cabeça das pessoas. Espremido num canto, o CEO aponta para números num cavalete.

Sylvia jamais interrompeu uma reunião antes. Aliás, nunca chegara a considerar tal hipótese. Nunca foi de chamar atenção para si e sempre apreciou o fato de contadores quase nunca precisarem interromper reuniões. Mas neste caso talvez seja o melhor a fazer.

Ela checa a tela repetidas vezes. Checa repetidas vezes a informação que acaba de anotar. Olha para a fotografia de Dennis. Seu marido, seu amor. Levado pela demência, e então para sempre. O homem que morreu duas vezes. Coragem, Sylvia. Dennis está com você.

Ao caminhar rumo à porta da sala, ouve barulho de conversa e começa a ficar sem jeito. Hesita por um momento junto à porta. Que impressão causará ao entrar? A de uma velha magricela e tola? Sylvia, aquela que dá um bom-dia, põe a foto do marido em cima da mesa e não fala mais nada até se despedir com um boa-noite? Sylvia, que ergue em silêncio a garrafa térmica sempre que alguém lhe oferece uma xícara de chá? Sylvia, a que nunca consegue combinar o suéter com a saia? Bem, não dá para ser diferente daquilo que se é, e isso é importante. Sylvia bate na porta.

Após uma breve pausa, alguém diz "pode entrar".

Sylvia abre a porta e os rostos ao redor da mesa, assim como o que está ao lado do cavalete, se voltam para ela. Sente-se tonta de animação. O cavalete traz o logotipo da organização. "Vivendo com Demência — Vivendo com Amor." Haviam feito tudo o que podiam por ela e por Dennis, e ela dá o que pode em troca. Como não tem dinheiro, oferece-lhes seu tempo. Estão esperando que ela fale alguma coisa. Então é isso.

— Sinto muito por interrompê-los — diz. — Alguém, por acaso, está sabendo de uma transferência de vinte milhões de libras proveniente da Antuérpia?

Agradecimentos

Muito bem, muito bem. Aqui está: *O homem que morreu duas vezes.*

Espero que tenham gostado do final. Li um livro há uns trinta anos em que *a última linha* era fundamental para a trama e sempre achei uma boa ideia.

Naquele caso, descobríamos na última linha que um pacote carregado pelo vilão ao longo de todo o livro continha o cérebro criogenicamente congelado de Adolf Hitler. Não sei se essa revelação específica teria funcionado aqui, mas certamente ficou na minha mente.

Em retrospecto, a última linha de *O Clube do Crime das Quintas-Feiras* era sobre o crumble de groselha da Joyce. Sinto que cresci como escritor.

Ok, agradecimentos. De novo, é gente à beça. Apesar de pedidos insistentes aos meus editores, não me foi permitido ranquear pessoas com notas até 10 de acordo com a ajuda que me prestaram. Vou só listá-las, então.

Obrigado à minha maravilhosa editora Katy Loftus por sua crucial combinação de sabedoria com entusiasmo e por perguntar tantas vezes "mas o Ron *diria* isso mesmo?". Uma grande editora é uma dádiva, e Katy é dádiva das maiores. Tenho muita sorte de trabalhar com uma equipe incrível na Viking. Todos nos divertimos muito desde que *O Clube do Crime das Quintas-Feiras* foi lançado, e fico feliz de repetir a dose com *O homem que morreu duas vezes.* Olivia Mead e Chloe Davies, Georgia Taylor, Ellie Hudson, Amelia Fairney e Vikki Moynes, vocês são todas #OClubedo*ClubedoCrimedasQuintas-Feiras*.

Obrigado à incrível equipe do departamento comercial, liderada por Sam Fanaken, que não parava de me dar retorno com gráficos cada vez mais pronunciados e olhos cada vez mais arregalados. Richard Bravery e Joel Holland são os responsáveis pela capa perfeita, e devo um agradecimento especial a Richard por me fornecer o pseudônimo ideal caso decida um dia escrever um livro de suspense sobre o Serviço Aéreo Especial. Obrigado ainda à equipe da DeadGood, à da PageTurners, à incrível equipe de áudio, a Sam Parker, do site da Penguin UK, e à incansável Annie Underwood.

Para encerrar os agradecimentos relativos à Viking, obrigado a Natalie Wall e ao mestre da preparação de texto, Trevor Horwood. Trevor, tudo bem eu ter usado "e" depois de vírgula ali em cima? Qualquer coisa, me fala.

A propósito, Barack Obama também é publicado pela Viking, mas a gente nunca o vê na recepção.

Tenho a sorte de ter uma agente incrível, Juliet Mushens. Raras vezes trabalhei com alguém ao mesmo tempo tão profissional e tão entusiasmada. Obrigado por tudo, Juliet, sem você eu não teria conseguido. E obrigado à brilhante Liza DeBlock, que era assistente da Juliet, mas a cada dia ascende mais e logo nem estará me dirigindo a palavra.

Também devo muito à minha turma americana: Pamela Dorman, Jeramie Orton, Jenny Bent, Kristina Fazzalaro, Nora Alice Demick e Marie Michels. Pamela me disse que estava fora de questão batizar este livro de *A quinta-feira seguinte*, e nisto, como em tantas outras coisas, ela estava certa. Pamela e sua equipe são muito inteligentes e solidárias, e, assim que a lei não se opuser, pretendo ir até lá e agradecer-lhes pessoalmente.

Que sorte a minha ter ainda tantos editores brilhantes em línguas estrangeiras. Fico feliz por terem espalhado pelo mundo uma história tão britânica, a ponto de Joyce agora ser famosa na China. Fico imaginando o que ela acharia.

Sempre prestativos e prontos a me aconselhar, minha profunda gratidão a Mark Billingham, Lucy Prebble, professora Katy Shaw, Caroline Kepnes, Andi Osho, Sarah Pinborough e Annabel Jones. Não havia pergunta que julgassem desimportante ou boba demais e deixassem de responder. Qualquer escritor — qualquer ser humano, na verdade — que possa se fiar em tamanho poder de fogo tem muita sorte mesmo.

Com relação a uma série de aspectos específicos da trama, também sou muito grato aos advogados Angela Rafferty e Mark Lucraft. Obrigado por responder a perguntas do tipo "mas isto poderia mesmo acontecer?" com "sim, poderia". Foi um alívio.

Obrigado aos incríveis livreiros por todo o país que me deram tanto apoio, e também tanto chá e biscoitos sempre que eu aparecia para tardes de autógrafos. A City Books, em Hove, aparece neste livro, mas há muitas outras livrarias que poderia ter mencionado, e certamente o farei em futuras histórias. Por favor, apoie as pequenas livrarias. A frase "É usar ou perder" é muito verdadeira.

E obrigado a cada um dos trabalhadores da linha de frente que cuidaram de nós todos durante o período de distanciamento social. O que vocês fizeram nunca será esquecido.

Obrigado à incrível Ramita Navai por me manter são e salvo durante um ano tão difícil para todos nós. Sei que continuaremos a ser melhores amigos quando chegar a nossa vez de ir para um retiro de aposentados. E minha gratidão a toda a família Navai, Laya, Ramin e Paola, por serem a melhor turma iraniano-colombiana que um homem poderia desejar. E uma dedicatória especial a um homem muito especial que perdemos em 2020: Kourosh Navai. Com sua inteligência e seu encanto, sua bondade e sua força, seu pendor para a molecagem e seu pendor para a lealdade, Kourosh, você será membro honorário do Clube do Crime das Quintas-Feiras para sempre.

Por fim, como sempre, obrigado à minha família. À minha mãe pelo amor e pelo apoio e por me fornecer material infindável. Obrigado a Mat e Anissa, e a Jan Wright. Vocês todos significam muito para mim, e não digo isso o suficiente. Da última vez, agradeci aos meus maravilhosos falecidos avós Fred e Jessie e devo fazê-lo outra vez. E continuarei a fazê-lo enquanto continuar a escrever.

E, por fim, obrigado aos meus filhos. Sei que o livro já é dedicado a vocês, mas são a melhor coisa que já me aconteceu. Melhor até do que quando o Fulham ganhou de 4 a 1 da Juventus. Amo vocês.

intrinseca.com.br

@intrinseca

editoraintrinseca

@intrinseca

1ª EDIÇÃO

PAPEL DE MIOLO
Pólen® Soft 80g/m²

TIPOGRAFIA
Garamond

IMPRESSÃO
Geográfica